中国近现代针灸文献研究集成 教材卷

王富春 杨克卫／主编

针灸综合分卷

湖南篇（上）

北京科学技术出版社

图书在版编目（CIP）数据

中国近现代针灸文献研究集成. 教材卷. 针灸综合分卷. 湖南篇 / 王富春, 杨克卫主编. —北京：北京科学技术出版社, 2021.11
ISBN 978-7-5714-1907-3

Ⅰ. ①中… Ⅱ. ①王… ②杨… Ⅲ. ①针灸疗法—文献—汇编—中国—近现代 Ⅳ. ①R245

中国版本图书馆CIP数据核字(2021)第204683号

策划编辑： 侍 伟
责任编辑： 吴 丹
文字编辑： 吕 艳 董桂红 杨朝晖 严 丹 陶 清
责任校对： 贾 荣
图文制作： 北京艺海正印广告有限公司
责任印制： 李 茗
出 版 人： 曾庆宇
出版发行： 北京科学技术出版社
社 址： 北京西直门南大街16号
邮政编码： 100035
电 话： 0086-10-66135495（总编室） 0086-10-66113227（发行部）
网 址： www.bkydw.cn
印 刷： 北京捷迅佳彩印刷有限公司
开 本： 787 mm × 1092 mm 1/16
字 数： 573千字
印 张： 62.75
版 次： 2021年11月第1版
印 次： 2021年11月第1次印刷
ISBN 978-7-5714-1907-3

定 价： **980.00元（全二册）**

“中国近现代针灸文献研究集成”丛书

编　委　会

张　琪　张　楚　张子扬　张丹枫　张珊珊　张晓旭

张晓梅　张瀚文　陆孟静　陈丽丽　陈春海　陈维伟

陈新华　邵　阳　范芷君　范嘉毅　岳永月　周　丹

治丁铭　赵晋莹　赵雪玮　胡英华　柳正植　哈丽娟

钟　祯　洪嘉靖　姚　琳　贺怀林　柴佳鹏　党梓铭

徐　铭　徐万婷　徐立光　徐晓红　高　姗　郭丽君

郭晓乐　曹　洋　曹家桢　康前前　董国娟　蒋海琳

韩香莲　路方平　詹旭晖　谭蕊蕊

《中国近现代针灸文献研究集成·教材卷》

编 委 会

主　编　王富春　杨克卫

副主编（按姓氏笔画排序）

王朝辉　刘成禹　刘晓娜　李　铁　张　敏　陈新华

周　丹　赵晋莹　胡英华　徐晓红　董国娟　蒋海琳

编　委（按姓氏笔画排序）

马天姝　王义安　王艳雯　王笑莹　王朝辉　王富春

白　伟　朱　斌　刘成禹　刘春禹　刘晓娜　孙佳琪

李　铁　李乃奇　李芃柳　杨　鑫　杨克卫　杨春辉

张　敏　张　楚　陈春海　陈新华　周　丹　治丁铭

赵晋莹　胡英华　柳正植　哈丽娟　洪嘉靖　徐立光

徐晓红　郭晓乐　曹　洋　董国娟　蒋海琳　韩香莲

路方平

总 前 言

1840年，鸦片战争爆发，西方列强入侵中国，自此中国由独立的封建社会逐步沦为半殖民地半封建社会。20世纪初，受“五四运动”时期各种新思潮的影响，许多有识之士开始积极地向西方学习，由此，大量的自然科学和社会科学知识传入中国，这对中国的政治和社会经济等都产生了重大影响。近代西医学的影响力逐渐增大，解剖学、生理学等知识开始被当时的人们所了解和接纳，西医医院、西医学校等机构也在中国相继出现。随着西医医护队伍的不断壮大，许多人以转译日本人所著的西医学书籍的方式来学习西医学，并成立了相应的学术团体和职业团体。这一时期的针灸界亦是如此，宁波东方针灸学社、中国针灸学研究社等学术团体相继成立，针灸医家访问日本，带回大量日本的针灸著作并将之翻译出版。这些翻译著作较传统针灸医籍更容易学习，颇受民众喜爱。中国近代中医学家、教育家对针灸学术的研究极大地推动了针灸学的现代发展。中华人民共和国成立后，中医针灸学研究越来越受到重视，著书者众、办学者多，由此，针灸成为中医学研究与发展不可或缺的一环，并逐渐在世界范围大放异彩。2010年，中医针灸被列入《人类非物质文化遗产代表作名录》。中国近现代是中西方思想碰撞的时期，是中医学术多流派发展、百家争鸣的时代，其中又以民国时期最具代表性。研究民国时期这一特殊历史时期的针灸文献，可以为今后的针灸学术发展提供良好的借鉴。“中国近现代针灸文献研究集成”丛书对中国近现代针灸文献进行收集、整理和研究，其中以民国时期的针灸文献为主。

一、民国时期针灸的发展概况

民国时期的针灸学术研究一直未被学界所重视，但作为传统针灸与现代针灸的衔接，这一时期的针灸学术研究影响深远。民国时期是中医针灸学院化教育的萌芽时期，是现代针灸教育模式的源头时期，是针灸学术发展的历史转折期。近年来，对于民国时期针灸文献的研究逐渐被学界重视，大量民国时期的针灸医籍得以整理出版，如承淡安编撰的《中国针灸治疗学》《中国针灸学讲义》，杨医亚在民国时期办学的讲义等。然而，随着对民国时期针灸学术、针灸医籍的研究日渐增多与深入，研究者们面临着一个共同的难题——民国时期针灸文献的收集十分困难。这一难题产生的主要原因是民国时期的针灸文献存量不多，有些甚至已经失传。

经历了明清时期的积淀，民国时期的针灸学术得到进一步发展，针灸学术团体、学术体系逐渐形成，这一时期是传统针灸向现代针灸过渡的时期。以承淡安为代表的澄江针灸学派的先辈们创办中国针灸学研究社，开办针灸讲习所，招收学员，传播针灸技术，实践“针灸科学化”，对民国时期的针灸学术发展具有举足轻重的作用。民国时期针灸名医曾天治提倡的“科学针灸”的理念在这一时期备受关注，这对现代的针灸教育及针灸体系产生了巨大影响。中华人民共和国成立初期，全国各地兴办针灸学校，以承淡安为代表的针灸医家在继承古法、融汇新知的基础上，总结民国时期针灸学术研究成果及针灸教育的经验，开办针灸学习班，创办针灸高等教育学校，为现代针灸教育的发展打下了坚实的基础。

二、民国时期针灸文献的保存现状

有学者据《中国中医古籍总目》考查，发现民国时期的针灸医籍共有193种，较之明代的24种、清代的86种多出数倍。另有学者认为，民国时期的针灸医籍共有254种，其中中国本土针灸医籍有229种。民国时期是针灸医籍大量出现的时期。随着印刷技术的发展，出版书籍的成本逐渐降低，许多书籍得以大量出版。另外，民国时期各种中医学校、学术团体大量涌现，由于教学及学术交流的需要，针灸医籍的出版数量激增。

然而，对这些文献的保护并未得到足够的重视。首先，受当时的历史条件所限，大量图书并未经过正规出版，只是简单印刷，数量较少，且战乱频仍，导致不少文献难以留存全本。其次，由于不是正规出版物，相当一批文献没有进入馆藏系统，而是散落于民间，这使得这些文献留存状况不明，有些文献已经成为孤本，甚至已经散佚。同时，由于当时书籍纸张的质量普遍较差，且装订十分粗糙，部分文献在辗转流传过程中被损坏，已成残本，这种情况尤以油印材料及手抄本为突出。民国时期是我国出版业由手工造纸、印刷向机械造纸、印刷的过渡时期，相关技艺还不够成熟，用于印刷的纸张酸性强、保存期限短，加上长期以来各馆藏机构对民国时期文献的保护观念滞后、认识不足、保管不善，以致部分医籍呈现出不同程度的老化或损毁现象，情况岌岌可危。当前，亟须对这批文献进行重新整理及抢救性保护，使之进入国家各级馆藏体系，为我国针灸学术的传承及中医药事业的发展提供宝贵的文献资料。

三、本丛书所收录的针灸文献情况分析

（一）本丛书所收录的针灸文献书目

作者团队通过查阅《中国中医古籍总目》《中国针灸文献提要》《中国针灸荟萃·现存针灸医籍》《民国时期总书目·医药卫生》等工具书，参考各省（自治区、直辖市）及院校图书馆、档案馆和民间个人收藏书籍，共收集针灸文献1000余种，以来源可靠、记录严谨、实用性强、学术价值及文献价值高为原则筛选出210余种针灸书籍作为本丛书的书目。本丛书所收录的针灸文献以私人藏书为主，除了涵盖约90%的《中国中医古籍总目》所收录的民国时期的针灸文献，还增补了《中国中医古籍总目》所未收录的民国时期的针灸书籍近50种，其中不乏珍稀文献，如讲述“广西派针法”的《针灸菁华》、四川程兴阳的《针灸灵法》（石印本）等。对于抄本针灸文献，部分图书馆公藏的难以查阅，故本丛书未予收录，而民间发现的则择而收之。

本丛书按收录文献的内容题材进行分类分卷，并参考编者或学术团体所在地域进行分册，使体例清晰，便于使用。本丛书所收录文献按内容题材具体分为：①教材类；②专著类；③医案类；④杂志类；⑤图谱类；⑥其他（主要包括清末民国时期的佚名抄本等）。本丛书所收录针灸文献的情况如表1、表2所示。

表1　本丛书所收录针灸文献情况（按内容题材分类）

	教材类	专著类	医案类	杂志类	图谱类	其他
数量	54种	127种	5种	13种	6种	10种

表2　本丛书所收录《中国中医古籍总目》中针灸文献书目数量与《中国中医古籍总目》书目数量对比

	针灸通论类	经络孔穴类	针灸方法类	针灸临床类
“中国近现代针灸文献研究集成”收录书目数量	50种	23种	18种	16种
“中国近现代针灸文献研究集成”未录书目数量	15种	15种	8种	6种
《中国中医古籍总目》收录书目数量	65种	38种	26种	22种

注：《中国中医古籍总目》书目包括本丛书所收录书目与本丛书未录书目。其中抄本书目不在统计范围内，且《中国中医古籍总目》中的重复书目算作1种。①针灸通论类：收录50种，未录15种；另存抄本44种。②经络孔穴类：收录23种，未录15种（其中民国时期11种）；另存抄本64种，其中挂图7种，经查未见3种。③针灸方法类：收录18种，未录8种（多为太乙神针别本）；另存抄本15种（收录1种）。④针灸临床类：收录16种，未录6种（含针灸医案别本）；另存抄本17种。

（二）本丛书未收录的针灸文献书目

在对《中国中医古籍总目》进行查阅及对馆藏图书进行实地考察的基础上，现列举部分本丛书未收录的书目，以便后续收集。

针灸通论类：《针灸便览》、《中医刺灸术讲义》、《针灸秘法》、《简明针科学·论针篇》、《针灸纂要》、《针灸说明书》、《实用针灸医学》、《针灸学薪传》、《针灸学》（富锦文新书局）、《针灸学讲义》、《针灸精华》，以及《针灸学》（《中国中医古籍总目》载四川铅印本，经实地考察，实为《针灸医案》油印本）、《针灸学讲义》（重庆石印本，经查未见）、《针灸讲义》（石印本，经查与《针灸医案》同一函，蓝印）。

经络孔穴类：《脉度运行考》、《经络图说》、《俞穴指髓》、《铜人经穴骨度图》（张山雷）、《明堂孔穴针灸治要》（孙鼎宜）、《经络要穴歌诀》（经实地考察，该书与《经穴摘要歌诀·百症赋笺注》系同一馆藏代码，系重复编目）、《经穴辑要》（勘桥散人）、《十四经穴分布图》（姚若琴，经查未见，经考证为中华人民共和国成立后出版的，《中国中医古籍总目》有误）、《铜人新图》（范更生）、《正统铜人插针照片》、《实用铜人经穴图》（董德懋）、《针灸经穴挂图》（杨医亚）、《人体十四经穴图像》（赵尔康）、《人体经穴图》（承淡安）。以上多系人形挂图，未收录。

针灸方法类：《砭经》、《神灸经论》、《传悟灵济录》、《灸法秘传》、《灸法心传》、《延寿针治症穴道》等部分晚清针灸古籍。以上近年多有出版，未予收录。

针灸临床类：《济世神针》、《针灸治验百零八种》、《针灸医案》（系收录《针灸医案》别本）。

如上所述，本丛书基本涵盖了《中国中医古籍总目》所列大部分馆藏图书，亦收录了馆藏未见的民国时期的针灸书目近50种（其中新发现的民间私立学校所用针灸材料有数十种），缓解了目前民国时期针灸文献研究材料难得一见的窘迫局面，既能及时抢救该时期的中医针灸文献，又可使之化身千百，服务于学界，促进文化的传承。

四、民国时期针灸文献的价值及其对近现代针灸学术的意义

（一）民国时期针灸文献的价值

1. 文献保存

民国时期是一个战乱不断的特殊历史时期，战乱对书籍的保存流传的影响是灾难性的，如《针灸杂志》有35期，其中一部分印有千余册，时隔近百年，存世者已非常稀少，可见民国时期的针灸文献散佚了不少。部分老中医所藏医籍在1966—1976年亦有损毁，如著有《实用科学针灸》的谈镇尧（《中国中医古籍总目》为淡镇垚，系误）多年来整理的资料在这一时期几乎被销毁殆尽。《实用科学针灸》一书在河南中医药大学有藏，惜其只藏有中、下两册。在收集文献的过程中，作者团队收集到了谈镇尧的《实用科学针灸》《实用针灸讲义》。其中《实用针灸讲义》为1955年内部铅印本，其内容包含了谈镇尧已散佚的著述与资料，因此，该书的发现将谈镇尧的主要针灸医籍很好地保存了下来。民国时期的针灸文献凝结了一代中医针灸工作者的宝贵经验，是一代人无私奉献的结果，是我国中医针灸工作者宝贵经验和学术成果的集中体现。收集整理民国时期的针灸文献，可有力推动中医针灸学的发展。

2. 历史研究

1929年震惊中医界的“废止中医案”事件，使民国时期的中医学发展遭遇了前所未有的政策压制。民国时期的针灸史研究是整个近现代医学史研究的重要组成部分。目前我国对针灸史的研究多集中在民国时期以前的文献，对民国时期针灸文献

的研究基本处于空白状态。

民国时期是以澄江针灸学派为主导的多流派共发展、百家争鸣的时期。澄江针灸学派兴起于20世纪30年代。该学派以近代针灸名家承淡安先生为代表，以中国针灸学研究社核心成员及其传人为主体，是中国针灸学术发展史上具有科学学派特质的学术流派。民国时期该学派的代表人物还有罗兆琚、曾天治、赵尔康、杨甲三、程莘农等。该学派创办了民国时期影响最大、发行时间最长的针灸专业期刊《针灸杂志》，开创了具有现代化教育模式的中国针灸讲习所，推进了针灸学院化教育方式的发展。该学派的代表人物撰写了高质量的著作，如承淡安的《中国针灸治疗学》《中国针灸学讲义》，曾天治的《科学针灸治疗学》《针灸医学大纲》，罗兆琚的《中国针灸经穴学讲义》《实用针灸指要》，赵尔康的《针灸秘笈纲要》。这些书籍对民国时期及后世针灸医生影响甚深。除此之外，《（香港）广东中医药学校针灸学》（周仲房）、湖南国医专科学校《针灸学讲义》、《莆田国医专科学校针灸讲义》、《广西省立医药研究所针灸学讲义》、《广西省立南宁区医药研究所针灸学讲义》、《华北国医学院针灸讲义》、江苏省立医政学院《经络俞穴歌诀》等馆藏未见讲义陆续被发现，这为研究民国时期全国各地的院校教育提供了宝贵的一手材料。

作者团队在关注学院教育的同时，也收集到数目可观的民间私立学校的教学讲义，如《天津私立益三针灸传习所讲义》、《私立叔平针灸学社讲义》、《温灸术函授讲义》（广东温灸术研究社讲义）、《针灸菁华》（胡耀贞传习广西派针法使用的讲义）等。这些讲义使得民国时期的一些针法及治疗经验得以保存下来。

3. 临床应用

（1）“穴性”对初学针灸者的指导价值。“穴性”一词起源于民国时期。中华人民共和国成立后，“穴性”一词经李文宪、孙振寰等针灸医家的推广而广为流传。陈景文《实用针灸学》记载：“穴之有性质，亦犹药之有性质，知其性质，而后方明其功用。”该书将86穴分为气、血、虚、实、寒、热、风、湿8门。罗兆琚《实用针灸指要》记载：“夫所谓穴义者，即各穴具有之主要特性也，知其性之所在，而后明其功用之特长。故研究针灸术者，不知穴之性质，亦犹讲求方剂，而不识其药性。”该书记载了122穴，依旧将其分为8门。曾天治《针灸医学大纲》第五编“证治”中有“分门取穴”一节，此节除了介绍气、血、虚、实、寒、热、风、湿8门，又介绍了汗、肿、积、痛4门，然而后增的4门实为治疗处方，并非“穴性”。李文宪的《针灸精粹》亦记载了8门“穴性”的相关内容。20世纪80年代，孙振寰的《针灸心悟》记载了

“经穴性赋”的内容，使“穴性”广为流传。

“穴性”分气、血、虚、实、寒、热、风、湿8门。将药性与“穴性”进行对比，对腧穴进行分类，可使腧穴的临床应用更加系统化。“穴性”理论对于初学针灸者有较大帮助，初学针灸者可以依据症状选取穴位进行治疗，这种按“穴性”进行针灸治疗的方式在当时得到了众多医家的认可，并影响至今。

（2）“针灸科学化”为临床建立了相对容易理解的针灸理论体系。民国时期，在“五四运动”时期各种新思潮的影响下，西方科学技术和西医学在中国迅速传播，对针灸学术的发展产生了巨大而深远的影响。中医存废之争及中医科学化思潮使中医针灸面临着巨大的生存危机，以致民国时期的针灸医家被迫对当时的针灸进行反思和变革，试图用“西学”阐释和研究针灸，力求用“科学”改善针灸的生存环境；同时，日本针灸著作和研究成果的引进和翻译，将日本明治维新时期通过引进西方科学技术、西医学方法来阐释和研究针灸机制的方式带入中国。这使民国时期的针灸医家看到了曙光和希望，他们力图效仿日本而革新针灸，试图将中医针灸科学化，这也成为民国时期针灸学术的一大特色。

民国时期的针灸医家将解剖学引入对经络实质的研究中，进而阐释针灸治病的机制。如张山雷在《经脉俞穴新考正》中言：“中医之所谓经脉，质而言之，即是血管。”但在民国时期，以血管阐释经络的理论并未占据主流。这一时期以承淡安为代表的针灸医家，将用“西学”阐释针灸原理的方式从日本带回中国并广泛传播。如承淡安在《中国针灸治疗学》中用神经、血管、淋巴来解释经络系统；在《增订中国针灸治疗学》中明确指出经脉由血管、淋巴、神经等构成，用刺激神经的理论阐释针灸治病的机制，通过“强刺激、中刺激、弱刺激”来阐释传统针法的泻法、平补平泻、补法，并将手法量化为具体的操作范式，以便于临床应用。

（3）“广西派针法”的传承与实践。“广西派针法”肇兴于清代末期，起源于广西，创始人为光绪年间著名针灸医家左盛德先生。民国时期，“广西派针法”传播于安徽、天津以及江南等地，成为国内闻名、成绩斐然、颇具影响的针灸流派。

罗哲初（1878—1944），字树仁，号克诚子，“广西派针法”的代表性针灸学家、针灸教育家。罗哲初弟子张治平受该学派思想影响，编著《针灸菁华》。该书现仍存世，是目前研究“广西派针法”的重要资料。以《针灸菁华》为主线展开研究，作者团队发现了以罗哲初、张治平为主传承的2支“广西派针法”传承脉络，一是张治平→吕应韶→胡耀贞的传承脉络，二是张治平→王文锦→于冈樵→白荫昇的传承脉络。通过对《针灸菁华》所载内容的初步梳理发现，该书应为“广西派针法”传习过程中的针灸讲义，经张治平、胡耀贞等弟子整理得以保存下来。参考“广西派针法”相关研究文章，可以窥见“广西派针法”的针灸特色，其特点为遵循子午流注学说，以奇经八法、井荥输经合、主客原络为取穴原则，运用生成数施行补泻手法，独擅针下辨气，将针下气感分为紧、绵、虚、顶、吸、滑、涩、软、微、无力、纯紧、纯虚12种，并在辨气的基础上，采用针刺手法以治疗疾病。《针灸菁华》记载了《六十六穴歌》，将六十六穴每穴编为七言歌诀以便记诵，并记载了《治验效穴歌》《行针秘要歌》等针灸治验歌诀，以便读者学习或研究。

罗哲初及其弟子张治平对“广西派针法”的传承做出了突出贡献。近代分布在天津、安徽、山西及浙江宁波等地的数名针灸医家（如天津的郑静侯、曹一鸣、张治平、华佩文，安徽的刘泽涛和田理全，山西的胡耀贞，以及浙江宁波的裘如耕等）与“广西派针法”皆有渊源。这些针灸医家对“广西派针法”进行了传承与发扬，如郑静侯对“奇经八脉推算开穴法”进行了研究，曹一鸣对“养子时刻注穴法”进行了研究，华佩文对“不留针法”的催气、调气、行气进行了研究，胡耀贞对“无极针法”进行了研究等。这些针灸医家在继承“广西派针法”精髓的基础上，崇尚古法，融汇古今，形成了独具一格的针刺方法及手法，对“广西派针法”的传播做出了卓越的贡献。

（二）民国时期的针灸文献对近现代针灸学术的意义

1.是对近现代中医针灸学术成果的系统总结和突出展示

民国时期的针灸文献记载了当时的针灸医家传承针灸学术的宝贵经验。民国时期是中医针灸学院化教育的萌芽时期，是针灸学术发展的历史转折期，是现代针灸区别于古代传统针灸的开端，是现代针灸教育模式的源头时期。对该时期的针灸文献进行系统、全面的挖掘和总结，是我国中医针灸发展史上具有里程碑式意义的大事。保护好、传承好这些中医针灸文献，并对其进行深入、系统的研究，发掘针灸医家的宝贵经验，不但可以为当今的中医针灸学术研究提供资料和良好的借鉴，还对我国中医药事业的发展具有重要的现实意义和历史意义。

2. 使针灸学术经验得到完整的传承

民国时期的针灸文献凝结了一代中医针灸工作者的宝贵经验，是一代人无私奉献的结果，是该时期我国中医针灸宝贵经验和学术成果的集中体现。我们应珍惜该时期的文献资料，珍惜一代人的无私奉献。通过收集整理、出版该时期的文献，可以有力地推动我国针灸学术的传承发展。

3. 有助于我国中医针灸产业的发展

作者团队对民国时期中医针灸文献进行细致的筛选，并对本丛书所收录的每一种文献进行了深入的研究，撰写了内容提要，对每一种文献的主要学术价值、临床实用性等做出了客观的评价。这使得本丛书整体的学术质量得到了明显提高，也为中医针灸文献后续的学术研究、临床实践、学术流派研究、新疗法创新等工作，奠定了良好的学术基础。长期沉寂在近现代针灸文献中的技术、疗法的不断涌现，必然会对我国针灸相关产业的发展起到积极的推动作用。

4. 填补学界空白，有助于促进我国优秀传统文化的发展

对民国时期针灸文献的研究填补了这一时期针灸文献学术研究的空白。此次整理是中华人民共和国成立以来对这一时期针灸文献最集中、最全面的收集整理。此次整理以《中国中医古籍总目》为主要线索，对该时期的材料进行地毯式搜集。此次整理、出版使近现代针灸文献（本丛书目前所收录的文献以民国时期针灸文献为主）得到了抢救性保护，缓解了当前部分文献传承断裂的严峻局面，使民国时期针灸文献整体进入国家各级馆藏体系，有力填补了民国时期针灸文献学术研究的空白，为我国中医针灸的传承和中医药事业的发展提供了宝贵的文献资料，从而大大促进了我国优秀传统文化的发展。

前　言

《中国近现代针灸文献研究集成·教材卷》所收录的近现代针灸教材文献多出版于民国时期，少数出版于中华人民共和国成立后。

民国时期针灸教育的发展可谓曲折，1914年北洋政府主张废止中医，1929年国民政府通过了“废止中医”的提案，这些举动大大地影响了我国针灸学术的继承和发展。此时期的针灸学家们也清楚地意识到了中医针灸濒于湮灭的危机，他们团结一心，通过开班办学、创办杂志、翻译国外针灸著作等实际行动振兴中医针灸学，为我国针灸学的继承及发展做出了重大贡献。中华人民共和国成立初期，在民国时期中医院校、针灸学术团体的基础上，全国各地大力兴办中医学校，开办针灸学习班，中医针灸学术和教育得以进一步发展。

民国时期是传统针灸与现代针灸的衔接时期，是中医针灸学院化教育的萌芽时期，是针灸学术发展的历史转折期，是现代针灸治疗及理论区别于古代传统针灸的肇始。总结民国时期针灸学术的研究成果及针灸教育的经验，对现代的针灸教育影响深远。

民国时期的针灸教育主要有以下几方面的特点：一是针灸教育团体、学术体系逐渐形成，针灸学校主要由社会团体或个人创办；二是形成了具有地域特征的针灸学术流派，传承有序、传播广泛；三是教学内容以传统中医针灸理论为基础，注重吸纳西学，提倡“针灸科学化”，如以《西法针灸》、《高等针灸学讲义》等为代表的国外针灸著作被译成中文广为流传。

如1931年承淡安等学派先辈们创办了中国医学教育史上最早的针灸函授教育机构——中国针灸学研究社，开办针灸讲习所，开创了我国近代针灸教育的先河。该研究社传授并实践“西式”针灸学术，所用教材《中国针灸治疗学》与传统的针灸学著作不同，采用解剖学来讲解腧穴的定位。为了深入研究新法针灸，1934年10月，承淡安东渡日本学习和考察日本的针灸学，并带回针灸教学图具和在中国已经失传的

《十四经发挥》等医学专著。中国针灸学研究社培养出了邱茂良、罗兆琚、曾天治、赵尔康、杨甲三、程莘农等众多针灸名家，他们遍布全国各地，传道授业，对澄江针灸学派的传承与发展、对中医针灸学的传承与发展做出了重要贡献。

又如广西派针法的代表罗哲初游学办学，继承古法，以师传身授的教学方式在上海、南京、宁波、安庆等地先后举办了8期“针灸讲习班”，培养了一大批造诣颇深的针灸医家。这些人遍布大江南北，为传承和发扬广西派针法发挥了重要作用。罗氏弟子中如郑静侯、张治平、曹一鸣等积极研究学习针灸学术，对民国时期民间针灸学术的发展起到了重要的推动作用。

为适应时代变化和针灸学术的发展，民国时期的针灸教材在重视传统针灸理论的基础上，大都积极借鉴西方医学理论知识体系，重新诠释传统针灸理论。当时以西医学解剖部位及神经、肌肉等知识讲述腧穴的定位，以西医学神经、生理等知识阐释针灸现象已被广泛认可。针灸教材的内容渐趋规范化、科学化、实用化。

从民国时期针灸教材的内容中可以看到这一时期针灸学术研究的状况以及现代针灸教材的雏形。

但是需要注意的是，民国时期的针灸教材文献存量不多，大多已经失传。作者团队以《中国中医古籍总目》为主要线索，对以该时期为主的针灸文献进行地毯式搜集，经过10余年的努力，收集了1000余种针灸文献。此次，作者团队遴选了民国时期的针灸教材文献54种作为研究对象，以期保存和传承这些文献，为中医针灸的发展尽一份绵薄之力。以馆藏未见讲义为例，作者团队搜集到数种难得一见的针灸教材，如《（香港）广东中医药学校针灸学》（周仲房）、《针灸学讲义》（湖南国医专科学校）、《广西省立医药研究所针灸学讲义》、《广西省立南宁区医药研究所针灸学讲义》、《莆田国医专科学校针灸讲义》等，为民国时期全国各地的院校教育的研究提供了珍贵的一手材料。

另外，作者团队在关注学院教育的同时，也收集到数目可观的民间个人创办的私立学校的教学讲义，如《天津私立益三针灸传习所讲义》、《私立叔平针灸学社讲义》、《针灸菁华》（胡耀贞传习广西派针法使用的讲义）等。这些讲义在继承明清时期文献的基础上，以传承古法居多，使得一些家传针法及治疗经验得以较好地保存下来。私立办学在民国时期对针灸学术的发展也产生了举足轻重的影响。

此次对54种针灸教材文献的整理，以文献的内容题材进行分类，并参考编者或学术团体所在地域进行分册，体例清晰，便于使用。《中国近现代针灸文献研究集成·教材卷》按内容题材分为：①针灸基础分卷；②针灸技法分卷；③针灸临床分卷；④针灸综合分卷。其中，针灸基础分卷又按地域分为江浙闽篇、北方篇、两广篇；针灸综合分卷按地域分为江浙闽篇、北方篇、广东篇、广西篇、湖南篇。通过上述的分卷、分篇，可以方便读者学习与研究该地区的针灸学术特色。

以民国时期为主的近现代针灸教材文献承载了该时期针灸医家传承针灸学术及教学的宝贵经验，对整个近现代的针灸发展具有深远影响。本次对这一时期的针灸教材文献进行系统整理、深度挖掘和总结，对我国中医针灸的发展具有重要的历史意义和现实意义：不仅可以保护珍贵的文献资料、呈现针灸教育发展史，还将填补民国时期针灸教材文献研究的空白，为现代针灸教育的改革与发展提供参考和借鉴。

目　录

实用针灸讲义（谈镇尧） …………………………… 1

针灸问答（谭志光）（卷上）………………………… 251

针灸问答（谭志光）（卷下）………………………… 435

针灸学讲义（黄仲平）……………………………… 593

实用针灸讲义
（谈镇尧）

提　要

一、作者小传

谈镇尧（1913—1988），湖南常德人，出生于一个贫苦农民家庭。1932年，常德城区举行招收宪兵考试，谈镇尧前往应试被录取。1943年，谈镇尧随部队来到重庆，在这里他遇到曾天治，并拜其为师，通过自己的努力，尽得曾师真传。谈镇尧本着“能者为师”的原则，所到之处，只要遇到有一技之长的人，便虚心向其请教，与之切磋医道。除针灸和痔瘘科外，谈镇尧还对传统的内科、外科、伤科有所涉猎。谈镇尧在乐山县开设诊所（诊所是半义务性的），同时还传授针灸技术。1951年，谈镇尧返回常德故里，购置了针灸器材，在常德方家巷开办了“谈镇尧诊所”，这是常德市第一家针灸诊所。同年谈镇尧响应常德市人民政府的号召，邀集了6位中医医师成立“常德市第四联合诊所”，专门诊治疑难怪症，由于该诊所治愈了不少病人，一时闻名遐迩，越办越兴旺。此时，常德市卫生协会号召中西医互相学习，以便取长补短，共同进步，谈镇尧利用业余时间编写了这套《实用针灸讲义》，在常德地区卫生学校向学生讲授针灸时使用，为推广针灸技术起到了重要作用。

二、版本说明

1955年常德市卫生工作者协会出版。

三、内容与特色

该书共分五编：第一编为总论，主要介绍针灸学理和各种原则；第二编为针疗，主要介绍针疗的各种技术和晕针、折针、滞针的原因、预防及处理；第三编为灸疗，主要介绍灸疗的操作技术和灸疗前、中、后的注意事项；第四编为穴位，以列表的形式叙述穴位的名称、部位、主治疾病等；第五编为治疗，分系统叙述疾病，并给出痊愈次数。最后附以附录。

现将该书特色介绍如下。

（一）尾附讨论题，学思并重

该书在第一编、第二编、第三编中各节末尾均附有讨论题，使学习者在学习本节内容的基础上，通过深刻思考讨论题，更好地掌握本节的内容。

（二）表图并现，明如指掌

该书文字与图表相辅，便于学习者更好地理解内容。在第四编讲述穴位部分，作者将所有穴位按解剖部位（分部、分线、分区）分类，再按穴位的名称、部位、解剖、疗法（针深、灸时）、主治疾病列成表格，并按各穴应取的体位绘附穴位图，另照穴次编成歌诀，使学习者一目了然，便于记忆。

實用針灸講義
談鎮堯編著
常德市衞生工作者協會
1955年7月

實用針灸講義正誤表

頁	行	正	誤
上			集
頁	行	正	誤
目錄 1	11	五	互
目錄 2	19	又叫做中指取寸法	又叫中指取寸法
1	7	這就叫針治	這就叫針療
1	10	這就叫灸	這就叫灸療
1	17	開始是從勞動人民血肉經驗中得來的。	開始是從勞動人民向疾病作鬥爭的血肉經驗中得來的。
1	20	而病也就忽然好了。	而病也忽然好了。
2	9	「三百六十八穴」	「三百六十個穴」
2	11	任脈）。計六百五十七穴。明末清初	任脈）。明末清初
13	1	維生素	維素生
16	17	亢進	元進
18	19	用持久的強大的	用持久強大的
32 33	8 6	魚際	奐際
33	4	16. 大椎	16. 椎
33	11	中極	中樞
52	18	脈搏徐緩	脈博徐緩
52	19	脈搏細小	脈搏細小
68	圖	艾絨	艾
頭頸部穴位圖		巨髎	禾髎（紅直線上）
下			集
頁	行	正	誤
1	10	不常用的穴位	不常用穴位
1	14	「足厥陽肝經」	足厥陽肝經」

頁	行	正	誤
3	30	三义神經	二义神經
7	12	司皮膚感神	司皮膚感覺
11	15	肩胛背神經	肩胛肩神經
27	20	食慾不良	食慾不振
28	20	陽谿偏溫下上廉	陽谿偏溫上下廉
28	21	手三曲池肘髎穴	手三曲池時髎穴
40	5	分佈脛神肌	分佈脛神經
40	23	深有股動脈	深部有股動脈
40	25	內收長肌的外側緣	內收長肢的外側緣
47	14	重雀啄術	雀啄術
68	8	經針合谷	結針合谷
69	16	終身禁吃狗肉蠶蛹	終身禁食狗食蠶蛹
88	20	不能自由下灣	不能下灣
103	8	胃癌	胃癌
103	9	重灸天應	灸天應
03	10	胃癌	胃癌
103	11	癌腫全消	癌腫全消
104	21	就到了小腸	就到小腸
121	20	患脚趾縫痕癢	患脚趾隨痕癢
128	21	所以現在我們	所以我們
129	11	肚子痛用溫水袋	肚子痛用溫袋
頭頸部穴位圖		瘂門——天柱——天牖	瘂門——天牖

前　言

針灸療法，是祖國醫學遺產最寶貴的一部份，它是由幾千年來勞動人民向疾病作鬥爭的經驗集累而成的結晶。實事證明，針灸療法確能治好很多的疾病，尤其是有些病常有針到病除的功效。加以簡單方便，學習也較其他醫學容易，這是最適合廣大人民需要的一種療法，也真是值得推廣學習的一種療法。

一九四九年我曾出版一部「實用科學針灸」，計上、中、下三册附掛圖四張。一九五〇年又編著「科學灸療法」一本，創製「實用灸療器」一具。發行以來，頗得一般學習針灸者的歡迎。因原書早已售完，而各方學習者仍不斷的來信索購，爲了適應廣大讀者的要求，和響應政府的號召，當然不能使讀者失望。不過原書係出版在五年以前，它的内容，已不能包括新的學理與新的經驗，與其將原書再版，則不如重新整編。因此，特根據蘇聯巴甫洛夫的「高級神經學説」，和參攷一般新的針灸學，同時為了使針灸學走到統一的道路上去，所以有大部份的內容，都是以朱璉先生所編著的新針灸學為原則，而加發揮和補充的來編著成這本「實用針灸講義」。

這本講義着重於實際的運用，共計分爲五編：第一編總論，主講針灸學理和各種原則；第二編針療，專講針療的各種技術，和暈針、折針、滯針的原因、預防與處理；第三編灸療，是講的灸療的操作技術，和灸療前、中、後的注意事項；第四編穴位，將所有穴位，按解剖部位，分部、分線、分區，再按穴位的名稱、部位、解剖、療法、主治疾病等列成表式，並按各穴應取的體位繪附詳圖，另照穴次編成歌訣，使學者能一目了然，而容易記憶。關於古法十四經經穴，也繪圖附歌於後，以供參攷；第五編治療，主講各種疾病的治療法，也按系統的排列，分病名、治療次數、療法、治驗例等，列成表式，明如指掌，並且還編有五總穴歌，按部取穴，各部疾病治療歌（係根據玉龍歌和實際經驗編成）等，可供學者臨症的參攷。第一、二、三編各節，都附有許多討論題，這對於學習多少也許有些幫助。至對於各種疾病的原因、症狀、經過、診斷等項，因已有專書詳述，學者可自行鑽研，所以這裏就省略了。

本年四月底，我由治湖工地歸來，適逢我常德市衛生工作者協會組織針灸學習，囑為提供學習資料。我爲了響應政府的號召，和滿足各位同志的希望，我本着全心全意爲人民服務的精神，絲毫不保守的，擠出時間來，將這本講義趕編完成，或者可供各位同志學習的參攷。同時我並不保留任何權利，希望讀者能研究豐富其內容迅速的推廣，使祖國這一寶貴醫學「針灸」，去很快的爲廣大的勞動人民而服務！不過這本講義，因編印時間倉促，錯誤自所難免，希望廣大的讀者們，不吝金玉，多多提出寶貴的意見！以作為我今後繼續鑽研的參攷！這是我最誠懇、最殷切的願望！

一九五五年七月　　編者談鎮堯

目 錄（上）

第一編　總　論

第一章　針灸是什麼……（1）

第二章　針灸的由來和現狀……（1）

第三章　針灸療法的特點……（3）

第四章　針灸爲什麼能治病

一、人體各部組成與神經的關係……（4）

二、生理上的神經系統與作用……（4）

三、交感神經與副交感神經的構成與作用……（8）

四、人體內的應變變化……（9）

五、調整神經機能，是治療疾病的主要原理……（10）

六、什麼是病理的過程……（12）

七、針灸不是直接以外因爲對手……（12）

八、針灸治療維生素缺乏病的道理……（12）

九、神經機能是怎樣激發和調整的……（13）

十、針灸是不是有誘發其他疾病的危險……（14）

十一、針灸療法與組織療法等的治療原理基本上是同樣的……（14）

第五章　針灸的生理作用

一、針治的生理作用……（16）

二、灸治的生理作用……（16）

第六章　針灸治病的三個關鍵

一、 刺激的强度……(18)
二、 刺激的時間……(19)
三、 刺激的部位……(20)
第七章 補瀉問題……(21)
第八章 針灸的適應症
一、 神經系統……(23)
二、 運動器官……(24)
三、 外 科……(24)
四、 循環系統……(24)
五、 婦科疾患……(24)
六、 產科疾患……(24)
七、 小兒科疾患……(24)
八、 傳染病……(25)
第九章 針灸的禁忌
一、 禁針灸的疾病……(25)
二、 禁針灸的時間……(25)
三、 禁針灸的部位……(26)
第十章 定穴尺度法
一、 同身寸法，又叫中指取寸法……(27)
二、 局部取寸法……(27)
第十一章 配穴法……(30)
第十二章 配穴成方……(31)

第二編 針 療

第一章 針的研究
一、 針的各部名稱……(34)

二、　针的種類……(34)
三、　针的質量與製造……(35)
四、　針的選擇……(35)
五、　針的保存……(35)
六、　針的大小……(36)
七、　針的長短……(36)
第二章　針療法
一、　施術時的態度……(37)
二、　刺針前的準備……(37)
三、　取穴時病人的體位……(39)
四、　針刺的方向……(44)
五、　針刺入時的感覺……(45)
六、　針療技術……(45)
七、　暈針……(51)
八、　折針……(54)
九、　滯針……(56)
十、　刺針多少……(56)
十一、　針在穴裏的久暫……(57)
十二、　刺針的深淺……(57)
十三、　針後何時再針……(58)
十四、　刺針的次序……(58)
十五、　治療次數……(59)
十五、　放血……(59)
十六、　針上灸……(60)
十七、　火針……(60)
十八、　針療後應注意事項……(60)

十九、　針灸醫生自身的修養……………………………………(60)
二十、　皮膚針……………………………………………………(61)
廿一、　指針………………………………………………………(62)

第三編　灸　療

第一章　艾的研究
一、　艾的形態…………………………………………………(65)
二、　艾的成份…………………………………………………(65)
三、　艾的功用…………………………………………………(65)
四、　艾的產地…………………………………………………(65)
五、　艾的採集和製造…………………………………………(66)
六、　艾的選擇…………………………………………………(66)
七、　艾絨的收藏………………………………………………(66)
八、　艾的熱力…………………………………………………(66)

第二章　灸療的種類
一、　直接灸……………………………………………………(67)
二、　間接灸……………………………………………………(69)

第三章　實用灸療法
一、　實用灸療器的優點………………………………………(70)
二、　灸療藥餅藥條製造法……………………………………(71)
三、　灸療藥袋製造法…………………………………………(72)
四、　實用灸療器使用法………………………………………(72)

第四章　灸療應注意事項
一、　灸療前應注意的事項……………………………………(74)
二、　灸療中應注意的事項……………………………………(74)
三、　灸療後應注意的事項……………………………………(74)

第五章　灸後何時再灸……………………………………………(75)
第六章　灸瘀時容易發生的變化……………………………(75)

目　錄（下）

第四編　穴　位

第一章　頭頸部
一、頭頂部正中線……………………………………………(1)
二、頭頂部第一側線…………………………………………(2)
三、頭頂部第二側線…………………………………………(3)
四、頭頂部第三側線…………………………………………(3)
五、眼　區……………………………………………………(3)
六、耳　區……………………………………………………(4)
七、口鼻區……………………………………………………(5)
八、顳　區……………………………………………………(6)
九、頰　區……………………………………………………(7)
十、頸前區……………………………………………………(7)
十一、頸後區…………………………………………………(7)
第二章　背部及肩胛部
一、肩胛區……………………………………………………(9)
二、正中線……………………………………………………(10)
三、第一側線…………………………………………………(11)
四、第二側線…………………………………………………(13)
第三章　胸　部

一、 正中線……………………………………(15)
二、 第一側線……………………………………(15)
三、 第二側線……………………………………(16)
四、 第三側線……………………………………(16)
第四章 腹 部
一、 正中線……………………………………(17)
二、 第一側線……………………………………(19)
三、 第二側線……………………………………(20)
四、 第三側線……………………………………(22)
第五章 側胸腹部
側胸腹線……………………………………(23)
第六章 上 肢 部
一、 前外側線……………………………………(24)
二、 前内側線……………………………………(26)
三、 前正中線……………………………………(27)
四、 後外側線……………………………………(28)
五、 後内側線……………………………………(30)
六、 後正中線……………………………………(31)
第七章 下 肢 部
一、 前外側線……………………………………(34)
二、 前正中線……………………………………(36)
三、 前内側線……………………………………(38)
四、 正内側線……………………………………(39)
五、 後内側線……………………………………(41)
六、 後中外線……………………………………(42)
第八章 其 他……………………………………(45)

第九章 誤針誤灸補救法……（46）

第五編 治療

一、五總穴歌……（49）
二、按部取穴……（49）
三、各部疾病治療歌……（54）
四、新馬丹陽十二穴雜症歌……（59）
五、治療一覽
1. 呼吸系統病……（62）
2. 傳染病……（69）
3. 循環系統病……（72）
4. 神經系統病……（75）
5. 婦科病……（90）
6. 產科病……（93）
7. 小兒科病……（95）
8. 維他命缺乏病……（98）
9. 外科疾病……（98）
10. 消化器病……（100）
11. 肝胆的病……（108）
腹膜的病……（109）
12. 泌尿器病……（110）
13. 生殖器病……（112）
14. 花柳病……（115）
15. 運動器病……（115）
16. 眼病……（118）
17. 耳病……（119）

18. 皮膚病……………………………………………………(120)
19. 内分泌腺病…………………………………………………(123)
20. 新陳代謝病…………………………………………………(124)

附　　錄

一、 針灸與神經的關係……………………………………………(125)
二、 中國針術與內分泌……………………………………………(131)

實用針灸講義

谈鎮堯編著

第一編　總論

第一章　針灸是什麽

「針」是金屬（金、銀、銅、鐵、鋼等）製成的實心（粗、細、長、短、三稜等）針，用這種針來刺激身體局部（刺激點）而治病，這就叫針療。

「灸」是一種燃燒的物質（艾、藥條、灸療器等）點火燃燒，用它的熱力和藥力，來刺激身體局部（刺激點）而治病，這就叫灸療。

不論「針」和「灸」，它的作用都是刺激病人身體局部的神經，激發和調整身體內部神經的調節機能和管制機能，而治好疾病，並增進身體的抵抗力，預防疾病之發生的一種理學療法。

討論題：

1. 針灸療法是什麽？

第二章　針灸的由來和現狀

針灸是我國古代主要醫學之一，開始是從勞動人民向疾病作鬥爭的血肉經驗中得來的。據傳說：「古時有一個病人長期患脚痛，走路不方便，有一次不小心跌倒了，被石頭刺破了皮膚，出了些血，而病也忽然好了」。以後人們便開動了腦筋，用堅硬的石頭做成針來刺病，這大概就是古代的砭術。由這樣許多類似的經驗，和若干年來的集累，而成功了針炙療法，隨着社會的進步，逐漸改用鐵針、銅針、金針、銀針、鋼針等，以代替石針刺病。

在針灸學術方面，歷代也有不少著述，最早的要推内經裏的靈樞、素問，主講針灸。其次是秦朝扁鵲的難經和子午經，論述針灸，撰歌訣。漢朝王莽才解剖尸體，量五臟，用竹挺通脈管。唐朝孫邈著千金方和千金翼方，講針灸的穴位禁忌的方法。宋朝王維德鑄銅人，畫銅人針灸圖，分十二經，三百零八穴，作爲考試醫師之用。元朝忽泰必列著金蘭循經，加督任二脈，共成為十四經，計三百六十個穴。元朝滑壽（伯仁）著十四經發揮，講開、闔、流、注、奇經八脈（陰維脈、陽維脈、陰蹻脈、陽蹻脈、帶脈、衝脈、督脈、任脈）。明末清初，楊繼洲編針灸大成。由此可知針灸療法在古代就已盛行。不過在封建社會裏，人們受舊禮教的束縛，加以近世湯藥比較發達，在官僚與資產階級，就多棄針灸而以湯藥代替之。但是在勞動人民中間，由於經濟被剝削，大都無力講求湯藥，所以針灸仍然傳佈着，達成了勞動人民過去在保健上的重要方法，這也說明了針灸療法的本身，有數千年來的經驗和理論，與廣大勞動人民的基礎，在治療上起了很大的作用，並且早已流傳到了國外，據考查在唐代時就傳到了日本，明末清初又傳到了法國，現在其他各國也都在研究針灸療法。

中華人民共和國成立後，人民政府曾號召推廣針灸療法，全國醫務工作者都羣起響應，爭先恐後的研究針灸。現各地醫療機構，都在逐漸的採用針灸療法，尤其是這次（1954年冬——1955年春）湖南省洞庭湖堤垸修復工程中，針灸療法獲得了顯著的成效，得到了廣大羣衆的擁護。

討論題：

1.針灸是怎樣來的？

2.講針灸最早的書何名？

3.在舊社會裏針灸療法爲什麼不能推廣？

第三章　針灸療法的特點

一、針灸治療的範圍很廣：能治急性病，也能治慢性病；能治內科病，也能治外科病；能治婦科病，也能治兒科病；能治傷科病，也能治傳染病。總之各科的疾病都能治，尤其是對神經痛有大效。但是針灸並不是萬能的，我們要看那一種療法對這一種病有特效，能使病好得快，就採用那一種療法，或者幾種療法配合運用。

二、最經濟：不需要藥品費的治療方法。

三、最簡便：只要備有針灸工具（針、灸療器、艾絨或藥條、消毒酒精、棉球），就可隨時隨地實行治療，是最適合農村需要的一種療法。

四、最安全：只要注意嚴密消毒和針灸禁忌，就不會發生危險。

五、收效快：有些病常能針到病除，多數的病都能當時見效。

六、學習容易：比其他醫學技術容易學會。

七、能幫助診斷：對於一種病，是單純的神經關係，還是器質的變化，在鑑別診斷上，有很大的幫助。例如急性腹痛，用針灸治療，當時見效，過一二十分鐘後又復痛如故，若再行針灸時，也是如此，則可斷定是器質的變化，而不是神經的關係。

八、在設備不完善，或時間上不許可，一時沒有正確的診斷，也能按照疾病的部位，來選擇適當的刺激點，施行對症治療。

討論題：

1.針灸療法有那些特點？

2.針灸是不是萬能？

第四章　針灸爲什麽能治病

（參考朱璉新針灸學）

針灸爲什麽能治病？其主要的作用是由於刺激和調整身體内部神經的調節機能和管制機能。

爲什麽激發和調整了神經的機能就能把病治好呢？這得從頭詳細的研討：

一、人體各部組成與神經的關係：

人體是多少萬萬個活細胞的大集體，這些活細胞之間，有很嚴密的分工和組織；分有消化、呼吸、排泄、循環、運動、生殖、内分泌等部門。這些身體的各個部門，它們相互間所以有精密的分工與合作，都是由神經系統支配，而中樞神經最高部位的大腦皮層又掌握着任何部門的機能，使身體成爲有分工有領導的統一完整體。所以平時各部門遇到各種不同的情況，就能產生適應的變化。

二、生理上的神經系統與作用：

生理上的神經系統，分爲中樞神經系和周圍神經系兩類。中樞神經系是在顱腔内和脊柱腔内的神經；周圍神經系是由顱腔和脊腔穿出來的神經。爲了簡要的説明它，茲列表於後：

（附表一於第六頁與第七頁）

所有的組織和器官，都分佈着受神經系所支配的神經末梢（感受器和反應器，感受器又名受納器，内臟神經的末梢，爲内受納器。外部神經的末梢，爲外受納器）。這些神經末梢，通過和它聯系着的神經纖維，經由周圍神經(向心的或離心的)與中樞神經系發生着聯系，使動物成爲一個統一的完整體。它們的聯系如下：

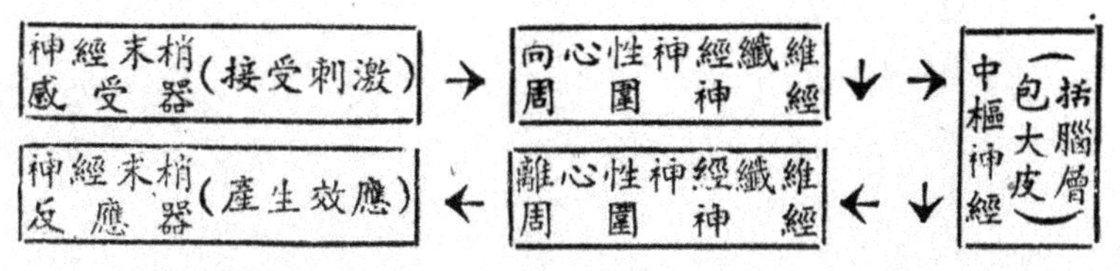

動物機體的反應，是由感受器接受了刺激，把刺激變成神經過程，經由中樞神經再到達反應器產生效應。由此可知神經末梢在動物機體的生存上，就有着重要的意義了。

巴甫洛夫曾說過：「……刺激向心性神經終末構成反射的出發點，向心性神經終末分佈於機體內的各種組織中。我們必須這樣想像，即所有這些終末，都像感官神經終末那樣特異和複雜，而對於各種機械、物理、化學的刺激發生反應。它們的活動過程每時每刻都決定於機體活動的範圍和需要」。

譬如像躲避的遠近，或反擊力量的大小等，都是根據所受到襲擊的性質來決定的。這些反應是異常準確而合適的。

又譬如熱的時候，體表的血管就擴張，出汗，使體溫很快放散，免得體溫上昇。冷的時候則相反，體表血管收縮，汗孔閉緊，寒毛豎起，使體溫減少放散，免得體溫降低。又如劇烈運動的時候，心跳、呼吸自然加快，鼓動血液，運送大量的養料、氧氣到肌肉裏，供給肌肉的消耗。睡覺的時候則相反，心跳、呼吸都比平時減緩，身體內的養料消耗就能節省。身體適應外界環境的這類變化，都是神經指揮調節的。這是神經系統機能正常，能夠保證全身正常的生理變化的現象。

我們已經知道感受器是專門負責接受各種刺激的組織，它們

生理上的神經系統

中樞神經系	周圍神經系(分佈全身)
(一)腦：大腦皮層是中樞神經系高級中樞的所在地，是各種機能活動的最高主宰者，是人体的最高司令部。 前腦：頂腦（大腦皮層、紋狀体、嗅腦）；間腦（視丘、視丘上部、視丘下部、視丘後部） 中腦：大腦脚、四疊体 菱腦：後腦（小腦、橋腦）；末腦（延腦）	腦神經(分佈在樞体、肌肉) 1 嗅神経 2 視神経 3 動眼神経 4 滑車神経 5 三叉神経 6 外展神経 7 面神経 8 聽神経 9 舌咽神経 10 迷走神経 11 副神経 12 舌下神経 （3、7、9、10）—腦副交感神経
(二)脊髓： 整個脊髓按着分出的根枝可以分為三十一段或三十一節。每節脊椎含有一段脊髓和	脊髓神經(植物性神經·分佈在內臟) 第1頸神経 第2頸神経 第3頸神経 第4頸神経 第5頸神経 第6頸神経 （第1—4）—頸神經叢

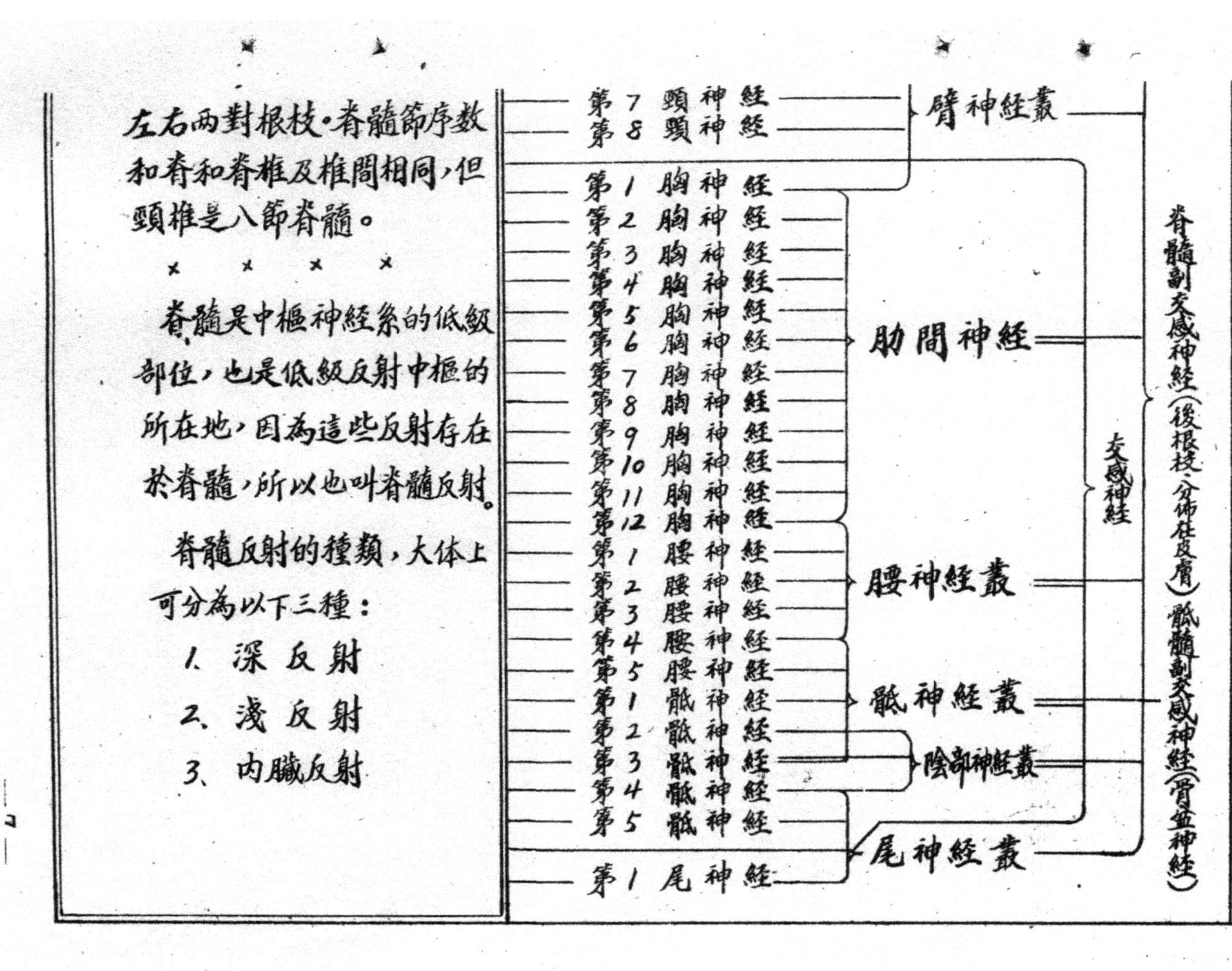

左右兩對根枝。脊髓節序数和脊和脊椎及椎間相同，但頸椎是八節脊髓。

× × × ×

脊髓是中樞神経系的低級部位，也是低級反射中樞的所在地，因為這些反射存在於脊髓，所以也叫脊髓反射。

脊髓反射的種類，大体上可分為以下三種：

1. 深反射
2. 淺反射
3. 内臟反射

是動物進化過程中的一種產物，它們之間有着自己的特性，也就是說每一種感受器對於某一種性質的刺激具有特高的敏感性，而對於他種刺激並不敏感，或敏感性很低。

高等動物和人類，就依靠這些來接受機體外部的各種刺激，並經大腦皮層的綜合與分析，能自動的產生各種反應，使動物在千變萬化的環境中得以生存。由此可知神經終末和大腦皮層中的各該分析器之間的複雜而密切的關係了。

巴甫洛夫認爲大腦皮層是由許多感受部位（分析器、更正確些說是綜合性分析器）組成的緻密的感受面，每一感受部位，則又是末梢感受器（皮膚感受器、運動性感受器、內臟感受器（或感覺器官（嗅、視、味、聽）的投影。

因此，我們就可以了解大腦皮層在人體各種機能活動上的主導作用，是人體的最高司令部，人體的活動機能是統一而完整的。

三、交感神經與副交感神經的構成與作用：

人體神經系統裏有交感神經與副交感神經兩部份，從腦和骶區來的臟離中神經纖維，構成副交感神經；從胸和腰區來的臟離中神經纖維，構成交感神經。人體內除橫紋肌以外，差不多所有的反應器都有這兩種神經的分佈。而且這兩種神經的作用總是對抗的。交感神經的作用是興奮，副交感神經的作用是抑制。例如刺激交感神經，可以使心臟跳動加快，刺激副交感神經，可以使心臟跳動變慢。在這兩組神經的化學或液遞傳導上，也恰是不同相反的作用。

神經衝動到達突觸以後，可能在神經纖維的末梢端，放出一種化學物質，而激起另一個神經系的興奮。

交感神經的末端所釋放的是類似腎上腺素的物質，副交感神經的末端所釋放的是醋酸、胆鹼，根據所產生化學傳導物質的不同，它們對藥物的反應也不同，對外來刺激的接受也洽是相反。所以在人體的正常生理狀態下，兩組神經的作用平衡，互相牽制，合乎生理的需要。如果兩組神經失掉正常的狀態，調節失去平衡，那嗎就會產生病理現象，也就是神經有了損害，神經不正常了。

四、人體內的應變變化

人體如果受了損害，神經系統機能健全時，就能在身體內引起一種應變的變化，抵抗這種損害，把身體修復起來。譬如身上有了破傷，身體裏面吞噬細菌的白血球就很快增多，傷口附近的血管擴張,白血球大量擁到傷口附近,吞噬因傷致死了的細胞和從傷口侵入的細菌。同時血漿帶來的養料和刺激素，大量的從微血管中滲出，供給傷口附近細胞的需要，並促使它加緊生長，生殖新的細胞，長出肉芽，把傷口長滿。微血管中養料和刺激素的滲出，它的性質和數量，都受滲出口的細胞管制，而那種細胞，則又受神經的支配。傷口的產生以及以後的發展變化，神經的感受不同，就能給以不同的調節。傷口平復，神經的感受正常了，修復工作也就很自然的停止了。

細菌進入身體以後。若是放出毒素來抵抗白血球的吞噬，神經感受到了，馬上就引起應變的變化，體溫上昇，細菌的活動即受到限制，同時白血球增加；有的還同時引起嘔吐或腹瀉，排除腸胃裡變壞了的食物，或負担不了的食物。

在神經指揮之下，身體內還有強大的「代償作用」。比如腎臟割掉一個，另一腎臟就會因爲工作加重，刺激神經，神經立即在那一部份引起應變的變化，使那部份的微血管滲出大量的養料和刺激素，使那個腎臟長大一倍。心臟瓣膜發炎，結疤以後，閉鎖不全，每次搏動送出的血液不夠，心搏加快，負担加重，心臟也會因而長大。

所以人體的神經健全，就能很好的來指揮身體內的抗病，修復代償的機能，外因的侵害大都能被消滅，恢復身體的健康。當然，神經的這種應變作用，還得依靠身體的其它條件，並受其它條件的一定限制。比如它要有一定的體力可供調度；受損害的局部，其變化還要在未到不可恢復的程度。神經本身，也受其它條件的影響，如整個身體衰弱，它也難獨特的得到健康。精神的抑鬱、煩憂、恐懼，對它的影響更是顯著，有些失戀的人，竟然發生嚴重的腸胃病，愛情一恢復，又可以霍然而癒。一般精神憂鬱的人，體內新陳代謝不旺盛，因而全身倦怠，這更是常見的事。

有時由於應變的措施進行得過度了，也能引起對身體的傷害。如霍亂的上吐下瀉，就可以使身體過度的損失水份，以致死亡。更嚴重的乾性霍亂，由於神經機能被麻痺了，連吐瀉都來不及發生，人就死了。

有些外因的刺激並不嚴重，可是由於神經的感應過敏，引起了過度的應變變化，也會成為疾病。如有些人遇到漆的氣味就生漆瘡；嗅到某種花粉，或用到少量的某種藥品，或吃到某種食物，也會大病一場。

五、調整神經機能，是治療疾病的主要原理。

歷來治病的方法，不論是用藥物或理學療法，有些是袪除外因（如殺菌），也有很多是對神經機能的調整（如阿司匹林的發汗，安眠藥的治失眠）。至於疫苗的接種，也無非是激動了神經機能，來指揮產生抗體的組織，產生有效的抗體，抵抗那種毒素的侵害。

過去對於許多病的治療，雖說實際上是調整神經機能，但是認識上却對這種治療途徑極不重視。許多經過這樣治癒的病，被作了另外的解釋。或是給它一個形式主義的名稱，就當做解釋。部份的療法雖被明顯的事實所佐證，不能不承認是調整神經機能的功效，但是這總沒有被作為一個從科學理論上尋找治療方法的道路，所以這方面的療法，大都還是由經驗得來。

過去在學理上所以忽視這個治療途徑，是由於過去醫學的基礎理論的關係，在科學沒有發達以前，對於這些的解釋，都是臆測的，也就是玄虛的唯心論。從十九世紀中葉魏爾啉(Virchow)氏的細胞病理學問世以後，就走上了機械唯物主義的道路「細胞病理學」，對於神經在身體內的作用重視不夠；認為任何病理現象，都是由於某些刺激（如細菌毒素、或化學的、物理的刺激），使細胞受了損害的緣故。因此病理學中，主要研究的是細胞組織的各種變化（如脂肪變性、蛋白變性、玻璃變性、炎症、膿瘍、潰瘍等等），認為這些變化，都是細胞直接對刺激的反應。這是片面的、割裂的，只看現象不看本質的看法。

自從蘇聯的神經病理學說問世以後，就反對這種細胞直接反應的觀念，它主張絕大部份的病理變化，都是由於神經機能的變異所引起的組織變化。如炎症的發生，是由於某些刺激（生物的、物理的、化學的）作用於某部份神經細胞，使神經機能產生變化，而引起組織表現出來炎症的反應。因此病理過程不是單純的局限的細胞反應過程，而是神經機能的變異的過程。神經機能不變異就沒有病理現象。一切病變與神經是分不開的。

如瘧疾，根據斯勃侖斯基氏的報告，有十七個病例屢用奎寧治療沒有效果，後用腦脊液抽注法，有十一人立刻退熱，有五個繼續治癒。這是因為抽注法改變了神經機能，使瘧原蟲無法繼續生存於血中。又如根據編者的治療經驗，用針灸療法治療瘧疾，只須在未發前三小時，針灸大椎穴及針間使、後谿等穴，一次痊癒，二次除根，在將發作時，則針膏肓穴，當時能夠停止，這與腦脊液抽注法的作用相同，都是調整神經機能而獲得的療效。

六、什麼是病理的過程

病理過程就是機體與某種超出一般的普通條件的情況相接觸，更正確些說，也就是機體與它每日所處的環境中某種過度變化的情況相接觸的結果。也就是身體各部組在神經指揮之下，共同和外來的侵害作鬥爭、修復自己的過程。這裏面包括神經機能的被損害與修復；以及神經機能被損害時，指揮紊亂造成的組織破壞。這種神經的紊亂到了嚴重的程度，就會引起整個鬥爭的失敗，結果就是死亡。

七、針灸不是直接以外因為對手

針灸療法，不是直接以外因為對手，因而也不着重對患部組織直接的治療，而是激發與調整神經機能，以達到治病的目的。所以針灸用同樣的穴位，常常能去掉兩種方向不同的病徵（如「無汗能發，有汗能止，」）。在炎症初期，白血球需要增多而不能順利增多時，針灸以後，就能增多；反之，到了炎症後期，針灸同樣的穴位，又能使白血球正常的減少，炎症的滲出物便能很快的吸收。

八、針灸治療維生素缺乏病的道理

有許多維生素缺乏的病，實際上並不是由於食物裏面完全缺乏了維生素的緣故，而是由於體內吸收那種維素生的機能不強。這種吸收機能的減弱，又常常是由於與它相關的神經的機能有些失常所致。因此對於許多這類的病，不給以維生素特別豐富的食物，只用針灸療法，也能收到很大的效果。依同樣的理由，有好些內分泌腺分泌失常的病，針灸也能收效。

九、神經機能是怎樣激發和調整的

人體的各部份都分佈着各種不同的神經，我們用針灸刺激到皮膚時，感到了疼痛，這就是因爲皮膚的知覺神經受到感觸而引起的興奮。如果針通過了皮膚神經之後，進而刺激到更深的一部份時，就會感到痠、麻、脹、痛等不同的反應，這種反應，就是針灸的刺激，直接的接觸到各種神經幹或神經分枝。這種痠、麻、脹、痛的現象，就是神經受到刺激所引起的興奮現象，由於這種刺激的興奮，而產生了神經機能的調整。

神經受到針灸的刺激，興奮的傳佈，常常放散到很大的範圍。傳佈和擴散，是神經受到刺激以後，執行它本身生理上的機能，因爲神經系統是神經細胞和神經膠質所構成，神經細胞是神經系統構成的單位。叫做神經原。一個神經原包括神經體和突軸兩部份。這是神經功能的單位。神經當感到刺激時，神經活動的能力是細胞體，傳導的能力是神經纖維，每個生活單獨的細胞，在它的生命歷程中，都有它的感應性和傳導性，感應性就是生活體有機體對環境改變的敏感度，也就是說：每個細胞的原生質都有接受刺激的能力。傳導性就是細胞接受刺激時，顯示的一種反應，這種反應傳遍了細胞全體，並可能傳達到鄰近細胞。特別是神經細胞的傳導性十分發達。神經的興奮乃是一種應激波。由傳入突延神經纖維的傳導至細胞全體，經細胞體的運化，再由突軸發生，沿着一定的路綫，從一個神經原傳到另一個神經原，這樣就使興奮的傳佈放散到很大的範圍，並在很大範圍内發生調整作用。所以針灸的治療效果，常不限於穴位附近和神經徑路的沿線，而可以影響很遠很廣。如刺激脚趾，可以影響到頭部。因此，刺激一個穴位，功效也不是專治一種病，而是調整那個有關部位的神經機能，對有關部位的疾病，都能發生或多或少的效果。

十、針灸是不是有誘發其他疾病的危險

在日本久保適齋氏的研究，針灸治療，洽如藥物治療，只對有病變的器官發生作用的原理一樣，因爲病的神經較其他的神經感受力敏銳，是在等待外來的刺激而恢復常態，因此連日對患部施行針灸治療，漸次恢復健康，而不會誘發其他疾病。

十一、針灸療法與組織療法等的治療原理基本上是同樣的

針灸的治療原理是調整神經機能，已如上述。至於瘢痕灸、串線針，在皮膚上造成無菌化膿，以及出血療法，瘀血療法（如拔火罐、括痧造成皮下瘀血）的治療原理，也不外乎是激發與調整神經的應變性能。因爲身體受了這類小損傷。神經的這種應變的機能是會大大激發起來的。過去也就有將自己的血液注入肌肉的自血療法，和注入無菌的牛奶的療法，都能達到一定的治療功效。蘇聯醫學家更創造了「組織療法」，如將動物的某一部份組織，經過冷藏和消毒之後，埋藏在病人的一定部位的皮下，或將病人的皮膚切起小小一片，把它翹起，使它壞死，讓壞死的小片皮膚，刺激神經的調節機能，這和瘢痕灸、串線針的治療原理，基本上是一樣的。蘇聯醫學家從激發神經調節機能着眼。還創造了「封閉療法」，和「睡眠療法」等，對很多疾病收效很大。

從以上各點看來，針灸療法不但是合乎科學，而且是極有研究的價值。

討論題：

1．針灸爲什麼能治好病？

2．人體內各部門相互間的分工與合作，是由什麼支配的？

3．神經分那二類？

4．受納器是什麼？

5．人體的反應是怎樣產生的？

6．正常的生理變化現象是怎樣的？

7．人體的最高司令部是什麼？

8．交感神經和副交感神經是怎樣構成的？

9．什麼是人體的應變變化？

10．什麼叫做代償機能？

11．整個身體衰弱是否神經可以獨自健康？

12．應變的措施過度了，也能引起身體的傷害？

13．治病的主要原理是調整神經機能？

14．何謂細胞病理學？

15．何謂神經病理學？

16．針灸能治好瘧疾是何理由？

17．患病是怎麼一回事？

18．針灸爲什麼不直接以外因為對手？

19．針灸是不是直接增加了維生素？

20．由何得知刺中了神經？

21．構成神經系統的基本單位是什麼？

22．針灸的刺激爲什麼限於穴位附近和神經徑路的沿線？

23. 針灸為什麽不會誘發其他的疾病？

24. 針灸療法與組織療法的治療原理基本上是相同的？

第五章　針灸的生理作用

生理上的神經細胞，受到針灸的刺激而引起興奮作用，如果把刺激再加強，並延長其刺激的時間，可使神經細胞的機能減退，限於一時的麻痺狀態，而產生抑制作用。此外，激發調整神經機能而產生生理上的各種作用，以治癒各種不同的疾病，兹略述於下：

一、針治的生理作用：

（1）興奮作用：

1. 興奮神經機能。
2. 擴張血管，增加局部血量。誘導血液的集注。
3. 興奮細胞，旺盛其新陳代謝的機能。
4. 活潑內臟機能。

（2）制止作用：

1. 減退肌肉及筋腱的緊張力，制止痙攣。
2. 抑制內臟機能的亢進。
3. 麻痺神經。
4. 收縮血管。
5. 制止疼痛。
6. 制止細菌的繁殖。

二、灸治的生理作用：

（1）興奮作用：

1．促進血液的增加。

2．加強噬菌作用，和免疫作用。

3．擴張血管（最初有一時的收縮血管）。誘導血液的集注。

4．增高血壓，增高體溫。

5．增進血液的凝固性。

6．增進血液、淋巴液的循環。

7．促進滲出液的吸收。

8．促進消化，增加腸的蠕動。

9．興奮神經機能，鼓舞細胞和組織。

10．增加皮膚的抵抗力．強大肌肉．恢復疲勞。

11．增加胆汁及荷爾蒙的產生。

（2）制止作用：

1．制止疼痛。

2．制止痙攣。

3．制止細菌的繁殖。

討論題：

1．針灸的生理作用如何？

第六章　針灸治病的三個關鍵

（參攷朱璉新針灸學）

針灸的所以能治病，是激發與調神經的調節機能和管制機能，同時也是激發神經本身的修復、代償機能以達到治病的目的。針灸的目的就是要使已經失掉了平衡的神經活動過程，通過興奮和阻抑作用，誘導其恢復到常態。我們根據興奮和阻抑的基本關係推論，當針灸的刺激在神經系產生了興奮和阻抑作用的同時，也就產生了誘導作用。這是因為興奮和阻抑間的活動性，是按誘導關係來達到平衡的。因此，針灸療法的誘導作用，可能是屬於這方面的。所以針灸對神經所起的直接作用，基本上只有興奮與抑制（阻制）兩種。

針灸要對一定部位的神經起到興奮或抑制的作用，就得要掌握着下面的三關鍵·（一）、刺激的強度、（二）、刺激的時間、（三）、刺激的部位。

（一） 刺激的強度

要使針灸的刺激達到興奮作用和制止作用，根據很多臨床家多年積累的經驗是：用短促的輕刺激或中等度的刺激來達到興奮作用；用持久的強刺激達到制止作用。

1.弱刺激能使神經適當地興奮，所以弱刺激又叫興奮法。如身體某部分組織發生麻痺或衰弱，可用弱刺激的方法，增強神經的機能。弱刺激的手法，是在針刺中神經後，用短促輕微的雀啄術或旋迴術，灸法也不必時間太長，熱力也不必太大。

2.強刺激可使神經由高度興奮轉為抑制，所以強刺激又叫制止法。如身體某部組織機能發生亢進、痙攣、疼痛等病變，可用強刺激的方法，以達到鎮靜、緩解、制止的作用。強刺激的手法，是在針刺達神經後，用持久強大的雀啄術或旋迴術，並可能用長時間的留針·以及強熱力長時間的灸治法。

刺激力的強弱和興奮抑制的關係是分不開的，這與服麻醉劑（如阿片）劑量的大小和興奮鎮靜、麻醉的關係，是同樣的道理，少劑量能興奮神經，中劑量能鎮痛安眠，大劑量就達到麻醉的程度了。針灸刺激力的強弱，完全在術者運用巧妙的技術來掌握它，太過與不及 、 都不適宜，總以恰到好處爲當。

刺激力強弱的標準，據經驗所得由下列幾項來決定：

㈠ 性別　男性可用強大刺激力；女性宜用輕微的刺激力。

㈡ 年齡　壯年老年可用強大的刺激力；小兒要用弱刺激力。

㈢ 身質　多血質、脂肪質的人，可用強刺激；神經質的人宜用弱刺激。

㈣ 營養　壯健者，可用強刺激；虛弱的人可用弱刺激。

㈤ 病症　神經病，痙攣、麻痺等病可用強刺激，肺結核等宜用弱刺激。

（二） 刺激的時間

針灸治病除掌握刺激的強弱手法之外，一般還得掌握針灸治療的時間。因為人的生活條件不同，體質不同，神經機能的強弱不同，病因、症狀也各有不同。有些病需每天針灸一次，連續針灸十天至半月，休息幾天再針灸；有的病一天需針灸幾次；也有的病需隔幾天針灸一次；有的病需在發病前針灸；也有的病需在發作時針灸。至於在那一些時間不宜施行針灸，已另在針灸禁忌中詳述。

如針灸治瘧疾，在瘧疾發作三、四次後、大多數在未發前三小時施行針灸，一次全癒，二次除根。很少須治數次的。在發作時針灸，立即能夠停止冷熱的症狀。

治虛脫症（或休克），在剛剛發現前驅症狀，如頭昏、欲嘔、怕冷等時，立刻進行針灸，神經一興奮，這些症狀即時消除，也就防止此病的發展了。

治急性胃炎，在發作時立即治療，即能達到治癒的目的。若能繼續針灸三次(每日一次)，則可鞏固既得的效果，同時注意飲食衛，就可防止慢性胃炎。

治慢胃炎，就需要針對患者的具體病情來決定，一般是連續每天針灸，到了鞏固階段就休息幾天再針灸幾天。有的每天慢性胃炎病人經治療後，已無病狀，但一吹冷風或用冷水，就又發生胃痛、嘔酸，這就可以告訴病人在出門吹風之前或用冷水之前，自己灸一灸合谷或足三里，幾次之後，就不會因稍稍受寒而引起胃病發作了。

治週期性發作的病，或發作性疼痛，或在某種環境下才發生某種病態，有的需要在發作前就針灸，直至治療到超過以往週期性發作的天數，有的就需要在發作時針灸。例如新陳代謝性關節炎，有的患者是每到中秋季節發作，因爲這時氣候變化的刺激，舊病就復發。針灸這類病可在中秋季節稍前就開始治療。直到超過以往發病的天數，一次一次的控制該病的發作，連續兩三年都在這時節針灸，就打破了這種週期性，而改變了病理變化。

(三) 刺激的部位

針灸的治病經驗證明對難以診斷明確的疾病可以進行「對症療法」，但也並不一定是頭痛治頭，脚痛治脚，針灸的刺激，基本是全身療法，因而往往是針灸了下肢的穴位，治好也頭痛，也解除了其它的病症。但也決不是在任何一個穴位上對任何一種病都能起到抑制的或興奮的作用。因此，針灸的治病方法上，除掉掌握刺激的強弱，刺激的時間之外，還必須根據診斷及具體病情講究刺激的部位。

就以強刺激的方法治急性胃炎來說，多半採取下肢小腿部的足三里，這是遠距離的刺激(過去又叫做誘導療法)，如胃痛嘔吐只是減輕不能完全停止時，則在上腹部再取中脘或上脘穴，這是近距離刺激，或直接刺激。它們在治療過程中所起的作用，都是通過高級神經中樞而達到的。

治療因新陳代謝機能障礙引起的痛風（急性發作關節腫脹，帶青紅色，周圍皮膚灼熱、知覺過敏，劇烈疼痛，體溫上昇等），需要採取全身性穴位和局部性穴位，兩者並用。強、弱刺激的兩種方法並用，一則旺盛新陳代謝機能，一則轉移興奮點減輕局部疼痛，一則消除末梢血管運動神經麻痺，臨床上常採取患部附近用弱刺激的針法；稍遠的部位就用強刺激的針法或灸法；此外，在腰、背部採取同一穴名的兩個穴位用弱刺激的灸法；在下肢小腿部相對側的兩個穴用強刺激的針法；收效往往很快。

治局部扭傷發生的局部充血、鬱血、疼痛現象，針灸只要對準這個局部附近的穴位進行短促刺激，就可驅散充血、鬱血，能很快的見到紅腫或青紫的消退，壓迫性的疼痛也可隨之消失。頑固性凍瘡用這個方法也收效迅速。

各種疾病的針灸穴位，已在第五編中詳述·未述及者，也可準此靈活運用去自行選擇。

討論題：

1.針灸的三個關鍵是不是有連貫性的？

2.何謂弱刺激？手法如何？

3.何謂強刺激？手法如何？

4.為什麼治療的時間要恰當？

5.針灸和刺激部位有什麼關係？

第七章　補瀉問題

針灸同一個穴位，因刺激的輕重、久暫和進針後捻轉方向的不同，發生的作用就不同。在古代針灸書上，講的補瀉方法很多，大都是臆測想象的，合乎實用的實際經驗並不多，我這裏也就不說它。我認爲實際上並無所謂補瀉，不過是刺激手法強弱刺激的作用不同而已。弱刺激的興奮作用就叫做補；強刺激的制止作用就叫做瀉。至於捻轉的方向，對神經的影響不能相同，就是同一樣的轉法影響也不一致，所以就不作死板的規定 。 這要靠不斷地詢問病人的感覺，觀察疾病的變化。如多向左轉，痙攣、疼痛就減輕，相反的就不減輕，那末就多向左轉。刺激的具體程度也是這樣來斟酌的。有的是要病人覺得舒適、輕快，就照這樣標準去試，看如何轉、如何搗動，病人舒適，病狀減退，就如何去做。

例如治某男性患者右側顏面神經痙攣，針痙攣側的四白穴，針向左轉時，右眼與口角抽動得更厲害，向右轉時，就停止抽動，於是向右轉輕度捻針後，就留針，經過二十分鐘，又向右轉退針，立刻痊癒。另外有一同樣病的男性，針四白穴，向右轉則痙攣加劇，向左轉就停止，但針柄的圈子轉得大時，也不能使痙攣減輕，只有向左轉極輕微的捻動則痙攣停止，直到退針都用輕微左轉的方法，病也立卽消失了。又有女性患者，左側顏面神經痙攣，表現的症狀是左眼上下瞼抽動，有時妨礙看東西，反覆針刺眼圈周圍的穴，刺針時可停止抽動，退針後又如常，以後針刺三陰交、地機等穴調理月經，顏面抽動就見好些。

如果不能得到明顯反應時又怎麼辦呢？刺激的輕重，可以由經驗得來，針的捻轉方向就以向左向右一般多爲宜。這就古代醫書上所謂「平補平瀉」。在注意手法效果的同時，還得注意所取穴位的效果，作爲繼續治療取穴的根據。例如治一位廖老先生的多年胃病，在針灸治療期間，停止疼痛，夜間不失眠，食慾與消化都很好。治法是每日或隔一日針灸一次；取穴是在腰背部腹部四肢輪翻的針灸；前後共二十餘日。根據記錄，每次以針灸足三里、胃俞、膈俞等穴後，精神最好，尤以針胃俞、膈俞、中脘等穴後再灸一灸更好，以後就多給他針灸這些對他特別見效的穴位，他的病就大為見效。

討論題：

1.補瀉手法以什麼為標準？

第八章　針灸的適應症

針灸的所以能治病，既然是由於激發和調整神經的調整機能和管制機能，它自然就不會像某些烈性藥品，用之不當發生中毒的情形；可以說，針灸對於能治的病就能顯著減輕症狀或迅速獲得痊癒，對於不能治的病，用了也不會發生副作用。比如針灸治癒了腹瀉，又繼續在同一病人身上施以同樣的治療，病人並不會像多吃了止瀉藥那樣而發生便秘；大便秘結已經針灸治癒，再繼續針灸一個時期以鞏固已有效果，也不會像多吃了瀉藥那樣發生腹瀉。又如外傷骨折，當然不是針灸所能治癒的，就是用針灸，也只能起到減輕疼痛和增加些抵抗力的作用，也不會促使外傷骨折發生惡化。

這裏所說的適應症，是據臨床經驗初步整理，針灸能夠治癒或能起到主治作用的，茲分述於下：

一、神經系統：

神經機能的變化，發生疼痛和麻痺，針灸能使神經的機能恢復正常。例如三叉神經痛、眶上神經痛、面神經麻痺、外展神經麻痺等；神經痙攣如胃痙攣、子宮痙攣、面神經痙攣、腓腸肌痙攣等，都有效驗。

由植物性神經支配下的內臟器官發生變化，針灸能使它逐漸好轉。例如消化不良、常習便秘、遺精、月經痛、支氣管炎、蕁蔴疹、濕疹、遺尿等症，效果都很好。

神經衰弱；這是難治的病，例如失眠、頭昏、記憶減退等症狀，有的竟獲痊癒；大多數都能收40%以上的功效。

精神分裂：初發時就用針灸治療，有很多治癒的病例。癔病的效果非常好。

二、運動器官：

偶然發生的神經痛，如臂痛、腰痛、腿痛等，針幾次，甚至於一次就能止痛。對於風濕病，病程越短，越有顯著效力；病久的大概針了只能輕快一時，完全除根的較少。但在臨床上施針後立刻輕鬆止痛這一點來看，也很有醫療價值。

外傷性或手術後遺症的關節強直，舞蹈病等，雖然恢復很困難，但是針灸確能促進和加速恢復的機能。

三、外科：

面疔，或手足生疔、淋巴管發炎、腹股溝淋巴癤發炎等，針後很快就痊癒，濕疹可減輕症狀。

四、循環系統：

例如充血性頭眩暈，能使血壓降低；貧血性萎黃病，能增進健康。

五、婦科疾患：

月經不調、白帶、子宮出血等都有效。因內分泌障礙的無月經最效；不妊症，有的也見效。

六、產科疾患：

惡阻、滯產、胎胞不下等，效果很好。

七、小兒科疾患：

小兒驚厥，針灸極效。脊髓前角灰白質炎也有效。

八、傳染病：

瘧疾最有效。霍亂初起也有效。赤痢也能見效。

討論題：

1.那些病適宜用針灸療法？

第九章　針灸的禁忌

（一）禁針灸的疾病：

1. 病勢急迫，容易轉變。例如急性傳染病，在未送到傳染病院以前，又沒有得到正確診斷時，不可濫用針灸。

2. 病久身體虛弱，到了惡性貧血或心力衰竭的時候，不宜針灸。

3. 需要手術的外科病。如腹膜炎、闌尾炎等，不可施行針灸。

4. 惡性腫瘍，例如癌腫；以及皮膚的局部劇烈炎腫，都不可針灸。

5. 不能生效的病，例如青光眼，蓄膿症、腸閉塞、卵巢囊腫之類，針灸不能生效、沒有好處。

6. 受孕五月以內的下腹部各穴，五月以上的上腹部各穴，以及手脚有強烈反應的穴位都不宜針灸。

7. 全身體溫增高在37度以上的病，不宜灸治。

（二）禁針灸的時間：

1. 走路後，或遠道乘車船而來者，不可即予針灸，必須休息三十分鐘以上，心平氣和後，才可針灸。

2. 大饑、大渴、飽後、酒醉後，都不宜施行針灸，須待恢復平常狀態後，才可針灸。

3. 房事後、大怒、過勞、大驚、大恐後，都不宜施行針灸，應待平静後，方可施行針灸。

4. 汗流不止的病人，恐發生虛脱，不宜針灸。

5. 病人有尿時，下腹部不宜卽針，須囑排尿後，才針。以上都是一般原則，如遇急病，仍須酌情治療，以救急為主。

（三） 禁針灸的部位：

1. 大腦、延腦、心、肺、肝、胆、腎、眼球、膈膜、睾丸、喉頭、氣管、陰核等，不可針灸。

2. 孕婦五月以内，下腹部各穴，五月以上上腹部各穴，以及合谷、三陰交、獨陰、湧泉和手指脚趾各穴，都不宜針灸。

3. 瘢痕部、殘廢部、腫瘤等處不宜針灸。

4. 大血管的淺在部，不宜針灸。

5. 禁針灸的穴位於下：

一、 禁針穴位：（二十九）

腦戶 顖會 神庭 玉枕 絡卻 承靈 顱息 角孫
承泣 神道 靈台 膻中 水分 神闕 會陰 横骨
氣衝 箕門 承筋 手五里 三陽絡 青靈 海泉
顴髎 百會 缺盆 羊矢 雲門 鳩尾

二、禁灸穴位（四十八）

瘂門 風府 天柱 承光 臨泣 頭維 絲竹空 攢竹
睛明 素髎 禾髎 迎香 顴髎 下關 人迎 天牖
天府 周榮 淵液 乳中 鳩尾 腹哀 肩貞 陽池
中衝 少商 魚際 經渠 地五會 陽關(背) 脊中
隱白 漏谷 陰陵 條口 犢鼻 陰市 伏兎 髀關
申脈 委中 殷門 承扶 白環俞 心俞 腦戶 耳門
瘈脈

以上禁針禁灸的穴位，都是古人集合各方面的經驗·這些穴位裏，有些是有重要臟器，或大動脈的關係、不能深針或灸治，有些是怕灸起水泡，生了灸瘡，有礙美觀。在解剖上沒有禁忌的必要，仍然還是可以針灸，不過初學的人，還是遵守禁忌爲宜，好在這些穴位在治療上，並沒有很大的作用。

討論題：

1.那些病症不宜用針灸？

2.那些時間不宜用針灸？

第十章　定穴尺度法

針灸療法上對兩個穴位的距離，和進針刺入的深度，都是以幾寸或幾分來計算。這種分寸，旣不是市尺，也不是公尺，因爲人的身體有高低肥瘦不等，穴位度量的尺寸也不一樣，所以這種尺寸，是要依照每個病人的體格來各別的計算，一般度量的標準於下：

一、同身寸法，又叫做中指取寸法

以病人中指彎曲，中節兩端橫紋尖之距離作爲一寸（如圖一），一寸折爲十分，爲之同身寸，作爲量四肢及背部橫量之標準。按古書所載身長應該是同身寸的七十五倍，現據實際統計，很不準確，所以現在一般的採用折量法，以身體顯明的部位爲標準，有些還可用手指的橫徑作標準（如圖二）。

二、局部取寸法。

1. 頭部：

縱量——前髮際到後髮際，折作一尺二寸，前後髮際不明者，則由眉心起至大椎穴，前後各加三寸，爲一尺八寸（如圖三）。

横量——以眼内眥角至外眥角，算作一寸（如圖四）。

圖一 中指寸法圖　　圖二　橫指寸法圖

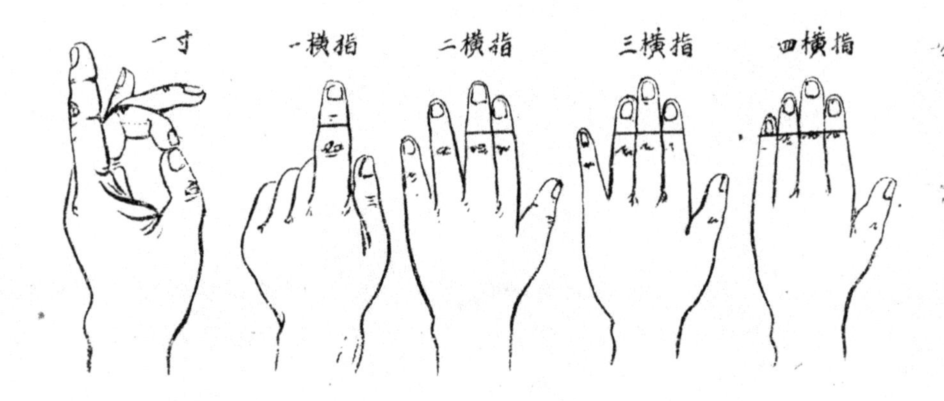

圖四 頭部橫量寸法圖　　圖三 頭部縱量寸法圖　　頭頂正中線尺度參考圖

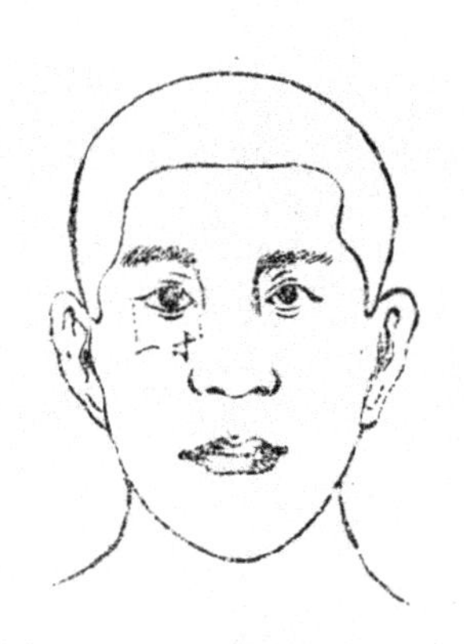

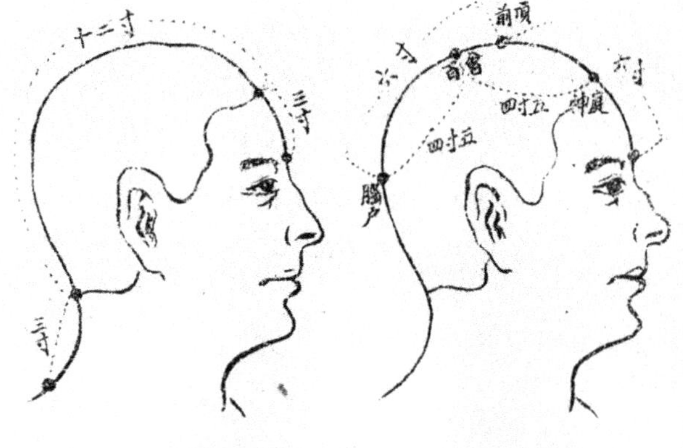

2. 背部：

縱量——以背脊椎爲準。

横量——以同身寸法計算。（中指寸法）

3. 胸腹部：

縱量——胸骨劍突骨尖至臍（神闕）折作八寸。臍下到恥骨上緣，折作五寸。

横量——兩乳之間，折作八寸。（以健康男性的體格為準，病人須準此酌情伸縮。如圖五）。

4. 四肢：

横量——用同身寸法，或横指寸法量之。

縱量——上肢：腕横紋到肘横紋折作十二寸。（如圖六）

(五.胸腹部尺度圖)　(六.上肢尺度圖)　(七.下肢尺度圖)

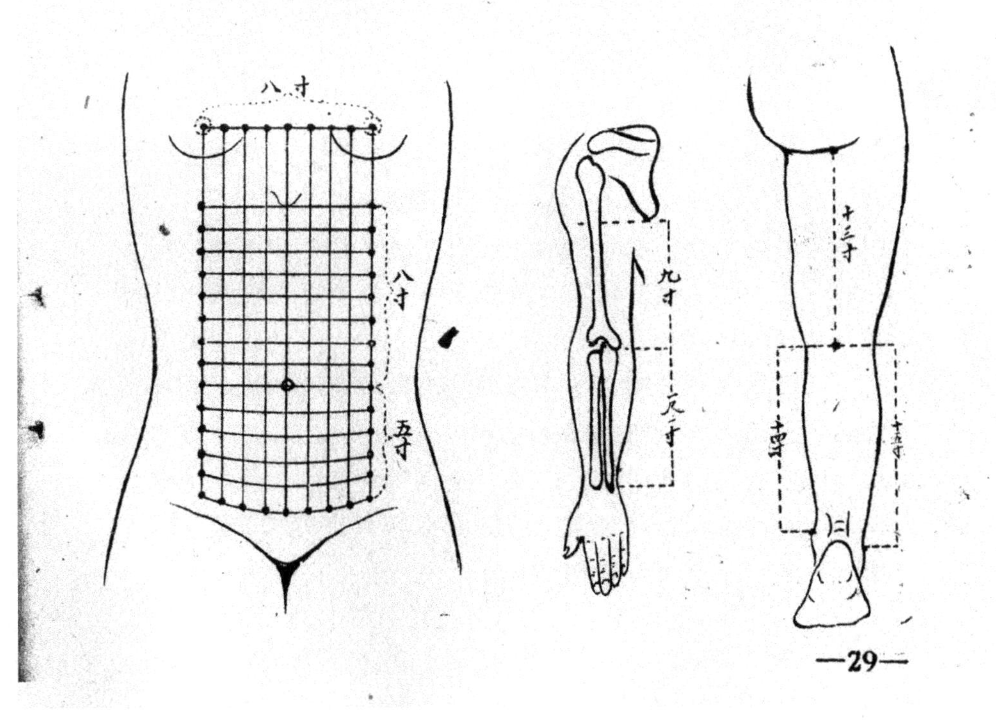

肘橫紋到腋窩附近折作九寸。(如圖六)

下肢：內踝上緣到膝膕窩橫紋折作十四寸。

膝膕窩橫紋到大腿內的陰廉穴折作十三寸。

外踝上緣到膝膕窩橫紋折作十五寸。

(如圖七)

手、脚穴位以骨骼為標準。

以上所說度量穴位的尺寸，都只能作為大致的標準，凡正確的穴位，除腹部以外，其餘大都在骨骼的關節部，凹陷處，骨的旁側，用指掐壓，能感酸麻者為準。

第十一章　配　穴　法

(朱璉著新針學)

1. 雙穴法：就是主治某一種病取用左右兩側同名的穴位。如治胃病針灸兩側足三里；治婦科病針灸兩側三陰交；治前頭痛針兩側頭維穴。
2. 上下肢相應法：就是在上肢與下肢同時取穴，配合治療同一種病或兩種不同的病。如合谷配太衝(脚合谷)，用來治四肢搐搦；合谷配足三里用來治咳嗽與調整腸胃。
3. 前後深淺配合法：在相同的上肢或下肢，同時取兩個穴位，一前一後，或一個是刺深部神經，一個是刺淺部神經，使由肢體向頭部或軀幹部放散的刺激更強烈些，或是範圍更廣一些。如足三里配三陰交，用來調整內臟機能，曲池配合谷治頭臉部、肩部及上呼吸道的病。
4. 裏外呼應法：如內關配外關，對整個臂神經刺激強烈。水溝風府，頭部前後對峙地刺激，於腦部的病作用便很大。如卒中、不省人事，牙關緊閉都能治。

5. 直接間接刺激配合法：如上肢取了曲池、合谷，再在鼻區取迎香，禾髎，治鼻病；在眼區配合取穴，治眼病。再如足三里配中脘治胃病。

6. 接近中樞神經部分與遠隔部分的配合法：對中樞作用大的，如背部的正中線、第一側線、第二側線和患部附近的穴位配合，如治腸胃病取胃俞、脾俞、胆俞、大腸俞、小腸俞諸穴和腹部諸穴配合。坐骨神經痛，可用八髎和環跳、足三里等穴配合。股神經痛用腎俞、命門和陰陵泉、陰包諸穴配合。如治瘧疾，取大椎、陶道（背部）、解谿（脚背上）、列缺（前臂）、章門（側腹）。

7. 多種症狀的同時取穴法：如腰痛腿痛又消化不良，取環跳、足三里、八髎。胃痛又腹瀉，取中脘、天樞、肓俞、內關。

8. 一般強壯治療、營養治療與對症治療結合法：一般強壯常取：膏肓、大椎、命門、曲池、足三里、內關、關元、關元俞諸穴，爲了激發腸胃機能，加強營養，常取肝、胆、脾俞，三焦俞，大腸俞、小腸俞等。

9. 同時用與輪番使用法：在患部附近許多穴位可同時用或輪番的用。如肩胛痛、取肩井、肩中俞、肩外俞、天髎等穴，就可以同時用，或安排分爲幾天輪番用。

討論題：

1. 配穴法用那幾種？

第十二章　配穴成方

以下是古時候經驗出來的一些配方。如同藥物療法裏面的有名處方，值得我們重視和參考。

1. 大椎、曲池、合谷：一般能使全身機能旺盛，常用來治肺結核、瘧疾。用來配合主治某方面的穴位，便能使那方面的治療作用增強。如頭項強痛的配合風池、風府；腸胃有病的配足三里、豐隆；傷風鼻塞的配上星、迎香；敗血症、尿毒症之類配內關。

2. 合谷、復溜：用來止汗，發汗。

3. 曲池、合谷：用來配合頭面部的穴位治頭面部的病，如治眼病加睛明、絲竹空；治鼻病加迎香、禾髎；加聽會、翳風治耳鳴、耳聾；加勞宮水溝治口腔病；加頰車、兵際治咽喉疾病；加下關治牙痛、齦腫；加地倉治顏面神經麻痺或痙攣。

4. 肩顒、曲池：（肩顒多臥針）除肩、臂的病以外，對胸部、頭頸部的病也能發生很大的作用。中風、咽炎、咳嗽、胸膜炎等多用它。

5. 環跳、陽陵泉：這和「肩顒、曲池」兩穴相對應，對下半身的調整作用很大。

6. 曲池、委中、下廉：常用來治感冒、風濕病。或用手下廉、或用足下廉、或兩下廉都用，依病而定。

7. 曲池、陽陵泉：用來調整內臟的機能。肺臟、肝臟、腎臟、腸胃的病，常用到它。

8. 曲池、三陰交：常用來治體外的炎症，瘡癤。婦科病如子宮、卵巢的病也常用。

9. 陽陵泉、足三里：除治腿部的病以外，用來治腸胃病。

10. 合谷、太衝（又名四關）：常用來鎮靜神經，配合豐隆、陽陵泉治精神分裂症。配百會、神門治癲癇。

11. 豐隆、陽陵泉：治便祕。鎮靜神經。

12. 氣海、天樞：治下腹部的病，即膀胱、尿道、生殖器方面的疾病。

13. 中脘、三里：調整腸胃機能，止上吐下瀉。

14. 合谷、三里：健腸胃。

勞宮、三里：治胃病。

椎、內關：治胸水。

17. 內關、三陰交：強壯。

18. 魚際、太谿：治咳嗽、吐血、肺結核。房事過度發生的病常用之。

19. 天柱、大杼：除了治項背強直疼痛以外，調整內臟的機能常用之。

俞府、雲門：治咳嗽、喘息。

21. 氣海、關元、中樞、子宮：治生殖器的病。

22. 合谷、少商、商陽：小兒科的重要配穴方，治咳嗽、呃逆、發熱和咽喉疾病。

23. 曲澤、委中：刺出血，治吐瀉，惡瘡。

第二編　針療

第一章　針的研究

一、針的各部名稱：

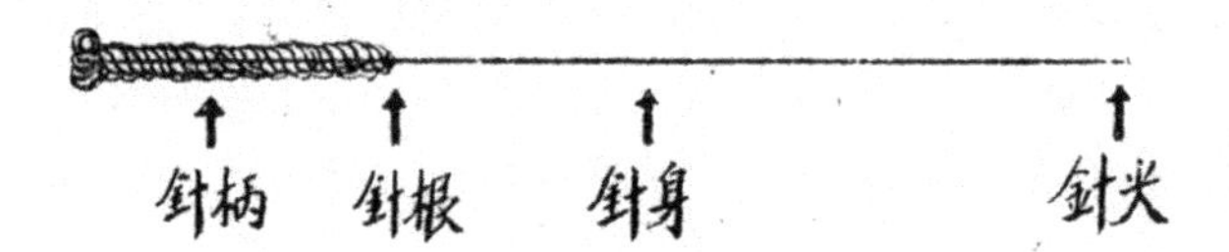

二、針的種類：

古人的針分為九種，也叫九式，現多不適用，目下所常用的針只有毫針、圓利針、三稜針（鋒針）等三種，我所用的針，只有三稜針與毫針二種，而我的毫針又分爲一寸、寸半、二寸、三寸四種，這種毫針是將毫針磨尖，成爲毫針與圓利針的合成品，簡稱為毫針。茲將古針九種繪圖說明於下：

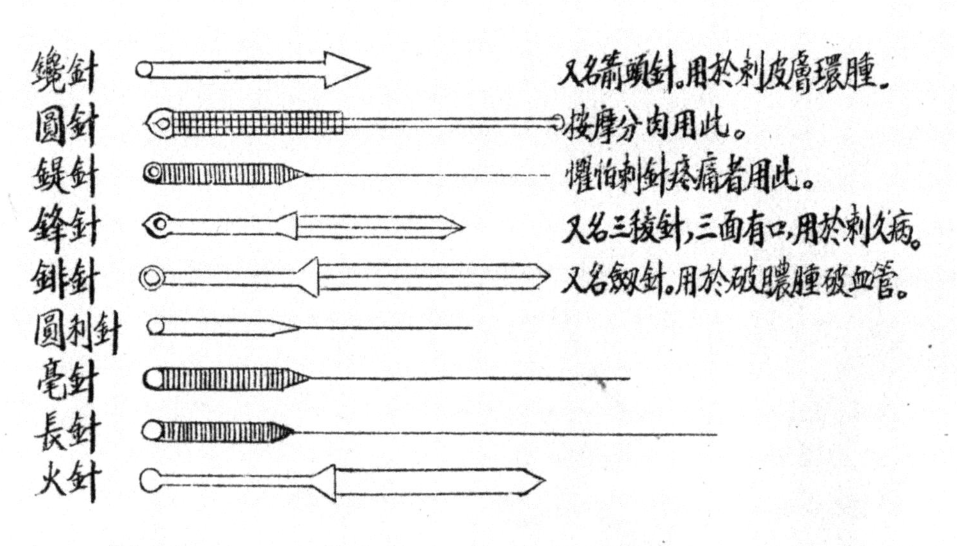

三、針的質量與製造：

針的質量：不問金針、銀針、鐵針、鋼針，它的作用是同樣的，不過金針、銀針性太軟，又無靱性，不易刺入，若加粗則痛苦難當。鋼針性脆，易於折斷。鐵針銅針容易氧化生銹，而不便保存，最好是用不銹的白鋼絲針，或合銀針，則比較的有靱性，能合乎實用。

製造法：古時有樂水煑針的辦法，不切實用，現已廢除，目前的方法簡單，只要將白鋼絲或合銀絲的一端上纏上銅絲或銀絲的柄，再按需要的長度，一寸、寸半、二寸、三寸等剪斷，將針磨尖就成了。但磨針時，只可直磨，不可橫磨，以免有了橫紋，易於折斷。

四、針的選擇：

針灸所用的針，須注意下列各項：

1.針尖銳利，可減輕疼痛。

2.須有靱性，以免折針。

3.針身宜直而光滑，不應彎曲，以免滯針、折針、不易刺入，病人疼痛。

五、針的保存：

1.各種針宜備若干支，除針柄外，針身及尖可擦以油類，以防生銹。並應每日擦拭，如已生銹則應擦去。

2.針身、針尖應持正直，如有彎曲、橫紋、或銹痕等情形，則就廢棄不用，以免有折針的危險。

3.在門診部所用的針，應備玻璃盒放置，下舖消毒紗布，上用蓋蓋好，以免灰塵和潮濕。

4.出診用針，則應備針筒或針盒收藏。若用針筒，則針尖須向上，並在上端塞以棉花；若用針盒，則應在盒之上下用棉花紗布襯墊，以免針尖撞擊。

六、針的大小：

我國從前有許多針灸醫師，用自製的粗大的銀針，病人一見就非常害怕，不敢受針。日本針灸醫師則相反，用細如毫毛一半大的針，針了幾次方有微效。一為太過，一爲不及，都不適當。現我們折乎其中，選用下列二種毫針：

1.如毫毛大的：凡皮膚較薄的人，和不須用強刺激的病人，以及刺激腹部穴位時用它。

2.大於毫毛的：凡病人皮膚較厚，或肌肉豐厚處、或病症須用強刺激時，都應用它。

3.另備三稜針一支，凡遇失神不省人事或放血時才用。

針太大：1.進皮時感疼痛。2.針後見針痕不雅觀。3.針口大細菌容易侵入。4.針腹部各穴，針口大了腹內容物容易滲入腹腔。5.病人害怕，容易暈針，或不敢受針。

針太小：1.容易彎曲折斷。2.刺激力不夠，收效太慢。3.不容易刺入。

七、針的長短：

現在也有不少針灸醫師常用四五寸長的針，也有只用四五分長的針，這也是太過與不及。現在一般適用的約有下列四種：

1.一寸長的。用以刺肌肉淺薄處，或不可深刺的穴位。

2.一寸半長的。用以刺手臂、腹、腰等處之穴位。

3.二寸長的。
4.三寸長的。
} 用以刺環跳及委中等穴位。

討論題：

1. 針的各部名稱如何？

2. 那種質量的針比較好用些？

3. 針須具備那些條件？

4. 如何防止針銹？

5. 細針有那些優缺點？

6. 針太長或太短有那些優缺點？

第二章　針　療　法

（一）施術時的態度

1. 診斷時態度要和靄親切，給以最大的同情心。診斷要正確，並耐心解說針療不痛及針療的效果。以樹立病人的信心和解除其畏懼心。

2. 施術時態度要莊重嚴肅，切戒舉止輕浮粗魯。以防引起病人感到羞恥和恐懼，發生神經過敏，肌肉緊張，感覺紊亂，進針退針都會困難，甚至發生彎針折針的危險。

3. 進針後要隨時詢問病人的感覺，不斷的觀察病人的表情和病狀的變化。要聚精會神，細心耐煩。不可將針停留在穴中後，自己就去一邊亂扯談，或去幹其他的事，放下病人不管。病人一旦發生暈針，就手忙脚亂，不知所措，以致發生危險。

（二）刺針前的準備

1. 調整室內的空氣，不使過冷過熱。並佈置適當的坐位或手術台。

2. 按應針穴位的多少和深淺，選定適當長短的針。並檢查針身有無損傷彎曲，針尖是否尖銳。

3. 按所取穴位，決定針灸的順序，指導病人取適當的體位

（詳後），病人才能持久，又可免進針後產生複雜的感覺，醫生才可以判別手法是否適當。

4. 按照規定，在病人身上找定穴位。在找好的地方，用指甲掐一十字印，作爲記號，如果恐怕消毒後記號不明，可在穴位附近另作記號。

5. 醫生自己的體位，也要平穩舒服能夠持久，才不會影響操作。

6. 消毒：

（1）醫生的手指先要用刷子和肥皂水洗淨，再用百分之七十五的消毒酒精棉球消毒。

（2）將針用酒精消毒（針可泡在酒精裏或來沙爾溶液中消毒），使用時用酒精棉球擦拭針身消毒，並可防止折針。門診部的用針，可用一個較大的有蓋的琺瑯盤，下放無菌紗布，布上再放已消過毒的長短排列的針，針上再用無菌紗布蓋好。然後將琺瑯盤蓋蓋上，用針時，拿消毒鑷子取針。

（3）用酒精棉球或棉籤擦拭應針的穴位。先擦中心，後擦周圍。酒精棉球用過一次後，就要扔掉，不要再用。刺針要等酒精乾，否則就會痛。酒精沒有乾時不要用嘴吹，以免病人因局部發涼，覺得不舒服，並且這樣還會染污消了毒的部位，使針眼有染菌的機會。

（4）針胸腹部和其它部位深刺時，要特別注意消毒。醫生的手指和應針的穴位，都先用肥皂水洗淨，再塗碘酒。而後用酒精再將碘酒擦掉。

消毒的重要性：很多日本醫學家，利用科學方法和動物的實驗，發現許許多多很有價值的問題。例如一個極簡單的例子：「

……以五號針所刺的孔來計算，中等大的細菌二十一萬八千九百六十五個並列可以侵入。若以中等的細菌比做螞蟻，則五號針的周圍爲五尺四寸七分，相等如抱一粗大的松樹。又於顯微鏡下注視，則在針部可見無數縱溝，爲製針時的錯跡，而由縱溝中，細菌極易侵入。從以上理由，刺針時務必完全消毒。」

7. 針腹部時，在消毒前，注意先在穴位部份用手輕輕按壓，使胃腸内容推壓到旁邊去。

（三）取穴時病人的體位

囑病人脱去衣服，露出應針的部位，然後根據下面的原則來安排適當的體位，才能找得正確的穴位。

1. 要穴位正確，針容易刺中神經。

究應取如何的體位，才能有正確的穴位，才不會發生神經移位，肌肉牽引、弛緩、收縮不一致等。這得靠醫生的靈活運用。如合谷穴，針由上直下，不容易刺對神經。若醫生與病人對坐，左手大指掐實，針斜向臂方上行，立感痠麻，極容易刺對神經。針曲池穴，病人伸肘，就不容易刺中神經，如若叫病人屈肘，手掌放在胸上，在肘内骨邊直入針，立感痠麻通上達下，極容易針對，餘可類推。

2. 要使病人不易動搖，不易變更姿勢，以防止折針、滯針的發生。

如針風市穴，病人直立，針到痠麻時，大腿很容易上舉，針易屈曲，並有斷針的危險。若取側臥位，腿縮成曲尺形，醫生再用手壓實，雖針到極痠麻時，也不會動搖。又如針崑崙穴，病人仰臥或坐位而屈其膝，脚跟着地，針到痠麻時，脚往往飛起，針易屈折。如囑病人側臥，醫生用手按實，雖針到很痠麻，也不會動搖。

3. 要注意安全，防止發生危險。

如針睛明、瞳子髎二穴，針斜向骨邊刺入，萬無一失，不然就有傷及眼球的危險。如針風府啞門穴，猛力刺入，則恐刺中延髓，有關生命。如若用短而細的針，慢慢向上斜入，到感痠麻時就不再深刺，萬無一失。醫生每次下針時，都須自問：這樣刺針會不會發生危險。

4. 防止暈針，凡一切穴位，以盡可能的採取臥位爲宜。

5. 要使病人舒適，能夠持久，以免引起疲勞。

6. 醫生的體位，也要適合施行針術，並盡可能的坐穩定，以免身體動搖，不能持久。

施針時病人一般的體位

臥位　凡不能坐着施針的，都必須採取臥位。臥位分仰臥、俯臥、側臥、截石位四種。

1. 仰　臥　用胸腹部及股臂內側的穴，都須仰臥。例如氣户、庫房、上脘、中極、髀關、陰廉、極泉、天泉等穴。（如圖一）

2. 俯　臥　下肢後面的皺折處，必須俯臥位。例如委中、合陽。（針背部採取俯臥、側臥位與坐位均可）。（如圖二）

3. 側　臥　臀部側面與膝蓋部外側，都須採取側臥位。例如環跳、委陽等穴。（如圖三）

4. 截石位　僅用於會陰穴。（如圖四）

坐位　針頭、面部、上肢、背部、下肢，有必須採取臥位的，也有必須採取坐位的，看病人的情形來決定。

一、頭面部　　分仰靠、俯伏、側伏、托頤四種體位。

1. 仰靠取穴：如迎香、四白、陽白及太陽、頭維的兩側。（如圖五）

2. 俯伏取穴：如風府、風池、翳風、完骨的兩側。（如圖六）

3. 側伏取穴：如頰車、太陽、耳門、聽宮等用一側的穴位時可側伏。（如圖七）

4. 托頤取穴：如上星、百會、前頂。（如圖八）

二、上肢　　上肢體位分四種：

1. 伸肘仰掌取穴：如內關、曲澤、尺澤。（如圖九）

2. 屈肘仰掌取穴：如少商、魚際、勞宮、大陵。（如圖十）

3. 屈肘俯掌取穴：如中渚、外關、天井。（如圖十一）

4. 横肱取穴：如合谷、手三里、曲池。（如圖十二）

（第一圖）　　　　（第二圖）

仰卧位　　　　俯卧位

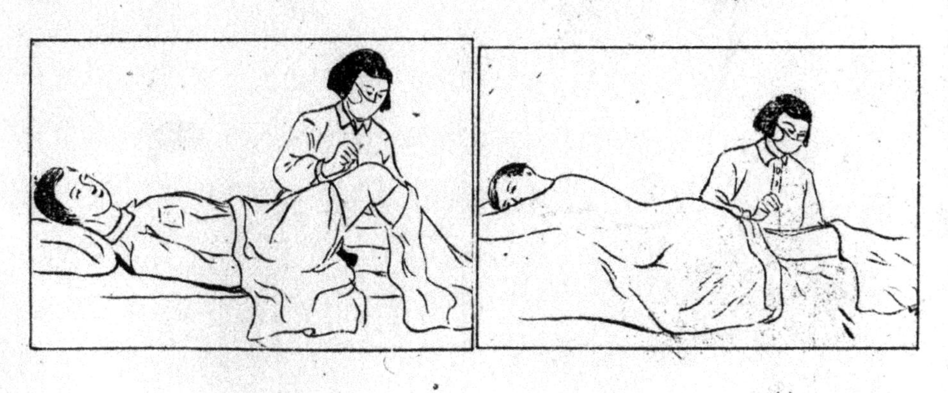

(第三圖)
側卧位

(第四圖)
截石位

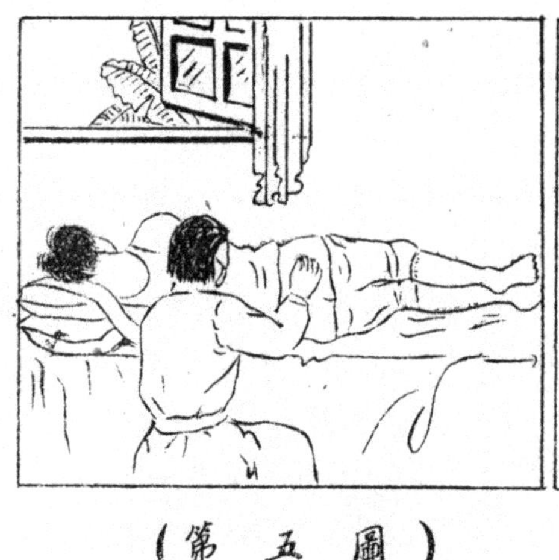

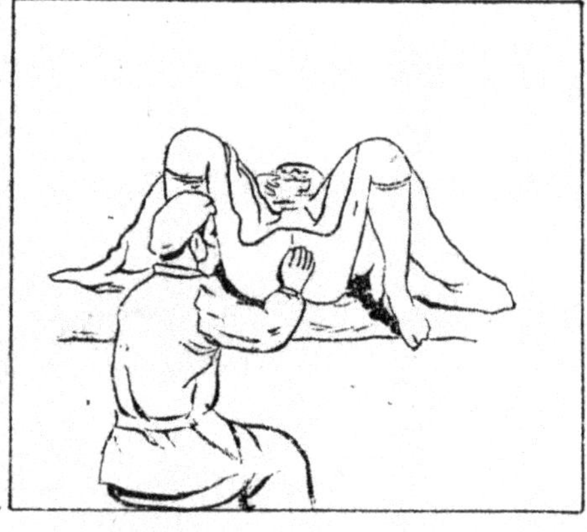

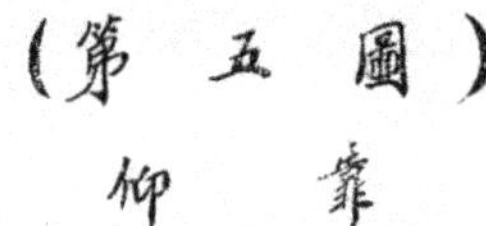

(第五圖)
仰靠

(第六圖)
俯伏

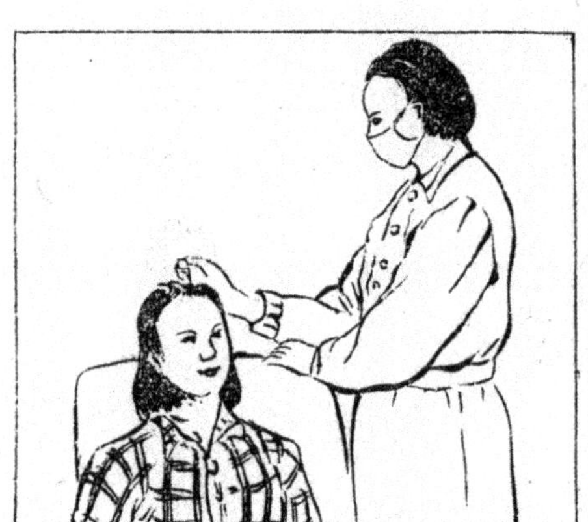

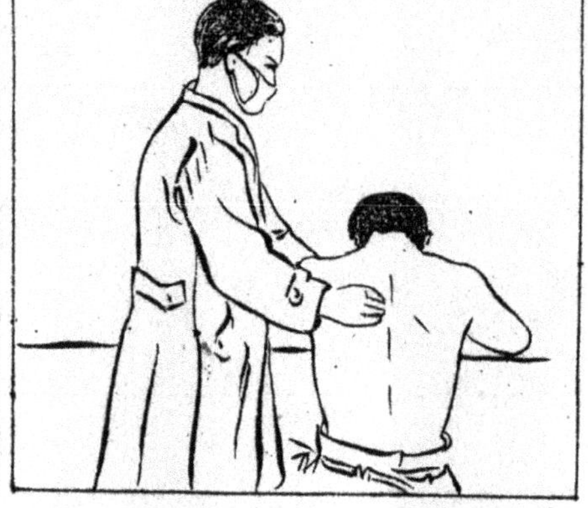

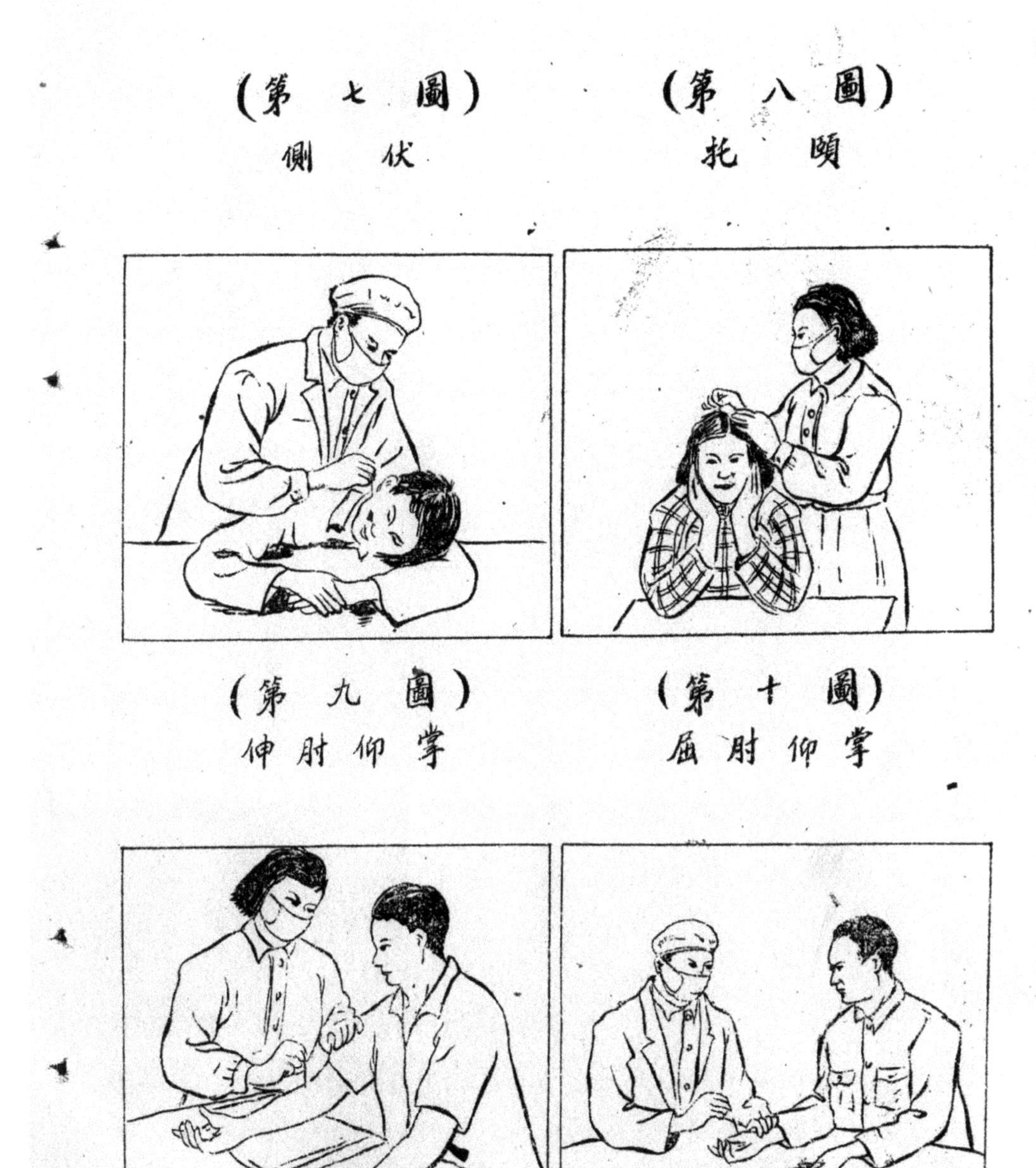

（第七圖）侧伏

（第八圖）托頤

（第九圖）伸肘仰掌

（第十圖）屈肘仰掌

（第十一圖）
屈肘俯掌

（第十二圖）
横肱

三、背部　　包括腰部髋部肩胛部及上膊外側。

取穴時可採取横肱俯伏坐位，或兩手按膝部平坐。

四、下肢　　小腿内側外側及脚背，都可取坐位，但與上肢、背部、腰部、胸腹部配穴時，可取伏臥、仰臥、或側臥，但與胸腹部配穴時，必須仰臥位。如湧泉穴，必須臥位或伸腿坐位。

（四）針刺的方向　　（刺針方向圖）

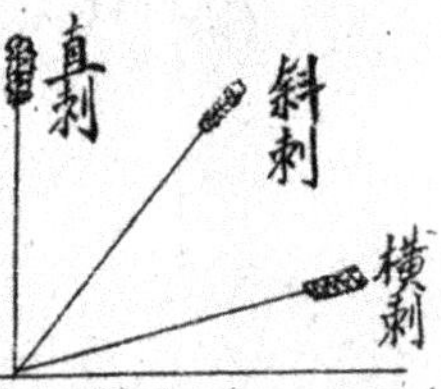

直刺
斜刺
横刺
平面

針刺的方向有下列三種（如圖 ）

1. 直刺針：針和皮膚成直角的刺入身體組織內。

2. 横刺針：針和皮膚約成十五度的刺入，應用在頭部、胸部（肋膜在肋骨下，横針刺入，可避免刺穿肋膜）、顏面、以及腹部重要臟器所在處，和肌肉很薄的部位。

3、斜刺針：針和皮膚成三十五度以上的角度刺入。

以上針刺的方向，祇是大概的標準，醫生須按部位、病狀及治療目的的不同，來靈活運用。

（五）針刺入時的感覺

進針時，在針刺的部位有時覺得溫熱，有時覺得冰冷，有時也覺得特別痛，這是因為皮膚的末梢神經有溫點、冷點、痛點、觸點的分別。這些最敏感的各種小點，散佈在皮膚中。進針時恰巧碰到痛點，就覺得很痛，有些針灸家主張這時把針尖移動一下，鑽到痛點的空子，再刺時就不痛了，我認爲針進皮膚時，不必移動位置，進到皮下以後，遇到痛得很時，那就停止前進，將針尖稍微上提，再轉移針尖的方向，這叫針尖轉位，那是必要的。

（六）針療技術

一、進針法：（刺進皮膚的方法）

進針的方法很多，古法趁咳嗽時進針，有的把針放在口裏溫熱後再進針；也有人主張分爲急針法、緩針法、階段針法、一般針法等四種；朱璉編新針灸學主張分爲以下三種：捻轉法、淺刺法、刺入捻進法。我認爲除口裏溫針最容易增加染菌的機會不宜採用外，其餘的一切方法，都可參酌靈活運用，以上名目雖多，實際上都大致相差不遠。我常用的進針法，就只有以下二種：

1. 捻進法，也叫不痛進針法：

左手大指甲掐壓穴位（如圖一），探得痠麻處，再稍掐壓，以使皮膚上的知覺神經麻痺，針進皮膚時就不會感覺疼痛，皮膚和肌肉被壓實，血液也散開了，肌肉減少了彈性，神經也不會移位，係指按在穴位附近，病人也就不能變動姿勢。右手大指食指持針柄（餘指輔助），兩眼注視穴位和針尖，同時醫生要善爲運用第二信號（語言），提出問題，要病人答復，病人在考慮答復轉移了注意力的這一瞬間，醫生右手大指食指捻動針柄，迅速的將針尖捻進皮膚。針腹部或其他肌肉豐滿肥厚處的穴位，也可用左手食指中指壓實穴位（如圖二），針尖從兩指指縫間捻進。針腹部時，須在呼氣時進針，以減少抵抗力。

2. 刺進法，也叫淺刺法：

醫生左手大指食指壓持穴位附近，右手大指食指中指持針柄，針尖對正穴位用力刺進，最多也不過一二分深，這方法多用於十指末梢穴位，在急救和制止痙攣時多用之。（如圖三）

一 進針法

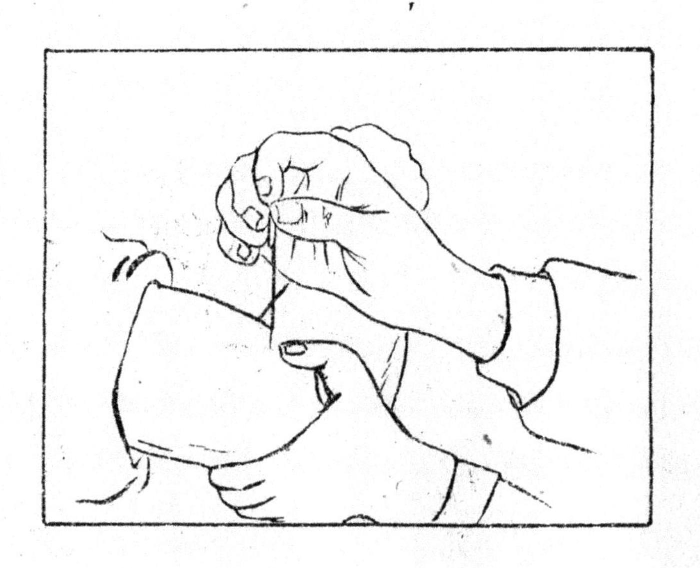

二、進針法

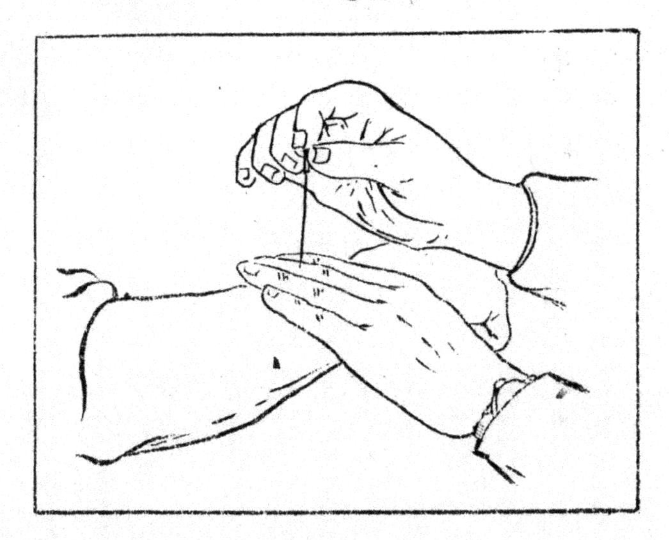

三、進針法

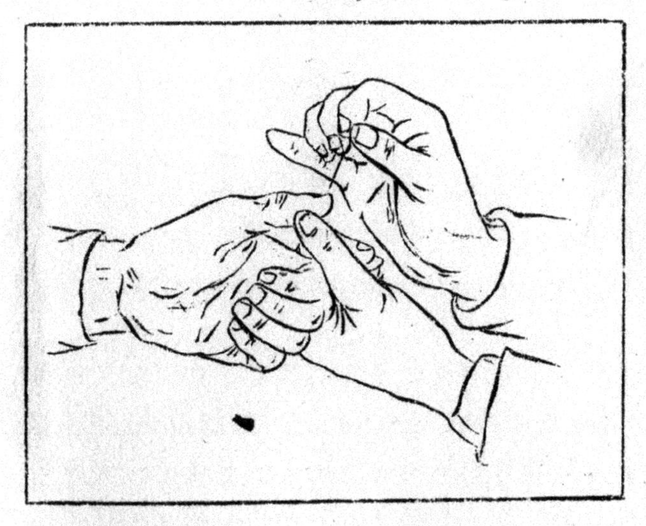

二、進針後的手法，也叫做行針：

進針以後，要運用巧妙的手法，以達到刺中神經，給神經以適當的刺激，對付一些刺針時的具體情況，保證刺針達到良好的效果，避免彎針、折針、暈針等意外事件的發生。

進針後的手法有二十多種，名稱也是花樣百出，我現在只將常用的手法分述於下：

1. 前進法　針進皮後，針再前進，以達刺中神經的目的。這種前進法，有直進、旋進、撚進等三種，以撚進最爲適當。方法是用大指食指左右來回撚動針柄前進。撚得快，刺激力就強，撚得慢，刺激力就弱，針尖刺中了神經就停止。（如圖四）

2. 退針法　退針法分爲二種：一是進針到一定的深度以後，病人還沒有相當的感覺，就可能是針刺的略偏，超過了神經，這就要略略外退。退的方法，是右手大指食指撚針後退，退的時候，遇到感覺强烈的地方，就可以停在那裏撚動。如只有一下觸電樣的感覺，過後再撚又無感覺，就可以進退反復的試探。刺到神經以後，爲了減輕刺激，或爲了施行間歇的刺激，也可以用退法，但退時不可退出皮外，最多只能使針尖退到皮下，使針尖轉換方向又再前進。

第二種是刺針已起到一定的作用以後，將針退出穴外。這一退法，也分爲二種：一種是大指食指撚動針柄緩緩將針退出。另一種是將針撚活以後，迅速的將針退出。不論如何退針，都必須用押手，以免牽動皮肉發生疼痛。

3. 撚針法：撚針是右手大指食指撚動針柄，進針退針時要撚，刺中神經以後也要撚。一般的刺中神經以後，就可以不進不退的停留下來撚，撚的快，轉的角度大，連續撚的次數多，刺激就強；相反的就輕。向左撚的多，和向右撚的多，作用也有些不同，這一點比較難掌握。同時連續向同一方向轉幾周，就容易將皮膚和肌肉纖維也捻纏住，使肌肉纖維變更了原有的組織方向，而成為一個它；並且會發生劇痛；對神經刺激也容易過強，引起暈針。這種只向一方繼續捻轉的方法，叫做旋捻術。根據我的經驗，一般多用大指食指不移動位置，向左右來回的捻動，向兩方捻的角度一樣多，這叫做旋迴術，這種辦法比較好掌握，而且組織纖維也不會變更方向。（如圖四）

圖四. 進針法及捻針法

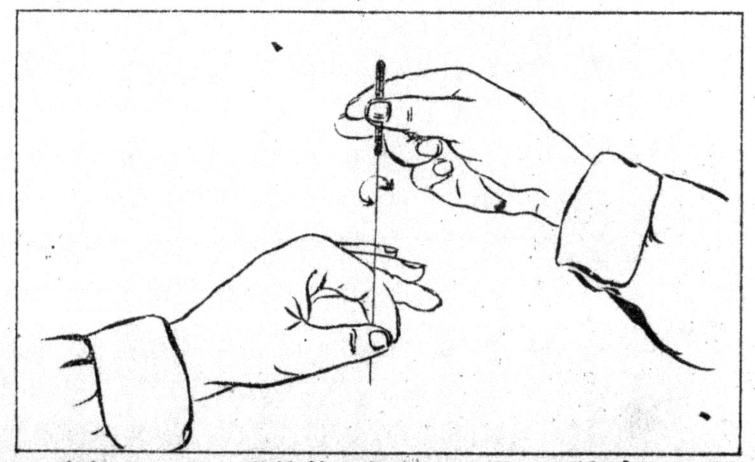

4. 留針法　病人覺得針的刺激強烈難以忍受時，就要把針放下，停止一會兒，這叫留針、也叫臥針、或者叫做置針。肌肉太緊張，捻針不動，退不出時（這叫實狀），也可留針，等待肌肉鬆弛。進針以後無感覺，肌肉很鬆弛的，針捻動時毫無阻礙（這叫虛狀），有時用捻針或留針等待局部血行旺盛變成實狀發生了感覺。留針時間的長短，須看病情和病人的感應來決定，一般的可由幾分鐘到幾十分鐘。

5. 搗針法 （又叫雀啄法）就是將針捻轉得上下搗動。進針到一定部位，病人還無感覺，就可以試着上下搗動，如神經在下面不遠，一搗就有感覺，再略進針就達到了。有時穴位神經分佈偏差，直着搗沒有感覺，還可以向左右前後斜着搗，看那一邊感覺強，就斜着向那邊刺去。

有時針中了神經，爲了要加強刺激，也常用搗，搗的時候，和雀子啄食一樣，所以也叫做雀啄術，上下距離不大，連搗幾下以後，又可間歇一下。遇着感覺遲鈍的，還可以斜搗、直搗，搗動的強，範圍大，這叫亂搗，這對身體很弱，有暈針危險的人不適用。病人一説酸困，就不應再搗。

6. 單刺法 針尖刺着一定部位後，立即拔出。這對於只需輕微刺激，或對小兒時用它。

7. 振顫法 右手大指食指輕微的振動針柄，或用指甲輕彈針柄，以加強刺激力。

8. 其他手法，如點刺法、梅花刺、屋漏術、間歇術、亂刺術、催針術、針尖轉位法、探針法、雙刺法、對角刺法、代謝刺法、扭針法、排針法等等，名稱頗多，合乎實用者少，玆從略。

三、退針（拔針）後常易發生的幾種變化

1. 退針後，如針體變色（金針變銅色、銀針變暗紫色），這是由於針體在組織中起了酸化作用而起的變化，在短期以內這穴不宜再針同一位置。

2. 退針後，在皮膚的針孔上發生一白色小節，這是組織上自衛的生理變化。如若是發生紅色小點，這是由於消毒酒精的刺激，或是消毒不嚴密所引起，或是針體太粗，或由於特異體質的關係而引起，但是沒有重大關係，過幾天就會自然消失的。

3. 退針後，有時皮下起一硬它，或起一塊青或紫色，這是因爲針刺穿了血管壁，血液流到皮下或肌肉中所引起的現象，有時硬它還會發腫痛。這不會造成重大病變，沒有多大關係，很輕的皮下出血，過六七天，就會自然被吸收而復原。較重的，可多揉一些時候，或用灸療器灸一些時候，立即痛止腫消。其餘用熱敷，也很快就好了。

四、刺針押手

當施行刺針或退針時，都需要用押手。其方法，是右手大指甲强押穴位，餘指按實其它部位。或者左手食指中指平壓穴位，針由二指空隙中刺進。適用於肌肉豐滿之處。茲將押手的作用略述於下：

1. 强壓穴位，針才容易刺入。腹部無骨部位，更要押手幫助。

2. 用押手才能使穴位正確，可保穴位的固定。

3. 用押手壓實，針到痠、麻、脹、痛時，才不會動搖變更體位，可避免折針的危險。

4. 用押手强壓穴位，能使皮膚上的知覺神經麻痺，針進皮時才會不感疼痛。

5. 用押手强壓，可使局部血液散開，腸內容物等移開。至於壓力的大小，則須看穴位的部位和病症如何而定，大概手指脚趾等處。知覺神經敏銳，最易移動，須用强大壓力，炎症，麻木等處，輕輕壓定足矣。

（七）暈針

「暈針」是因爲針的刺激，而引起的病人的昏厥現象，與西醫的休克症狀相同。暈針是常有的事情，據統計約佔患者1%弱，如若取臥位扎針，可免發生。發生暈針，除心臟麻痺有危險性外，其餘暈針的病人，不但無危險，而且往往還能收到較好的療效，因爲這種人神經靈活，感應性強，所以療效較好。例如1952年我治某男性的蕁麻疹，將針完兩曲池穴及一血海穴，發生暈針現象，汗出身冷，但當時蕁麻疹就完全消失了，並且以後也未見復發。所以發生暈針，並不害怕，醫生必須沉着處理，千萬不可慌張，或置之不理，總之以能盡力預防不使發生爲宜。

一、暈針的原因：

1. 初診病人，因害怕針刺，精神過於緊張，易於發生暈針。

2. 病人身體衰弱，如神經衰弱，心臟衰弱等，雖輕微刺激也能發生暈針。

3. 刺針手術欠佳，或刺激力太強，也會暈針。

4. 因刺針的刺激，引起了高級神經中樞發生了強烈的反應，外部血管忽然擴張，而腦的毛細血管發生一時性的急性腦貧血，以致暈針。

二、暈針的症狀：

1. 初期：皮膚蒼白，四肢發冷無力，頭昏、心慌欲嘔，脈搏徐緩，血壓下降，肌肉弛緩。

2. 中期：顏面蒼白，全身冷汗，瞳孔散大，脈搏細小，反射遲緩，體溫下降，呼吸淺表，意識遲鈍。

3. 末期：皮膚蒼白，口唇呈紫藍色，脈搏細小不規律，呼吸微弱，血量減少，意識昏迷。

4. 最重者，發生心臟麻痺而死亡。

三、暈針的預防：

針對着發生暈針的原因，予以適當的預防

1. 過度恐懼害怕針刺的人，不必予以針刺，以免發生意外。

2. 身體過於衰弱，或心臟衰弱的病人，可不予針治，改用灸治。

3. 對神經衰弱的病人，宜用細針和輕微的刺激。

4. 一般以盡量能採臥位針療為原則。（如用手術台、靠椅等都好）。

5. 刺針前對初診病人應解釋刺針不痛的道理，以安慰病人的恐懼情緒。

6.對初診病人，先扎一針（選比較不痛的穴位），休息一會，病人無特殊變化，然後再扎第二針。刺激力也不可過強，病人習慣了，再多針就無妨了。（也有屢診第三四次才發生暈針的）

7. 進針後，要時時注意病人的面色和表情，隨時詢問病人的感應，是否有痠、麻、痕、痛等感覺？如若病人覺有不適，應即停針。

8. 可給生薑一片要病人含在口中，也可預防暈針。

9. 時常發生暈針，或有發生暈針可能的病人，可叫一人先灸百會穴，以資預防。

四、暈針的處理

1. 發現頭昏心慌等初期暈針現象，應即拔針，扶病人平臥，頭部稍放低。給飲熱開水、熱茶、或葡萄酒等，即可平靜清爽。

2. 用針灸處理暈針，我的經驗是用灸療器灸百會穴，最為穩妥迅速。如若燒灸療器來不及，那就用燃着的紙烟灸百會穴也能收到同樣的效果。再者用針刺人中或十宣穴（十指尖）放血，也可見效。

另外用大指甲掐人中，或用兩手大指食指掐腹部各直肌斜肌，一定可以蘇醒。或用人工呼吸法也可恢復正常。

3. 用藥物處理暈針的方法也有很多，最輕的初期暈針，可在鼻中吹入臥龍丹（中藥），或給嗅阿摩尼亞，或給飲複方樟腦酊。較重的暈針可注射強心劑。

（八）折針

一、折針的原因

1. 針的質量不合要求，沒有韌性，容易折斷。

2. 針已生過銹，或已磨有橫痕，易於斷折。

3. 針已彎曲過，又捶直再用。

4. 針柄與針身的交界部，最易生銹，這是折針發生最多的部位。

5. 針尖太秒。

6. 醫生手術欠佳。

7. 病人在進針後變動了體位。

8. 進針時遇到障礙，不能旋捻時，免強旋捻；不能針入時，免強用力針入。

二、折針的預防

1. 選用白鋼絲有韌性的針，或者是合銀針（銀、銅合製）。

2. 針身要勤擦拭，不使生銹，針身不可横磨，最好針身不磨。

3. 針尖不要磨得太秒。

4. 用針前，先用酒精棉球或紗布挾緊由針根拉出針尖，如此數次，針身不斷者，則可保不斷。

5. 進針和退針時，遇到針身捻不動時，就要停止。使肌肉放鬆後，再行進退。進退時都要用捻，不宜強力直進，以免折針。

6. 進針時選擇適當的體位，不許病人變動。

7. 進針時，針身須留二三分，露在皮膚外面，以備萬一發生折針時，容易將針取出。

三、折針的處理

1. 萬一發生折針時，針體還有一少段露在外面，如若病人看不見，或者還不知道時，不要告知病人，以免恐慌，不要病人動移姿勢，押手不可離開，右手取鑷子夾出就行了。

2. 如若針斷在皮下，病人不知道者不必告知，如已知道，則可告訴無妨，不許變動姿勢，用手指壓針孔周圍皮膚，好好的使針體露出皮外，以便用鋏子取。千萬不可猛力亂壓，反而把針壓深了，更增麻煩。

3. 如若針折在肌肉以內，外面看不見，無法取出時，則須用局部麻醉用手術取出。

4. 如若是斷的針尖，因為太秒小，用外科手術也取不出來。這沒有多大關係，日子久了，自然會氧化。

5. 從前有許多人主張用磁鉄吸引折針外出，這在理想上是很對的，但在事實上確不盡然，因爲肌肉的緊張把針吸緊了，同時折斷的部份多屬齊整橫折，前進則易，後退則難，因此用磁鉄吸引鋼針、鉄針外出，不能可靠，而且我也親自試驗過。如若是金針、銀針、銅針，則磁鉄就根本不起作用。

附錄 朱璉編新針灸學一段「……折針……不論鉄針、鋼針、金針、銀針，在體内久了大都被氧化了。古代針灸醫書上，也說許多折針，並沒有發生什麼大危害。日本醫學家還進行了生物試驗，在兔子的腹部、背部、臀部試行斷針，六個月或八個月後解剖檢查，大都已找不見斷針了。即使在別的部份找見了斷針，該針也已被一層肉包住（結締組織圍住），針的長度縮短，針的分量也大大減輕了，減輕的部分是氧化以後被血液吸收了。這就說明只要消毒嚴密，若不慎發生了折針，也不是極大危險的事，然而，防止折針應該是針灸醫務工作者的重要責任之一」。

（九）滯針

一、滯針的原因

針入穴後，刺着了大的筋、腱、骨，感覺疼痛，肌肉發生痙攣而將針吸緊；或者病人變動了體位，肌肉將針吸緊，以致針難拔出。

二、滯針的預防

1. 刺針時安排好適當的體位。安定病人的情緒，不要緊張。

2. 進針後不許病人變動姿勢。

3. 用壓手、以免肌肉牽引。

4. 進針避免刺中筋、腱、骨。

5. 針有橫紋，或已變成彎曲。……………（　　　　）

三、滯針的處理

1. 要病人恢復進針時的體位，將肌肉、筋、腱放鬆。

2. 醫生用左手大指掐壓針的附近周圍，以使肌肉弛緩。

3. 醫生右手大指食指捻轉針柄，緩緩向後退針外出。

（十）刺針多少

有許多針灸醫師無論針何種病症，至少要針二三十針，以爲多針幾穴，總有幾針會對病，而可將病治癒，但是病人害怕，並且討厭。又有些針灸醫師，無論何病，都只針一二針，以致治療不見效。本書所載各病，開列的穴位多寡不一，有多至十餘穴的，每次治療，是不是每穴都要針？還是要加多或減少呢？這要留心考慮，根據經驗所得，有下列幾項可供參攷：

1. 看病症如何？

初起病可不多針，久年頑固病，要多針才能痊癒。

2. 病人營養狀態

身體強壯的可多針，虛弱的宜少針。

3. 病人年齡

通常小兒不可多針，壯年和老年可多針。

4. 病人性别

男性一般可多針，女性普通不可多針。

（十一）針在穴裏的久暫

針在穴裏的久暫，可參考下列各項來決定：

1. 男性可久留針，女性不可留針太久。

2. 壯年及健康的老年人可久留針，小兒不可久留針。

3. 強壯的病人可久留針，虛弱的病人不可久留針。

4. 治痛症，針至痛止後，要繼續用手術數分鐘之久，才能痊癒。如止痛後卽行拔針，往往二三分鐘後又再發痛。

5. 針至病人感疲倦時，或發現暈針前驅症狀時，應卽停止施術。

6. 應多針的病人，針了五六針後，或針了一局部後，應當休息一下，然後再行施針。

（十二） 刺針的深淺

刺針的深淺，各家針灸書上所說的也不完全相同，人有肥瘦大小不等，押手的輕重也不一，所以每穴究應刺若干深，極難一定。大約肥人宜深，瘦人宜淺。但針術不在刺針的深淺，而在要刺中穴内的神經，能夠引起反應，發生痠、麻、脹等感覺爲原則。第四編穴位下所説的針幾分深，那只能作爲一般大概的標準。而刺針時還得注意不可過深，以防傷及重要臟器發生危險。

（十三）針後何時再針

有不少頑固病，治療一次不能痊癒，須針二三十次才能根治。針了一次後何時再來針，則應看情形來決定。凡屬痛症，針灸後當時止痛，如同日再發，可以再針。針後如次日不感疲倦者，可每日繼續施針。否則須休息一日或二日再針。凡屬慢性病須長期治療的，可酌量預訂治療計劃，每日或隔日針療一次，針若干次爲一療程，中間休息幾日後，再繼續針第二療程。這些都須醫生自行酌量計劃，不可墨守成規。

（十四）刺針的次序

每一種病應針幾穴，那穴應先針，那穴應後針，據經驗所得，大概有下列幾項標準：

1. 古人先針上部的穴位，後針下部的穴位，先針前部的穴位，後針後部的穴位。

本書不爲所限，而主張先針上肢穴位，後針下肢的穴位；先針背部的穴位，後針胸腹的穴位。不是必須如此，因爲這樣比較方便些。

2. 先針主要穴位，後針次要穴位。因爲如病人不願多針，次要穴位不針病也可痊癒了。

3. 先針不很痛的穴位，比較痛的穴位放在末後去針。

4. 先針離病灶遠的穴位，後針離病灶近的穴位。例如頭痛，先針合谷、列缺，以間接的刺激作用止其頭痛，然後再針風池頭維二穴，進針時可不覺痛；如先針頭維、風池，則病人感覺劇痛不能下針。

5. 須加灸者，應先針後灸，或先針一部份後，然後再針灸其他部份的穴位。

（十五） 治療次數

病人就診，常要問針灸若干次可癒。這問題頗難答覆。說得快，次數少，病人當然喜歡，若屆時不癒，有失信心；說慢了，次數多，病人怕時間太久，不肯就診。我們根據下列各項來推測，以作為答覆的參孜。

1. 針刺中神時，病人感覺痠、麻如觸電一般者，病易痊癒。感應遲頓的，須時日必多（因神經麻木感應力弱）。

2. 刺針後立即見效的，容易痊癒。刺針後全無反應的，需治療日期必長。

3. 新病容易治好，久年頑固病，需時較多。

4. 一般痛症容易治癒。

5. 一般急性病容易治癒，慢性病需時日較多。

6. 身體強健的，容易治癒，身體衰弱的，需時日較多。

7. 能忍受針的強刺力者，容易治癒，否則需時日必多。

答覆病人時，只能告訴他大概的次數，不是決定性的，病人須耐心就診，醫生當盡心竭力治療，好得那麼快，就是那麼快，不樂於針治者，任其自便，決莫勉強。

（十五） 放血

充血性疾病，鬱血性疾病，血液一部份循環停止的危險病，用三稜針放出稍許血液，往往輕症即癒，重症減輕。

放血方法：選擇一定區域的淺在靜脈（藍色血管），先將該靜脈的回路壓緊，使血管擴張，然後在應放血的部位消毒，再用三稜針刺穿血管前壁，血即流出，可以自行停止，如若是比較大的靜脈放血，則可用西醫的注射器和靜脈注射針頭，在嚴密消毒之後施行抽血，則比較安全妥當，容易掌握些。抽血完畢後，用消毒酒精棉球將針孔揉按一下，以使針孔閉塞。

（十六）　針上灸

針上灸，是先將針刺入淋巴結核，或癌腫的中心部，皮膚上隔上一層厚紙，然後在針柄上圍繞艾絨，點火燃燒，藉針體的傳導力，將熱力傳入深部，直達病灶，且無生灸瘡之苦，收效頗佳。不過針燒紅時，病人感熱痛難以忍受，燃燒一次，則針失去韌性，這支針以後不宜再用，以免發生折針，這方法現已不多用了。

（十七）　火針

古人對於癰疽發背以及無名腫毒，已潰膿在內的，則施用火針以洩膿。其方法：是用粗針，醮些香油，點火燃燒，按瘡的中心較軟的部位刺入，如軟處闊大的，則頭、中、尾三處，連下三針。但針刺不可太深，恐傷好肉，也不能太淺，總之要以能洩膿爲原則。針須迅速拔出，不宜久停，膿出然後用藥敷上。這方法令人害怕，現已不常用了，遇有這種病，可用外科手術切開排膿，如不會外科的醫生，則用三稜針刺穿排膿也就行了。

（十八）　針療後應注意事項

針治後應即將已用的針消毒後擦乾收藏，如若是刺過患梅毒、結核病，或其他傳染病的針，應特別嚴密消毒，以防傳染。

針治後，應囑病人休息一會後再行回去，走路時不要走得太急和走得太遠，並應注意飲食衛生和性情修養，不可飲過量的酒，忌房事，不可大怒大勞，總以心氣平和為宜。

如針後腫痛，那是刺穿了血管，應即揉按或灸療，或告知病人回家後熱敷，即可無事。

（十九）　針灸醫生自身的修養

針細如毫毛，要用它來刺激病人身體裏的神經，眼睛看不見，很不容易。初學的人，毫針不容易刺進，也不容易刺準。所以針灸醫師自身應有相當的修養，平時注意飲食起居，清晨多行戶外運動，鍛練身體，增進健康，充足精神。另備廢紙簿一本，每天在紙上練習捻刺，先由少數幾張紙開始，要練到好像很不費力的就刺穿了，逐漸每日將紙加厚，練習到手指有了力，然後去為病人刺針，就可使病人不覺疼痛。

每日針治後，要自行檢討思索一翻，為什麽某病人經針治後未多見效？或者感應性不強？追究其原因，參閱醫學書籍和報、刊、雜誌，看是否還有其他的治療方法，以作為下次針療時的準備，並將治療經過詳細紀錄。如此細心鑽研，不斷的學習，日積月累，學術經驗自有進步。

（二十）皮膚針

是在皮膚的表面用輕微的淺刺，這種刺法也叫點刺法，由單針點刺，後來改為多針點刺，所以有梅花針，七星針等辦法，運用時須要有相當熟練的技術，治療上效果也還很好。我這裏略而不談。

另外，皮膚針多適用於小兒，所以也有小兒針之稱。因為小兒知覺過敏，古時小兒多用推拿(按摩術)療法，雖在皮膚表面給以輕微的淺刺，知覺神經的末梢也能呈緊張狀態，因反射的作用，該部新陳代謝機能旺盛，可以調整中樞神經的機能。也因為小兒發育不完全，刺激深部，容易損害整個神經的調整機能。小兒受驚、受熱容易得病，都是這個道理。

小兒所用的針法，一般的是只刺入一分，大兒童加至二三分，也可用旋捻法，也可以留針幾秒鐘。針須用最細的，用消毒紗布裹住針體部，針尖只露出一二分，以免小兒受驚，並可趁小兒哺乳或睡覺時輕輕進針。

（二十一）指針

指針就是用手指尖去掐壓穴位裏的神經，換句話說：就是用手指尖的掐壓來代替金屬針的刺激，這與過去推拿法的作用大致相同。指針不像金屬針那樣刺破組織，不論興奮作用或鎮靜作用，往往也能收到良好的效果。沒有染菌的機會，也簡單易行。這種方法對成年人與小兒都適用，尤以小兒更為適宜。

例如：牙痛掐下關、頰車、天容、太陽、行間、內庭諸穴。咽喉痛、咽下困難、咳嗽、失眠等，掐二間、三間、合谷、商丘、手三里諸穴。眼結膜充血，掐攢竹、絲竹空、眼明、太陽。鼻塞，掐迎香、禾髎、素髎。頭痛，掐太陽、頭維、曲賓、懸厘、百會。腿痛，掐陽陵泉、解谿。耳痛、耳鳴，掐翳風、聽宮、耳門。虛脫，掐人中、素髎、合谷、膏肓。此外，在四肢尖端，有碰傷、刺傷、湯傷引起的疼痛，可在該部稍上處使用指針，阻塞反射，轉移痛點。

指針的方法，就是用指尖掐在一定的穴位上，按壓搖動，也可以掌握行針、留針以及強弱不同的刺激。用拇指，還是用食指或中指，抑或二三指并用，需按患部肌肉的厚薄、神經的深淺、以及使用的得力，來靈活運用。例如：治牙痛，用大指或食指掐壓天容穴即可。因為該部肌肉薄，神經淺，下面又有骨頭襯墊。又如治咽喉痛，則須用大指與食指在合谷穴的內外對掐。餘可類推。

總之，除腹部與有些深部神經指針不易達到外，一般的穴位必要時都可用指針代替灸療與針刺。

討　論　題

1. 進針後要注意什麽？
2. 消毒的重要性如何？

3. 安排體位的原則如何？
4. 刺針的方向有幾？
5. 進針法有幾種？
6. 進針不痛法的要點如何？
7. 進針後的手法主要的有幾種？
8. 退針爲什麼也要用押手？
9. 撚針法有那兩種？
10. 退針後的變化有那些應如何處理？
11. 刺針押手有那些好處？
12. 爲什麼會暈針？
13. 暈針的現象如何？
14. 怎樣預防暈針？
15. 暈針如何處理？
16. 折針是怎樣發生的？
17. 怎樣預防折針？
18. 發生折針如何處理？
19. 滯針是什麼原因？
20. 滯針應如何處理？
21. 刺針多少如何決定？
22. 針在穴裏可停多少時間？
23. 刺針多少深有何原則？
24. 針後何時再針如何決定？
25. 刺針的順序有什麼原則？
26. 須治療多少次由何得知？
27. 怎樣放血比較爲全？
28. 針後應注意何事？

29. 如何練習刺針？

30. 皮膚針最適用於什麼人？

31. 何謂指針？

32. 指針的功效如何？

第三編　灸療

灸療是用一種燃燒的物質，使其溫熱力，刺激皮膚及其內部的神經，對疾病起到「外惹內效」的作用。灸療的方法很多，如火鍼灸、烟草灸、油捻灸、硫磺灸、蒜灸、蕎麥灸、藥灸、艾灸等等，不勝枚舉。但在針灸學上所講的灸療法，大都是指艾灸而言。

第一章　艾的研究

一、艾的形態：艾屬於菊科植物，是多年生的草本，春天生苗，可長二三尺高，葉似菊花，有芳香性，表面深綠色，背面密生灰白色的毛茸，秋季在梢端開淡褐色的花，形如筒狀花冠，成小豆狀花序而排列。

二、艾的成份：艾中含有揮發油，水分（2.93）、窒素有機物（主蛋白質2.31）、依的兒可溶性分（4.42）、無窒素有機物（纖維質66.85）。其他還含有氯化鉀、酥酸等。（日本加藤氏大板市立衛生試驗所）

三、艾的功用：艾性溫熱，有鼓舞神經的功能；宣理氣血，能促進血液的循環；利陰氣，溫中逐冷，暖子宮，有輔助體溫的偉效；除濕開鬱，乃增進白血球，殺滅細菌，及促進淋巴液的循環、發揮新陳代謝的功用；生肌安胎，增進營養的機能；灸百病，通全身的氣血，回垂絕的元陽；無一不是活動人身的關係及組織細胞的生活力也。

四、艾的產地：各省都產艾葉，但以湯陰的壯艾、四明的海艾、衢州的蘄艾比較好些。

五、艾的採集和製造：在端陽節前（農歷五月五日前），採集莖高大葉肥厚的艾若干斤，用水洗淨，然後放竹器裏晒乾，去其莖取其葉，放在竹篩上用手磨擦，一而再、再而三，經多次磨擦後，艾葉就變成白淨如棉的艾絨了，用這種艾絨灸療疾病，效力偉大。

六、艾的選擇：如若醫生居住城市，不能採製艾絨，那可到中藥店去買最好的艾絨，如藥店沒有買，就可向印泥店去買、以芳香白淨無莖，端陽節前所採的爲上品。如艾絨烏黑，艾末灰多，燒時無艾香氣者不可買。如萬一無艾絨可買，而又急於應用時，則可向中藥店買艾葉，自己按上法製造就行了。

七、艾絨的收藏：製造好了的艾絨，應放在玻璃瓶中收藏，以免潮濕和走氣，不用時，須將蓋密蓋，否則潮濕走氣，效力差些。

八、艾的熱力：根據日本的試驗，在石棉板上放金屬線，一端接合在電熱計上，一端燃鷄蛋大的艾團，第一回表示575度，第二回表示560度。又用艾放在水銀槽部的周圍，其燃燒的溫度達攝氏360度左右。又剃出家兔腹部的毛，用艾施灸，用寒暑表計之，平均巨大的艾200度，大切艾93.5度，中切艾83.5度，中小切艾62.5度，小切艾61度。其到皮下的溫度，於二粍深的部位，溫度僅上昇二度内外，在皮下二粍深處，它的溫度上昇不能超過0.5度。

討論題

1. 艾屬於何科？
2. 艾含那幾種成份？
3. 艾的主要功用如何？
4. 艾絨怎麼做法？

5. 好艾絨是怎樣的？

第二章 灸療的種類

灸療按其運用的方式，約可分爲下列兩種：

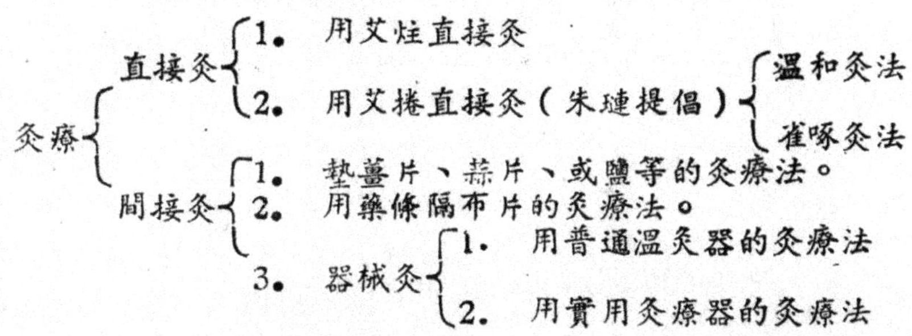

一、直接灸：

1. 用艾炷的直接灸療法：

用艾絨作成大小不等的艾炷（也叫做壯），直接放在穴位上，用陰火將艾炷點燃，以收灸療的作用；等病人覺疼不能耐時，將餘下的未燒完的艾炷除去，或者用左手大指一按，或者等一炷燒完，然後再繼續如法燒第二炷，這樣收效很大，對急症或欲病速愈時用它，不過容易起水泡，比較痛苦些。炷的多少，壯的大小，須看病人和病情來決定。

2. 用艾捲的直接灸療法：

用細麻紙裹艾絨成捲，比紙烟稍粗，長短不一定，用它燒燃後放在穴位上。稍離皮膚，使熱力直達穴內。操作方法分爲雀啄灸、溫和灸兩種。這種辦法是朱璉先生所提倡。艾捲的製作方法如附圖。

艾捲製造圖

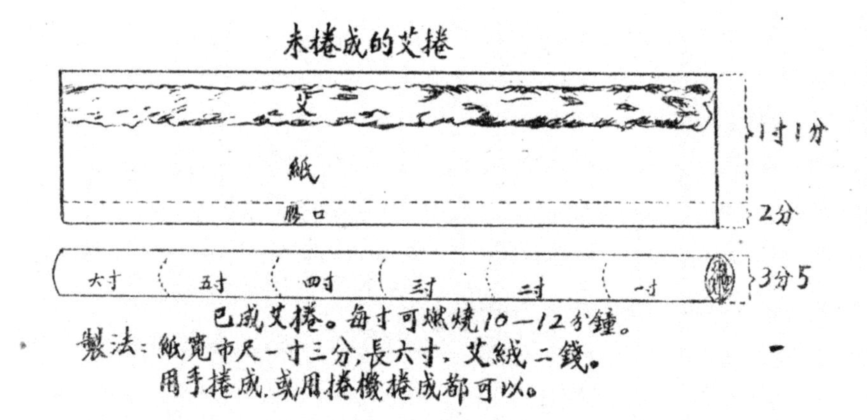

（一）溫和灸法：先把艾捲燃着的一端靠着皮膚，接着就慢慢的向上提高，在熱度感覺到適當的時候（一般高到離皮膚半寸以上），就固定起來，灸到預定的時間（五分鐘或十分鐘或更多些）爲止。這種灸法一般用於起到抑制作用最爲適合，如胃腸神經痛，可較長時間的灸，直到不痛爲止。當然在臨床應用上一般的病都可用此法。（如圖一）

（二）雀啄灸法：是將艾捲燃着的一端，對準皮膚上的穴位一起一落，好像雀子啄食一樣，火力落下時病人受到熱，似乎要燒到皮膚的時候，立即提起，這種熱的感覺也就消失了，再又按下，這樣可使病人不斷的有灼熱感而無灼痛（如圖二）。灸到預定的時間爲止。這種灸法一般用於起到興奮作用最爲適宜，如治虛脫、失神與局部麻痺症等。雀啄灸在一個穴位上施灸的時間比溫和灸的短，一般的是二至五分鐘。

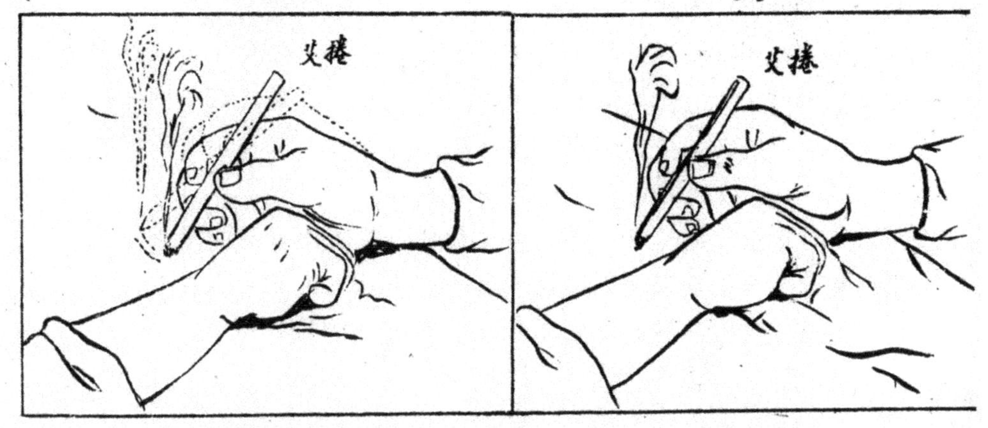

二、間接灸：

1. 間接灸，有些是穴位上面墊一片老薑（如銅錢厚，中間穿幾個孔）、或一片大蒜、一片附子，或在臍窩裏墊鹽，上面再用艾炷燃燒，到病人覺痛不能耐時除去艾灰，或用左手大指一壓，以後又再燃第二炷艾絨。這種灸法，效力比直接灸法稍差，但疼痛也比較減輕，治普通病多用它。

2. 用藥條隔布片的灸法：古時藥條灸法，叫做火針，有太乙神針、九龍神針、雷火神針等名稱繁多，實際上運用者只是熱力多、而藥力少，所以朱璉先生主張只用艾絨一味捲成艾捲。而編者也主張不必重用高貴藥品（如麝香等），只用白香粉、青膏、艾末、陳皮末混合用水拌匀做成藥條（製作法，參閱後面藥餅藥條製造法），療效也同樣的美滿。

灸療方法：是在穴位上墊以布片數層，然後將藥條燃着的一端，按在穴位的布片上面；熱力就直透入裏，病人不能耐痛時，將藥條除出，以後又同樣繼續再灸。這種灸法效果也很好，使用也很方便，而且容易掌握。

3. 器械灸：

(一)用普通溫灸器的灸療法：溫灸器的式樣很多，尤其是日本的式樣最多，現在上海北京等處的灸療器，有圓筒形、熨斗形的，中間放艾絨或藥條燃燒，然後將溫灸器放在穴位上，這種灸法，不很痛，但效力也小些。所耗艾絨較多。

(二)實用灸療器的灸療法：這種灸療器是編者所創製，它的功效很好，使用方便，不很痛、不易起水泡、不會落灰在皮膚上、能收到藥力和熱力的雙重效果。後面再詳細的介紹。

討　論　題

1. 艾炷的直接灸優缺點何在？
2. 艾捲灸有那些優點？
3. 溫和灸與雀啄灸有什麼分別？
4. 什麼叫間接灸？

第三章　實用灸療法

一、實用灸療器的優點：

1. 灸療功效迅確，有各種灸療器的優點，並經編者和各針灸醫師實用了數年，成績確實很好。

2. 最經濟，實用灸療器可永久使用，不易損壞，所燒藥餅雖屬消耗品，但所費極微；麝香藥袋也可以使用很久，才得更換。

3. 小巧玲瓏，携帶便利，既可用以爲人治病，也可以自己治療，家居旅行都很適宜。

4. 不容易起水泡，不會生灸瘡，也不很疼痛。

5. 不會燒落毛髮，也不會遺落灰塵在皮膚上，能保持清潔。

實用灸療器圖

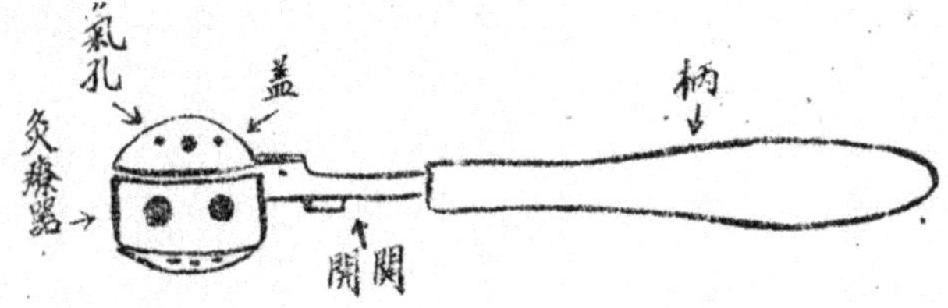

二·灸療藥餅藥條製造法：

1. 材料：艾葉末四兩　　陳皮末三兩

白香末一斤　　青膏末一斤（這二味須向做神香的作坊去買。香末取其燃燒性，青膏取其膠粘，無其他作用）。水三千西西

2. 作法：將以上各末混和拌匀，然後加入清水拌和，水不可太多或太少，要適可而止，以能作成小餅或藥條爲原則。作藥餅藥條，如若不多，都可用手工作，如若大批的作，那可用機器作、或模型壓製，餅以直徑寬四分高四分為原則；藥條直徑三分（比紙烟稍粗），長短任意（如圖）。晒乾後收藏，即可應用。藥條的使用法，參加艾捲灸療法和藥條灸療法。

灸療葯條圖　　灸療葯餅圖

三、灸療藥袋製造法：

用綢或布一條，寬二寸五分，長五寸，對摺成二寸五分的方形袋。用麝香末一二分，放在袋的中央，再用針線在袋的中央區麝香末的周圍，縫一圓圈，以免麝香末走動。然後再將袋周圍的邊沿縫上一道線，就成了。（如圖）

灸療葯袋圖

四、實用灸療器使用法：

施行灸療時，先用鋏子取灸療藥餅一個，點火燃燒，然後放入灸療器內，將蓋蓋好，左手取灸療藥袋，將袋的中央（有麝香的部分）對準穴位放平，右手拿灸療器，將底端或尖端或旁側放在藥袋上的中央（對準穴位），即可施行灸療，使熱力和麝香的藥力透入組織裏，以達到刺激神經治好疾病的目的。如病人覺熱不能耐時，就將灸療器離開，用左手大指平壓在灸療藥袋上的灸療部位，以促進熱力和藥力的深入，這樣約可等於艾灸一壯的效果，稍過一下，又將灸療器放在原灸處，這樣連續灸療若干次後，又再同樣換灸其他的穴位，這是灸療器停在某穴位上的灸療法，如若要上下移動或旋轉施灸，皆無不可，都可靈活運用。（如圖）

灸療器運用圖

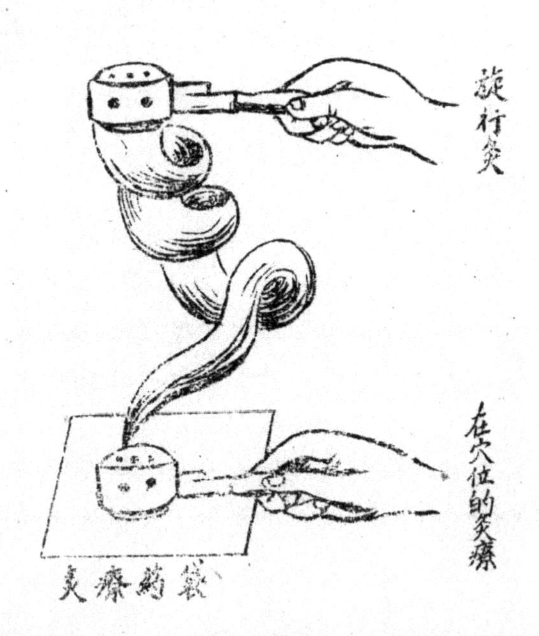

灸療器周圍上下有孔，以通空氣，用的時間久了，孔會被灰塞着，灸療器裏的藥餅就會不易燃燒，所以隨時要注意不使氣孔閉塞。施行灸療中，如若發現藥餅火力不大時，可將蓋稍微打開一點，就可燃了。

討　論　題

1. 實用灸療法有那些優點？
2. 灸療藥餅藥條如何做法？
3. 灸療袋如何做法？
4. 實用灸療器如何使用法？

第四章　灸療應注意事項

一、灸療前應注意的事項：

灸療前應注意檢查體溫和脈搏。如若體溫在三十八度（攝氏）以上的，不可多灸，多灸則熱度上昇，如同火上加油。脈搏每分鐘在八十次以上的，不可灸，灸則脈搏更快。

二、灸療中應注意的事項：

灸療中應注意病人的感應，

1. 如病人不能再耐熱時，卽應將灸療器離開，稍停一下再灸。

2. 如病人發生口苦、咽乾時，卽應停止灸療。

3. 如病人感覺疲倦或頭暈時，也應停止施灸。

三、灸療後應注意的事項：

1. 灸後不可卽行飲食或工作，宜入室靜心休息，遠人事及色慾，凡事須要寬解，尤忌大怒、大勞、大饑、大飽、受熱、冒寒。

2. 灸後如病人感口苦、喉乾，除應停止灸療外，並應服食解熱之品，如水菓、菊花茶、銀花露等。或針委中、曲池、足三里、三陰交等穴位，以降低血壓和體溫。

3. 灸後如萬一不愼起了水泡時，也沒有多大關係，應用針消毒後，將水泡平行刺穿，放出水分，再塗以紅汞或龍胆紫液，上面再敷上一層磺胺油膏紗布，卽可全癒。

4. 灸後大都不會疼痛，如萬一不幸發生疼痛，可敷以依比膏、磺胺膏、硼酸膏等，以消其炎。

討　論　題

1. 灸療前應注意何事？

2. 何時不能再灸？

3。 灸後應注意何事？

第五章　灸後何時再灸

1。 普通每日只施灸一次，如係痛症，不妨施灸二次或三次。

2。 今日灸後，次日如覺發熱，或口苦、喉乾，或感疲倦等，則應停止灸療，休息一天。倘無不良反應，則可灸療。

3。 如若灸後起了水泡，則不可再灸，須等新皮生好後，再行灸療。

討　　論　　題

1。 是不是天天可以灸療？

第六章　灸療時容易發生的變化

灸療時血液、血管、血壓等發生的變化，已在第一編第五章針灸的生理作用中詳述，此外，還有兩種變化容易發生，茲略述於下：

1． 組織的變化：灸療時火熱達到四十五度時，該灸療部位來一時性的充血；若稍加強到五十度時，即發生水泡；若再加強熱度到五十五度，該灸部的組織就陷於壞死；倘更強度到六十度，則壞死就及於深部。施灸之部，初呈赤褐色，經過若干時日，漸次變爲深褐灰白色的斑點，若用顯微鏡檢查灸痕部，可看到表皮失去了固有的構造，表面呈渾滑，其乳頭、毛囊、汗腺的排洩管、知覺神經末梢的一部份，一時都破壞消失。該部皮膚厚的減薄，且知覺頓麻。經過若干時日，再從該部復生神經纖維，知覺復原。從此灸痕部刺針，則皮膚已失彈力性，針刺入時不能抵抗，也不感疼痛。又施灸部貼膏藥，則膿及壞死組織物質，必充實於內部，所謂引起化膿是也。灸部若化膿，治癒後灸痕必稍大。

2. 體溫的變化：凡血壓高、腦充血、卒中質的人，灸療三五壯，就會感覺口苦、喉乾、頭部不舒適，因灸療能使血行旺盛，血壓增高。應即停止灸療。

討　論　題

1. 灸療在施灸部的組織上有什麼變化？

(人體骨骼系統圖一)

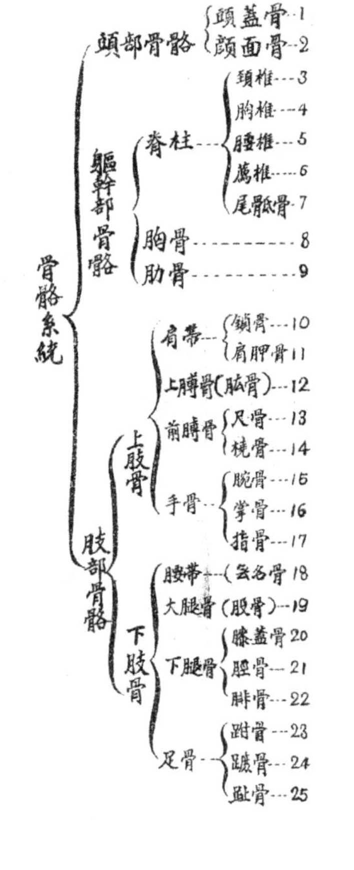

(人體骨骼系統圖二)

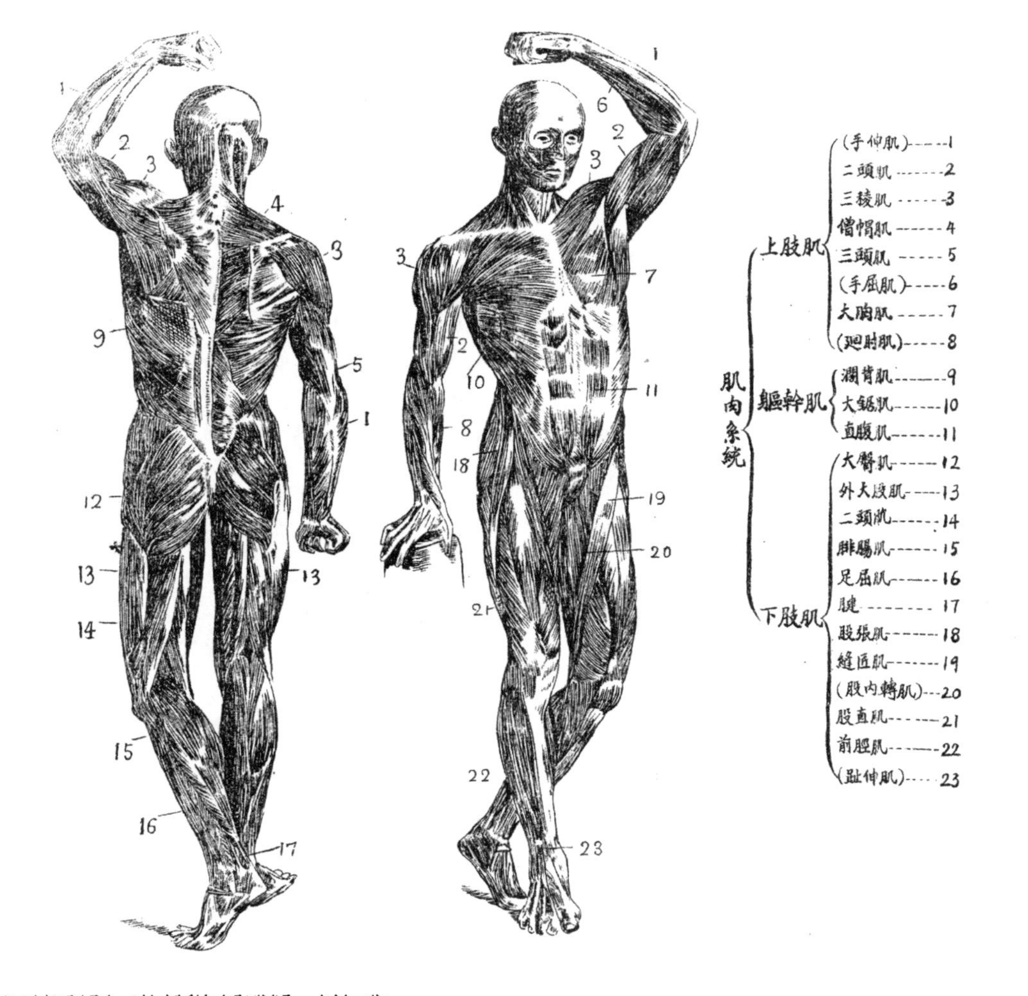

(人體肌肉系統圖)

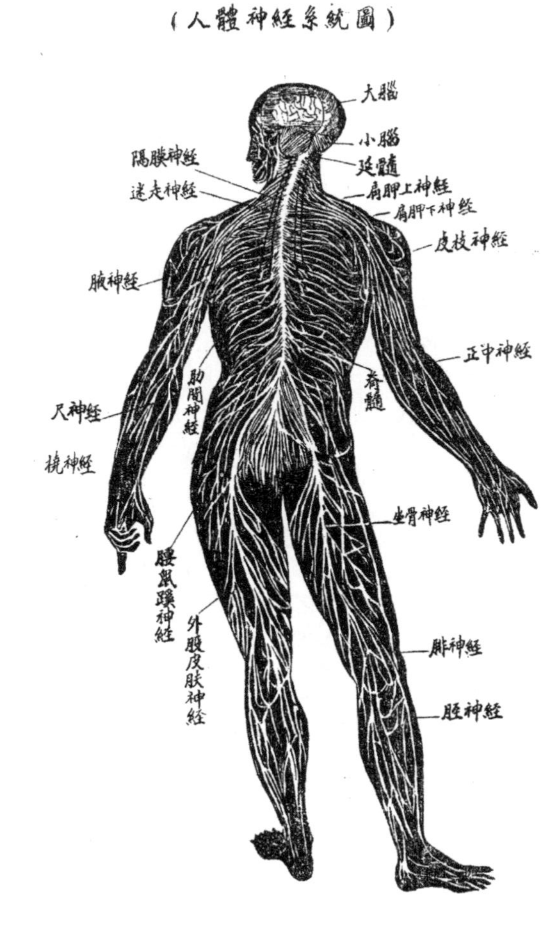

(人體神經系統圖)

（翳風穴位圖）

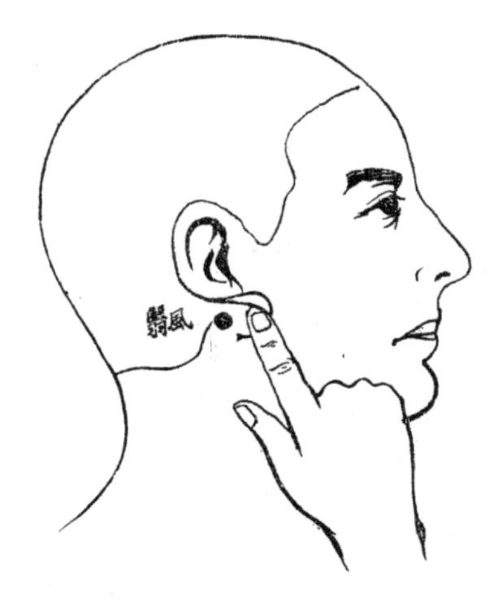

（口内穴位圖）

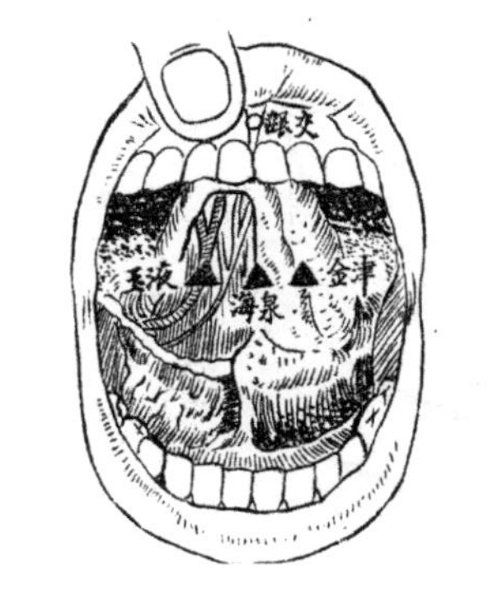

（頭頸部及神經）

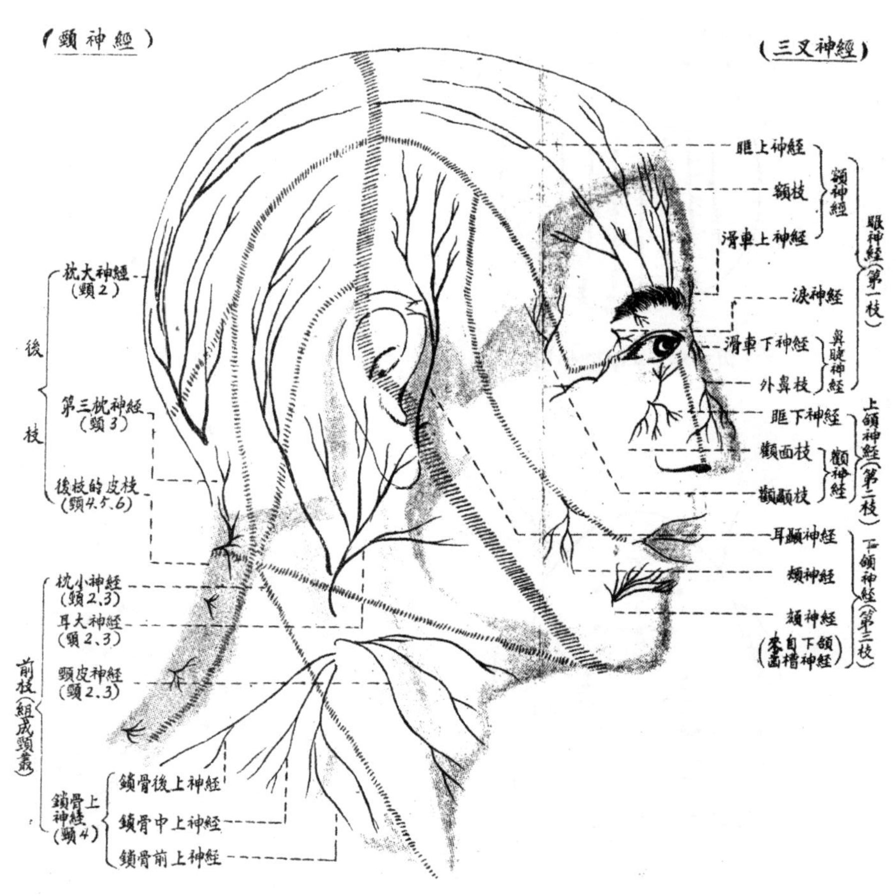

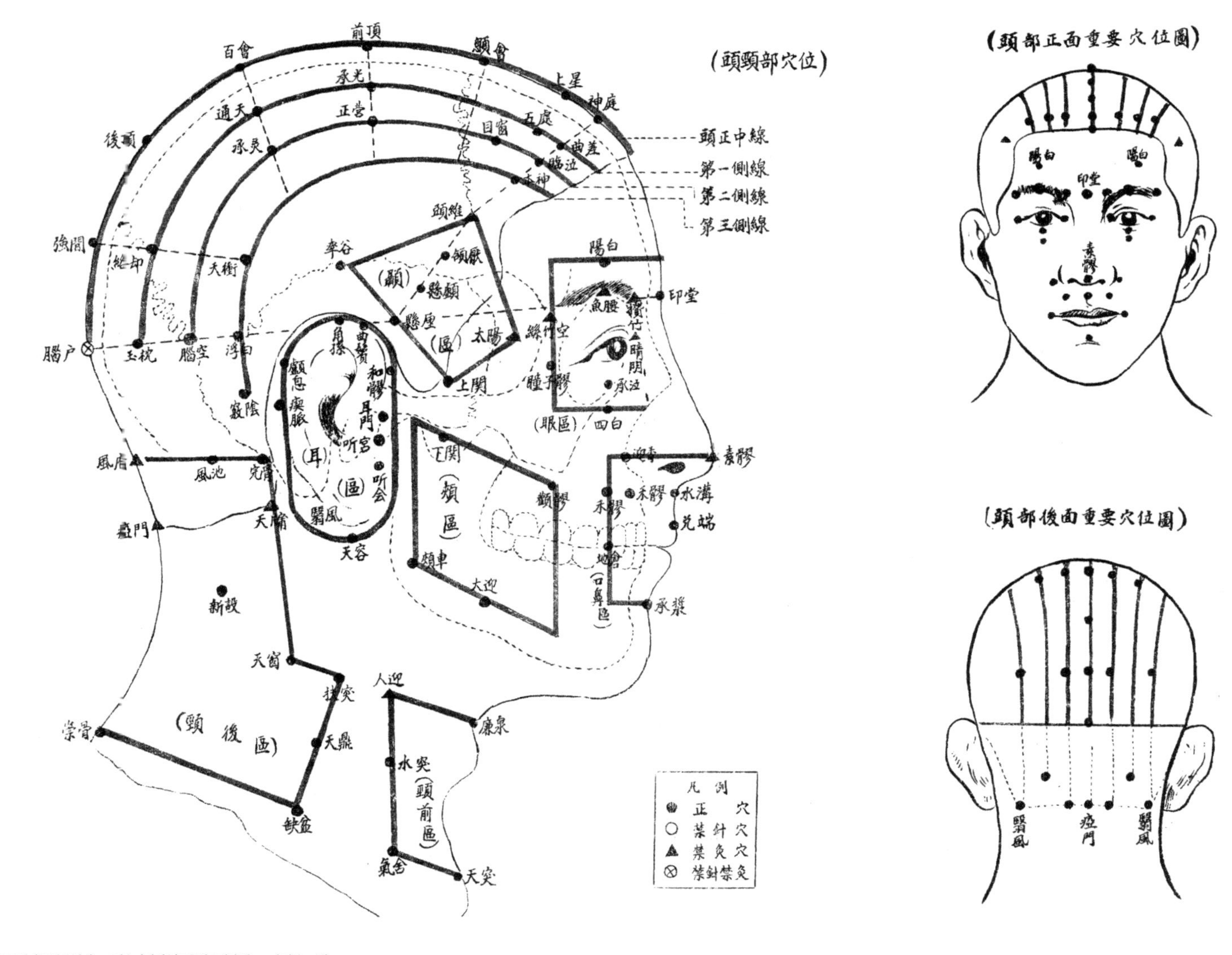
(頭頸部穴位)
百會
前項
顖會
上星
神庭
後頂
通天
承光
五處
曲差
承靈
正營
目窗
臨泣
本神
頭正中線
第一側線
第二側線
第三側線
頭維
强間
絡却
天衝
率谷
頷厭
懸顱
懸釐
太陽
(顳區)
陽白
魚腰
攢竹
印堂
絲竹空
睛明
瞳子髎
承泣
(眼區)
四白
腦戶
玉枕
腦空
浮白
竅陰
角孫
顱息
瘈脈
和髎
耳門
听宫
听会
(耳區)
翳風
天容
上關
下關
(頰區)
顴髎
頰車
大迎
風府
風池
完骨
瘂門
天牖
迎香
素髎
禾髎
水溝
兌端
地倉
承漿
(口鼻區)
新設
天窗
扶突
天鼎
缺盆
(頸後區)
人迎
廉泉
水突
(頸前區)
氣舍
天突
凡例
正穴
禁針穴
禁灸穴
禁針禁灸
(頭部正面重要穴位圖)
陽白
印堂
素髎
(頭部後面重要穴位圖)
翳風
瘂門

第四編　穴位

穴位，就是孔穴的部位。最古時沒有經穴的名稱，只有由經驗集累起來的「孔穴」。後人發現各孔穴之間有相互的聯系，漸漸的將孔穴歸納起來分為「十二經穴」，這才有經穴的名稱，元朝忽泰必烈加督脉、任脉，成為「十四經」。共有三百六十個穴名，六百九十個穴位，（除督任二脉是正中單穴外，其餘十二經都是左右相对的雙穴）。後來又還發現了一些有效的穴位，而列為經外奇穴。

日本醫學者，將中國的經穴，删去了三分之二，根據解剖的觀點訂定了一百二十個孔穴。我們看來，從解剖部位上說是重要的，從治療上來看，那並不都是常用的穴位，反而有很多常用而有效的穴位沒有包括進去。並且一般不常用穴位，也不是完全無用可以省去的，因為遇到有病發生在它的附近時，常常也就要用到它。用這些穴位，比病在那裏針那裏要安全些。不過古法十四經經穴，係憑經驗將穴位与內臟聯系思考而列成，与事实不能完全相符。例如：用針刺足上的行間穴，立止肋間神經痛，按照十四經是屬於足厥陽肝經」穴。同時還有些經穴互相穿插，很难記憶。現在為了使學者容易記憶，特按解剖部位，將這些所有的穴位，分部、分線、分區的重新編整，精繪詳圖，並編附歌訣，以便於記憶和取用。

第一章　頭頸部

一、頭項部正中線

髮際神庭到上星，每穴相距各五分，
顖會前項百會穴，後項強間腦戶尋。

穴名	部位	解剖	療法		主治疾病
			針深	灸時	
髮際	眉心直上，前髮際邊。	在額骨部額肌中，有額動脉分枝，分佈着三叉神經第一枝的額神經枝。	2分	5分	暈眩、頭痛經久不癒。前額痛或如重壓不舒等。
神庭	眉心直上，約入前髮际五分。	同上	禁針	7分	額神經痛，眩暈，急性鼻炎，淚腺炎、嘔吐、心悸亢進。

上星	神庭穴直上五分。	同上	1分	7分	顏面充血、前額神經痛、鼻病、眼球充血、角膜白斑、头痛、
顖會	在上星穴之上一寸，前頂穴之前一寸五分。	額骨上緣与两側頂骨縫合部，帽狀腱膜中，有淺顳動脈与額動脈吻合的動脈網，分佈着三叉神經第一枝的額神經枝。	1分	5分	头痛、眩暈、鼻血、顏面充血、嗜眠症、兒童消化不良、驚癇。（五岁以下禁針灸）
前頂	顖會穴之後一寸五分，即印堂至腦户穴的正中点。	在左右頂骨縫合部的前段，帽狀腱膜中，有左右顳淺動脈的吻合網，分佈着三叉神經第一枝的額神經枝。	1分	5—10	头痛、眩暈、腦充血、腦貧血、顏面充血、小兒痙攣、鼻病
百會	前頂穴之後一寸五分，神庭穴至腦户穴的正中点。	在两側頂骨縫合部的中点，帽狀腱膜中，有顳淺動脈和枕動脈的吻合網，分佈着枕大神經。	1分	10分	头痛、眩暈、腦神經衰弱。腦充血、腦貧血、癲癇、嘶啞、鼻息肉、脫肛、痔瘡、爲針灸之特效。
後項	百会穴之後一寸五分。	在頂骨矢狀縫合之後段，帽狀腱膜中，有枕動脈的分枝、及枕大神經分佈。	1分	10分	腦充血、眩暈、偏头痛、头項部痙攣、癲癇。
強間	後項穴之後一寸五分。腦户穴之上一寸五分。	在矢狀縫合之後端，枕骨与左右頂骨之交界處，帽狀腱膜中，有枕動脈的分枝、分佈着枕大神經。	1分	10分	头痛、眩暈、嘔吐、小兒急癇、失眠、神經衰弱。
腦户	在強間穴之下一寸五分，正在後头部。	在枕外粗隆上緣、有枕動脈的分枝、分佈着枕大神經。	古書載禁針禁灸。		

二、頭項部第一側線　曲差五處承光線 通天絡却玉枕迪

曲差	神庭穴旁開约二横指，眼内眥角直上入前髮際约五分。	在額骨部額肌中，有額動脈、及三叉神經第一枝的額神經分佈。	1分	5—15	头痛、顏面神經麻痹和三叉神經痛、顱頂部炎症、視力減退、鼻塞、鼻血、鼻息肉、鼻膜炎。
五處	曲差穴之後五分，上星穴旁開约二横指。	在額骨部額肌中、有額動脈、及額神經分佈。	1分	5—15	癲癇、头痛、發热、眩暈、視力減退、肩背神經痛。
承光	五處穴後二寸餘，前項穴之外側，旁開约二横指。	在頂骨部、帽狀腱膜中，有顳淺動脈，及三叉神經第一枝的額神經和顏面神經的顳枝分佈。	1分	5分	头痛、眩暈、鼻息肉、鼻膜炎、鼻塞、角膜白斑、感冒。
通天	承光穴後一寸五分，百会穴之外側，旁開约二横指。	在頂骨部，當頂結節的内方，有顳淺動脈和枕動脈吻合的動脈網，及枕大神經分佈。	1分	5—15	鼻膜炎、鼻血、口部諸肌攣縮、顱頂痙攣、慢性支氣管炎、三叉神經痛、鼻塞炎之立通、头項強痛、不能轉側。
絡却	通天穴之後一寸餘，強間穴旁開约二横指。	在項骨和枕骨聯接处，即枕肌停止部、有枕動脈、及枕大神經分佈。	1分	5—15	枕肌和斜方肌痙攣、綠内障、耳鳴、精神病、憂鬱症。
玉枕	腦户穴旁開约二横指	在枕骨部，枕外粗隆之外側稍上，上項線之上緣，有枕動脈、及枕大神經。	1分	5—15	三叉神經痛、眩暈、头痛、近視、嗅覚減退、多汗症、腦充血。

三、頭項部第二側線、对瞳臨泣目窗穴，正營承靈腦空接。

臨泣	瞳孔直上入前髮际五分，曲差穴之外側，神庭穴至头维穴的中点。	在額骨額肌中，有眶上動脉，及三叉神经第一枝的眶上神经和顏面神经的顳枝分佈	1分	2-5	角膜白斑、溢淚症、外眥充血、及一切眼病、急慢性结膜炎、癲癇、腦溢血。
目窗	臨泣穴之後之一寸。	在頭骨部，有淺顳動脉額枝，及眶上神經分佈。	1分	5-15	眼球充血、眩暈、視力減退、顏面浮腫、头痛、結膜炎、恶寒發熱。
正營	目窗穴之後二寸，承光穴之外側。	在頂骨部帽状腱膜中，有顳淺動脉的分枝、及眶上神經分佈。	1分	5-15	眩暈、头痛、牙痛、視神经萎縮。
承靈	正營穴之後一寸五分，通天穴之外側。	在顶结節上，有帽状腱膜、有顳淺動脉和枕動脉吻合的動脉網，分佈着枕大神经。	1分	5-15	鼻衄、喘息、头痛、感冒。有退热作用。
腦空	玉枕穴之外側，風池穴之上方一寸五分。	在枕外粗隆之外側稍上，頂骨顳骨与枕骨之交界处，有枕動脉，分佈着枕大神经。	1分	5-15	衄血、喘息、头痛、感冒、肩頸部痙挛、心悸亢進，有退热作用。

四、頭項第三側線

第三側線始本神 天衝浮白到竅陰。

本神	目外眥直上入前髮际，神庭穴旁開约三寸。	在額骨部額肌中，有顳淺動脉的額枝和眶上動脉，分佈着三叉神经第一枝的眶上神经。	1分	5-20	癲癇、腦充血、眩暈、頸項部痙挛。
天衝	耳根上後方入髮际二寸。	在上耳廓根之後上部耳上肌之後，有耳後動脉，分佈着枕小神經。	1分	5-15	癲癇、头痛、齒齦炎、強直性痙挛。
浮白	耳廓根的上缘之後入髮际一寸，与腦户穴相平，在天衝穴与完骨穴的上三分之一。	在耳後乳突根之上一寸多，頂骨与顳骨之縫合部耳後肌中，有耳後動脉，分佈着司運動的顏面神经耳後枝、司感觉的枕小神经和耳大神经。	1分	5-15	耳鳴、耳聾、牙痛、呃逆、呼吸困难、四肢麻痺、頸項部痙挛、扁桃腺炎、頸項癰腫。
竅陰	完骨穴之上，浮白穴之下。	在乳突的後缘直上部耳後肌中，有耳後動脉，分佈着由第二、三頸神经而来的耳大神经。	1分	5-20	腦膜炎、腦充血、三叉神经痛、四肢痙挛、呃逆、耳鳴、耳聾、癔症。

五、眼區

陽白承泣四白重 攢竹魚腰絲竹空，
眼角睛明瞳子髎，印堂穴在兩眉中。

睛明	目内眥角外约一分，近鼻骨边。	在内眥的边缘皮肤部，内側瞼韧帶、眼輪匝筋、内眥動脉，分佈着三叉神经第一枝的滑車下神经。	1分	禁灸	眼病：如角膜白斑、視網膜炎、眼球充血或瘙癢、夜盲、結膜炎、鼻塞也有效。面神经痙挛。
攢竹	眉头近鼻端陷中。	在額骨下际眉弓之内端，皮下正当皺眉肌，有額動脉，分佈三叉神经第一枝的額神经額枝、上滑車下眼窠神經。	1分	禁灸	角膜白斑、夜盲、視力減退、溢淚症、眩暈、額神經痛。

魚腰	眉毛中間凹陷处，直視時瞳孔上方。	在眉弓与眶上缘之間的凹陷部，皮下是眼輪肌，有眶上動脉，分佈着三叉神经第一枝的眶上神经。	1分	禁灸	各種眼病、偏头痛、前额痛。
陽白	魚腰穴直上一寸。	在额骨部额肌中，有眶上動脉，分佈着眶上神经。	1分	3-5	夜盲和其他眼病、三叉神經痛、顏面神經麻痹和痙挛、嘔吐。
絲竹空	眉梢外端陷中。	在额骨颧突的外缘，皮下是眼輪肌，有颞浅動脉分佈三叉神经第一枝。	1分	禁灸	眼球充血、角膜白斑、头痛、眩暈、顏面神经麻痹、小兒驚風。
瞳子髎	目外眥之外二分眼眶骨边（此穴不可误為太陽穴）	在外眥的边缘皮肤部，有眼輪肌、颧骨眼窩動脉、三叉神经。	1分	禁灸	角膜炎、視網膜炎、眼球充血、夜盲、三叉神经痛、颜面神经痙挛或麻痹、視神经萎縮、偏头痛。
承泣	瞳孔直下方，下眼眶的边缘。	在眶下缘与下眼瞼交界处眼輪肌中，有眶下動脉及三叉神经的第二枝眶下神经分佈。	1分	禁灸	角膜炎、溢淚症、夜盲症、眼瞼及口角諸肌痙挛。
四白	承泣穴下三-四分。	在上颌骨的前面眶下孔部，颜面神经分配的上唇方肌中，有眶下動脉，並露出三叉神经第二枝的眶下神经。	3分	3-5	三叉神经第一枝的眼神经痛、結膜瘙痒、角膜白斑、头痛、眩暈、上颌竇蓄膿症、顏面神经麻痹和痙挛、語言障碍、鼻膜炎、上齒槽神经痛。
印堂	兩眉的正中，对準鼻尖。	在额骨的眉間部，皮下是额肌和皺眉肌，有额動脉，分佈三叉神经第一枝的滑車上神经。	1分	5-15	眼球疼痛、三叉神经痛、神经性嘔吐、小兒搐搦、额竇炎、头痛、眩暈、失眠症。

六、耳區

天容听會与听宫，耳門和髎曲鬓適，
角孫顱息瘈脉穴，翳風耳後凹陷中。

天容	耳垂下約三四分，頰車穴之後上方陷中。	在胸鎖乳突肌停止部前缘腮腺後缘，深部有頸内静脉，由頸神經叢来的耳大神経司感覚。	3-5	5-15	胸膜炎、肋間神経痛、呼吸困难、頸項部神経痛、耳鳴、耳聾、齒齦炎、肩背神经痙挛、頸項患瘰癧，或扭伤不能回顧。
听宫	耳前小尖瓣（即耳珠）的前方。	在耳珠前缘下颌小头後缘，有颞浅動脉的耳前枝，分佈三叉神經第三枝的耳颞神經，深部有颞浅動脉從此發出。	5分	5-15	耳鳴、耳聾、外耳道炎、声音嘶啞、失声、牙痛、面神經痙挛、中耳炎。
听會	耳前小尖瓣的前下方陷中，張口取穴。	在耳珠前下方，下颌小头頸後缘，有颞浅動脉耳前枝，分佈耳大神经，皮下有顏面神经在此分枝，深部有頸外動脉及面後静脉通過。	5分	5-15	耳外道炎、耳鳴、耳聾、顏面神经麻痹、下頜脫臼的疼痛、咀嚼肌痙挛、牙痛、偏瘫、中耳炎。
耳門	耳前小尖瓣的前上方稍陷处。	在耳前切迹的前方，下颌關節後缘，有颞浅動脉耳前枝，分佈着三叉神经第三枝的耳颞神经，皮下有颞浅動脉通過。	3分	3分	耳鳴、耳聾、中耳炎、上牙痛、耳瘡、口裂諸肌痙挛。
和髎	在上耳廓根之前，鬓髮之後，動脉跳動旁的陷中。	在颞骨颧突起始部的上方耳前肌起始部，有颞浅動脉，分佈三叉神经第三枝的耳颞神经及顏面神经的颞枝。	3-7分	3-5	头痛、顏面神经痙挛和麻痹、頸頜部組織炎、鼻炎、鼻息肉、外耳道炎。
曲鬓	在和髎穴上方，角孫穴前方，鬓角之旁曲部有凹陷	在颞骨部耳前肌中，当颞浅動脉的後缘，分佈着耳颞神经及顏面神经的颞枝。	3分	3-5	由酒精中毒而引起的顱顶部、頸部、颞部的神经痛，頜頰神经痛、偏头痛、眼病。

角孫	耳廓的正上方陷凹處口開閉時，能觸出聲動	在耳廓根的上方，耳上肌中，有顳前動脉的耳前枝，由三叉神經第三枝及枕小神經司該部感覺。	2分	10—20	角膜白斑、齒齦炎、口襞諸肌痙挛、口腔炎、咀嚼困难、嘔吐、甲狀腺腫。
顱息	角孫穴的後下部瘈脉穴上方一寸，当耳廓根的上三分之一骨陷中。	顳骨部顳線下方耳後肌中，有耳後動脉，分佈耳大神經。	2分	10—20	耳鳴、头痛、癲癇、喘息、腦充血、甲狀腺腫、小兒嘔吐有卓效。
瘈脉	耳廓根的後部翳風穴上一寸、前方与外耳孔平高。	在顳骨部乳突根部稍前，耳後肌中、有耳後動脉、分佈耳大神經。	1分出血	3分	头痛、耳鳴、瞳孔異常、小兒搐搦、嘔吐、下痢、腦充血。
翳風	耳垂根部後方陷中，按之通耳中。	在腮腺後缘、乳突和下頜枝的中間、有耳後動脉、分佈耳大神經。	3分	5—20	腮腺炎、耳鳴、耳聾、顏面神经麻痺、口頰炎、笑肌麻痺、語言障碍、甲狀腺腫。口禁不開、頸淋巴腺炎。

七、口鼻區

鼻尖素髎旁迎香，　巨髎地倉到承漿，
水溝禾髎兑端穴，　齦交海泉金玉藏。

素髎	鼻尖上。	在鼻尖左右大翼軟骨之間，有鼻背動脉、分佈三叉神经第一枝的鼻睫神經。	1—2	禁灸	鼻息肉、鼻膜炎、溢淚症、鼻塞、鼻血、虛脫、鼻瘡、喘息、鼻茸。
迎香	鼻孔旁，鼻翼外側、骨陷中。	在鼻翼外緣溝中央、上唇方肌中、有眶下動脉、三叉神经第二枝的眶下神經、深部有面前動脉。	1—3	禁灸	急性鼻卡他（多涕）、鼻塞、嗅觉減退、鼻血、顏面神经麻痺、顏面組織炎、喘息。
巨髎	鼻孔之旁開約八分，直对四白穴、横平水溝穴。	在鼻唇溝的中央、上頜骨的前面、上唇方肌中第一小臼齒根部、有面前動脉分枝、分佈顏面神经頰枝和三叉神经第二枝眶下神經。	3分	5分	顏面神经麻痺和三叉神经痛、角膜炎、綠内障（青光眼）、近視、角膜白斑、上頜竇蓄膿症、齒神经痛、唇頰部的炎症。
地倉	口角外方約四分。	在口角外方口輪肌部，由三叉神经第二、三枝司感覚，由顏面神经頰枝司運動，深部有面前動脉通過	3分	5分	顏面神经麻痺和三叉神经痛、口襞諸肌之痙挛、眼諸肌痙挛或收縮、語言障碍。
禾髎	在水溝穴旁五分，鼻翼与上唇之間。	在上頜骨犬齒窩部上唇方肌中、有面前動脉和面前靜脉分枝、三叉神经第二枝的眶下神经分佈。	3分	2分	急慢性鼻炎、鼻塞、嗅觉減退、衄血、鼻息肉、鼻瘡、顏面神经麻痺和痙挛、咀嚼肌痙挛、腮腺炎。
水溝	鼻下，陷中、（又名人中）	在鼻柱下人中溝的上三分之一、口輪肌中、有上唇動脉、分佈三叉神经第二枝和顏面神經頰枝。	2—3	5—10	人事不省之际為起死回生經驗穴。糖尿病、水腫病、癲癇、腦充血、口眼諸肌收縮和痙挛均有效。暈針、小兒驚風、牙関不開。
兑端	上唇边缘的中央、	在上唇結節，即紅唇和皮肤的移行部，有上唇動脉，分佈着顏面神经頰枝和眶下神经上唇枝。	2—3	3—5	主治症与水溝穴相同者外，对黄胆、衄血亦有效。

金津一玉液	舌下两旁静脉上。左名金津，右名玉液。	在舌底縫線兩側、舌靜脉上，分佈來自三叉神经第三枝的舌神经，和舌下神经。	速刺出血	禁灸	嘔吐、口腔炎、舌炎、喉头肌麻痺、語言障碍、黄疸、糖尿病、舌下神经麻痺。
海泉	在舌下中央。	在舌底縫線中，有舌動脉的分枝，分佈舌下神经（由十二腦神经來）、舌神经（由第五腦神经來）。	速刺出血	禁灸	嘔吐、舌下神经麻痺、舌炎、糖尿病。
齦交	唇内，上齒齦縫縫之中。	在上唇裡面接近齒齦的黏膜部，即上唇繫帶中有上唇動脉，分佈三叉神经第二枝的上齒槽神经，眶下神经上唇枝。	2分	禁灸	鼻息肉、鼻塞、頸項神经痛、顔面神经麻痺、溢淚症、内眥充血或瘙痒、角膜白斑。
承漿	下唇下的中央陷中。	在下頜骨頦结節之上部，頦唇溝中央、口輪肌中，有下唇動脉，分佈着三叉神经第三枝的頦神经。	2—3	5—20	中風、顔面神经麻痺、顔面浮腫、糖尿病、齒神经痛、癲癇、口噤不開、口眼喎斜。

八、顳區

額角五分號頭維，頷厭懸顱至懸厘，
上角率谷下上関，太陰穴在眶外边。

頭維	額角入髮际五分，骨縫陷中。	在顳上線与冠状縫（額頂骨縫合部）交界处，顳肌上缘，有顳淺動脉的額枝，顔面神经顳枝，由三叉神经的一、二、三枝共司該部感覺。	1分	禁灸	腦充血、額神经痛、偏头痛、膿漏性結膜炎、視力減退、溢淚症、顔面神经麻痺、头風痛、目痛。
率谷	耳直上入髮际一寸五分。	在頂骨与顳骨的縫合部，顳肌中，有顳淺動脉頂枝，由三叉神经第三枝的耳顳神经頸叢來的枕小神经司感觉。	3分	5—15	顱頂部疼痛、枕部和頸部痙攣、偏头痛、嘔吐、咳嗽、宿醉、煩渴。
頷厭	头维穴之下，当头维穴至懸厘穴的上三分之一。	在頂骨的蝶角部，顳肌中，有顳淺動脉額枝，分佈顔面神经顳枝、由三叉神经第二、三枝司感觉。	2分	5—10	头痛、眩暈、耳鸣、小儿痙挛、顔面神经麻痺、鼻膜炎、牙痛。
懸顱	額角之下，顳顬之中，当头维穴至懸厘穴的下三分之一。	在顳骨部，顳肌中，有顳淺動脉額枝，分佈顔面神经顳枝，由三叉神经第二、三枝司感觉。	1分	3分	腦神经衰弱、腦充血、偏头痛、牙痛、鼻膜炎。
懸厘	与耳廓部的上界平高，在曲鬢穴前一横指鬢髮中。	在顳骨部顳肌中，有顳淺動脉額枝，分佈顔面神经顳枝、由三叉神经第二、三枝司感觉。	1分	5—10	腦神经衰弱、偏头痛、顔面浮腫、鼻膜炎、牙痛。
上関	耳前顴弓上側，鬢角微前，髮际处。	在顴弓上缘，顳肌中，有顳淺動脉來的顴眶動脉，顔面神经的顳枝，由三叉神经第二、三枝司感觉。	1分	3—5	偏头痛、眩暈、耳鳴、顔面神经麻痺、腦充血、齒神经痛、口角諸肌痙挛。
太陽	目外眥与眉梢之間外開一寸五分陷中。	在顳顬縫合後方，蝶骨大翼顳面中央，皮下是三叉神经第三枝支配的顳肌，有顳淺動脉來的顴眶動脉，由三叉神经第二、三枝司感觉。	4—5	3—5	眼球紅腫（静脉刺出血）、头痛、齒神经痛。

九、頰區　　顴髎下関上頷尋，下頷頰車与大迎。

顴髎	顴骨下側陷中，与絲竹空穴上下相直。	在顴骨下頷突的下缘稍後，咬肌的起始部，有顳淺動脉分出的面横動脉，分佈顏面神经顴枝，由三叉神経第二、三枝司感覺。	3分	3分	顏面神経麻痺或痙攣，上齒神经痛。
下関	耳前顴弓下陷中。	在下頷小头的前方，顴弓下缘与下頷切迹所圍成的空間，皮下有腮腺，再深部是咬肌，有顳淺動脉分出的面横動脉，分佈顏面神经顴枝，腮腺叢。由三叉神经第三枝司感覺。	3分	3分	齒神经痛，顏面神经麻痺，眩暈，耳鸣，耳聾。
頰車	耳下一寸，下頷角的前上方一横指，稿中開口有孔。	在下頷角的前上方，咬肌附着部，皮下為腮腺，有咬肌動脉，分佈三叉神經第三枝的咬肌神経，由頸叢来的耳大神経司皮肤感覚。	3-5	5-20	顏面神经麻痺或三叉神經痛，声音嘶嗄，口頰夹口部諸肌攣縮或疼痛，頸扭傷不能回顧，偏癱，咀嚼肌痙攣，下齒神经痛，甲状腺腫。
大迎	曲頷前一寸三分。	在第三大白齒的下方下頷骨部，咬肌附着部前缘，面前動脉的後缘，分佈顏面神经下頷枝，由三叉神经第三枝及耳大神经司感覚。	5分	5-15	顏面浮腫，口數諸肌痙攣，咀嚼肌痙攣，腮腺炎，眼球痙攣。

十、頸前區　　頸部廉泉天突穴，人迎水突与氣舍。

天突	喉結（喉头）之下，胸骨之上端陷中。	在胸骨上端之中央，左右胸鎖乳突肌之中間，深部為胸骨舌骨肌、胸骨甲状肌，有甲状腺下動脉、頸皮神经，深部有氣管。	1分靠骨	5-20	頭面充血，喘息，声門肌痙攣，喉头炎，扁桃腺炎，急性舌骨肌麻痺，語言障碍，嘔吐，食道痙攣。
廉泉	舌本下，喉結之上，中央陷中。	在喉結之上方，舌骨体下缘与甲状上切迹圍成的空間，有甲状腺上動脉，分佈舌下神经降枝，由頸皮神经司感覚，深部上為舌肌，下為喉頭。	3分	5-20	支氣管炎，喘息，喉头炎，嘔吐，舌炎，舌根部諸肌萎縮，流涎，口瘡，舌下腫。
人迎	在喉头之两旁，与廉泉穴平高。	在胸鎖乳突肌之前缘与甲状軟骨之接觸部，正当頸総動脉分為頸外、内動脉的分歧点，稍外有舌下神经降枝，後有迷走神经经過。	3分	禁灸	喉头炎，扁桃腺炎，肺充血及其他腺病。
水突	頸大肌之前，人迎穴之下，氣舍穴之上。	在甲状軟骨下缘的外方，胸鎖乳突肌的前缘，深部有頸総動脉。	3分	5-10	扁桃腺炎，支氣管炎，喘息，喉头炎，百日咳。
氣舍	人迎穴之直下，天突穴的两旁陷中。	在鎖骨内側端之上缘，胸鎖乳突肌的胸骨头与鎖骨头之間，深部有頸総動脉，迷走神经与交感神经通過。	3分	5-15	扁桃腺炎，支氣管炎，喘息，喉头炎，百日咳，膈肌痙攣，消化不良。

十一、頸後區

風府風池到完骨，天牖天窗与扶突，
天鼎缺盆崇骨穴，新設瘂門勞天柱。

天鼎	扶突穴之下，缺盆穴前上方，与水突穴相隔一肌。	在胸锁乳突肌之下部後缘，有来自甲状颈干的颈浅動脈和颈外静脈，正当膈肌神经之通路，深部為臂神经叢。	3分	5-20	扁桃腺炎、喉头炎、舌骨肌麻痺、凡咽下困难者均可用此穴。
扶突	在天鼎穴上方，喉结两旁约三寸，大肌中央的陷中。	在甲状軟骨上缘之外後方，胸鎖乳突肌中部，有頸升動脉，分佈頸皮神经及支配該肌的副神经，肌下有頸内静脉及迷走神经通过。	4分	5-10	咳嗽、喘息、唾液分泌过少或过多、急性舌骨肌麻痺、低血压症。
天窗	扶突穴之後方。	在胸锁乳突肌中央的後缘，有頸升動脉，分佈頸皮神经，正当耳大神经從頸神经叢之發出部。	3分	5-10	肋間神经痛、呼吸困难、口頰炎、頸項部和肩胛神经痛、耳聾、耳鳴、齒齦炎。
缺盆	氣舍穴之後，天突穴兩旁约四寸，鎖骨上窩中央，肺尖部。	在鎖骨上缘，胸鎖乳突肌後方頸闊肌中，有肩胛上動脉，分佈鎖骨上神经，深部有鎖骨下動脉通过。	2分	5-10	喘息、胸膜炎、頸肩部諸肌炎症、肋間神经痛、扁桃腺炎、頸淋巴腺結核。
風府	項上入髮际约一寸，腦户穴下一寸五分，大肌内陷中。	在枕骨与第一頸椎之間，在在斜方肌当中，有枕動脉分枝，分佈第三枕神经和枕大神经，深部的脊管内有延髓存在。	斜上3分	禁灸	头痛、頸項部神经痛、衄血、喉头炎、精神病、中風、黄疸、感冒及热性病的解热。
瘂門	項中央後髮际風府穴下约一寸。	在第一頸椎与第二頸椎之間，兩側斜方肌中，有枕動脉分枝、分佈第三枕神经，深部脊管内有脊髓。	斜上3分	禁灸	習慣性头痛、舌骨肌麻痺、舌下軟瘤（重舌）、喉头炎、腦充血、腦膜炎、衄血、脊髓炎、語言障碍、声音嘶哑。
天柱	項之後髮际瘂門穴兩旁大肌外側陷中。	在第一、二頸椎之間，斜方肌的外缘，有枕動脉分枝，分佈第三枕神经。	3-5	5-15	头痛、枕肌及肩胛肌挛缩、回顧困难、喉头炎、鼻塞、嗅觉障碍、衄血、神经衰弱。
風池	腦空穴直下，風府穴兩側之凹陷中。	在枕骨下际，胸鎖乳突肌与斜方肌停止部之間的凹陷部，即枕三角的頂点，有枕動脉和枕静脉，分佈枕小神经和枕大神经。	4-6	5-20	腦疾患、眼疾患、耳鼻疾患、迷走神经及副神经功能異常等均可治。偏瘫、腦神经衰弱也有效。
新設	風池穴直下方，後髮际下一寸五分，大肌外側陷中。	在第四頸椎横突尖端，斜方肌外缘，提肩胛肌内缘，有頸横動脉的升枝，分佈第四頸神经後枝。	3-5	5-15	枕神经痛、項肌痉挛及扭伤、項部及肩胛部疼痛。
百勞	大椎穴直上二寸横開一寸。	第三頸椎之兩旁，斜方肌外缘，分佈第三頸神经後枝。	4分	7分	頸項瘰疬特效穴（每灸七分钟，間七日灸一次，據云三次可愈）。
完骨	耳後入髮际四分。	在乳突的後缘中央，胸鎖乳突肌附着部之上际，有耳後動脉，分佈耳大神经。	5分	5-10	顔面浮腫、口漿諸肌萎縮、失語症、齒齦炎、中耳炎、扁桃腺炎、偏头痛、失眠症。
天牖	在頸大肌後缘角上，完骨穴下，天柱穴前。	在乳突後下方，胸鎖乳突肌停止部後缘，有耳後動脉，分佈枕小神经。	3-5	禁灸	頸項部痉挛、喉头炎、耳鳴、耳聾、眼球充血、顔面浮腫。
崇骨	大椎穴上方陷中。	在第六、七頸椎棘突之間，為斜方肌之起始部，有頸横動脉升枝，分佈頸神经後枝。	4分	5-15	癫疾、感冒、頸項部痉挛、肺结核。

第二章　背部及肩胛部

一、肩胛區

肩髃臑俞与肩貞，肩髎大髎和肩井，
曲垣秉風天宗穴，肩中肩外巨骨存。

肩髃	肩之端，兩骨縫間舉臂有凹陷。	在肩峯和肱骨大粗隆間，三角肌的中央，有旋肱後動脉、肩胛上動脉、胸肩峯動脉等圍成的動脉網，有臂外側皮神經及鎖骨上神經。	6分	5-20	偏癱，血壓亢進，枕部和肩胛部諸肌痙挛，臂神經痛。
臑俞	肩關節後面正对腋缝，舉臂取之穴更明顯。	在肩關節窩的後方，三角肌中，有肩胛上動脉、旋肩胛動脉、旋肱後動脉，分佈後鎖骨上神經、臂外側及臂背側皮神經。	5-8	5-20	肩胛部和肱部疼痛或麻痺，肩關節炎，頸頷部腫痛。
肩貞	臑俞穴的下方肱骨与肩胛骨之間，直对腋缝。	在肩關節後面的下方肩胛骨外側缘，三角肌後缘，下有大圓肌，有旋肱動脉，深部有腋神經，分佈臂背、臂内及肋間神經外側皮枝。	5-7	5-10	耳鳴，耳聾，头痛，肩胛部疼痛，上肢關節炎或神經痛或麻痺。
肩髎	肩髃穴後約一寸微向下，舉臂時更顯凹陷。	在肩胛骨肩峯的後下际，即肩關節的後方，上層是三角肌，下層是崗下肌，有旋肱後動脉、胸肩峯動脉、肩胛上動脉合成的動脉網，分佈肩胛、臂背神經。	5-7	10-20	肩胛肌麻痺及痙挛，臂神經痛，胸膜炎，肋間神經痛。
肩井	崗上窝中央，大椎穴至肩髃穴的中点。	在斜方肌中，下層是提肩胛肌和崗上肌之間，有肩胛上動脉，分佈鎖骨上神經和副神經。	6分忌深	10-30	肩背疼痛，副神經麻痺，頸項部諸肌痙挛或萎縮不能回顧，偏癱，腦神經衰弱，腦充血，腦貧血，產後子宮出血，瘰癧，半身下肢厥冷。
天髎	肩井穴之下約一寸。	在肩胛骨的上部崗上窝中，皮下為斜方肌，再深部為崗上肌，有肩胛上動脉，分佈着鎖骨上神經和副神經。	3-8	10-20	頸部神經痙挛，頸項部厥冷，肩胛部疼痛，牵臂不能。
曲垣	天髎穴之下約一寸，肩胛崗上缘靠肩胛内側，平第二椎間。	在肩胛崗的上际，斜方肌和崗上肌中，有肩胛上動脉，分佈鎖骨上神經，肩胛上神經和副神經。	5-7	5-20	肩胛部及臂神經痛或麻痺，尺神經痛，呼吸困难。
秉風	在天髎穴外，肩胛崗上。	在肩胛崗上缘中央，表層為斜方肌，深層為崗上肌，有肩胛上動脉，分佈鎖骨上神經、肩胛上神經和副神經。	3-5	10-20	肩胛部神經痙挛和麻痺，肱部疼痛，尺神經痛，呼吸困难，肋間神經痛。
天宗	在肩胛崗下方当中，平第五椎間（神道穴）。	在肩胛骨的崗下窝崗下肌中，有旋肩胛動脉，分佈肩胛上神經。	3-5	10-20	肩项神經痙挛和麻痺，肱部疼痛，上肢不能舉。
肩中俞	肩胛内側，在大椎穴旁二寸，当肩井至大椎穴的中点。	在第一胸椎横突的兩旁，表層為斜方肌，深部為提肩胛肌，有頸横動脉，分佈第六頸神經的後枝和肩胛背神經。	3-6	10-30	支氣管炎，喘息，頸项部疼痛，唾血，視力減退。

肩外俞	肩胛上内側，去脊三寸，即陶道穴旁開约三寸陷中。	在肩胛骨内側角，骨之边缘，表層為斜方肌，深層為提肩胛肌和小菱形肌，有頸横動脉分佈，第六七頸神经後枝，肩胛背神经和副神经。	6分	3-10	肩胛部、肱部神经痛或麻痺，肺炎、胸膜炎，神经衰弱，低血压症。
巨骨	肩髃穴之上，鎖骨与肩胛骨相接处，陷中。	在肩鎖關節内方之凹陷部。上層上三角肌，下層是崗上肌之集合部，有肩胛上動脉分枝，分佈肩胛上神经和鎖骨上神经。	4-6	5-20	小兒搐搦、下齒神经痛，胃出血，肱部麻痺或疼痛，肩關節運動障碍。

二、正中線

大椎陶道身柱上，筋縮中樞脊中懸，
神道靈台与至陽，命門陽關腰長強。

大椎	第一胸椎之上陷中，正坐平肩俛头或側卧低头取穴。	在第七頸椎与第一胸椎棘突之間，皮下有棘突間韌帶，為斜方肌起始部，有頸横動脉的分枝，由下位頸神经及第四頸神经的後枝司感覺。	4分	15-30	瘧疾、感冒，肺氣腫，肺结核，衄血，嘔吐，黄疸，精神病，頸項部痉挛，齒齦炎，小兒消化不良。
陶道	第一椎之下陷中，坐或卧，低头取穴。	在第一、二胸椎棘突之間，皮下有棘突上韌帶，斜方肌起始部，有頸横動脉分枝，有第八頸神經後枝和胸神經後枝。	4分	10-20	頸項部和肩胛部諸肌痉挛，瘧疾，神经衰弱。
身柱	第三椎之下陷中。	第三、四胸椎棘突之間，皮下有棘突上韌帶，斜方肌起始部，有頸横動脉降枝和肋間動脉的後枝，胸神經的後枝	4分	20-50	脑及脊髓疾患可用。癲癇，夜驚症，腦神经衰弱，衄血，支氣管炎，小兒搐搦。疔瘡。
神道	第五椎之下	第五六胸椎棘突之間，斜方肌及大菱肌起始部，有肋間動脉後枝，分佈肩胛　神经，有胸神经後枝。	3分	5-10	心臟各病，头痛，腦神经衰弱，口腔炎，小兒搐搦，肋間神经痛，慢性腸炎。
靈台	第六椎之下	在第六七胸椎棘突之間，大菱形肌及斜方肌起始部，有肋間動脉後枝，分佈肩胛背神经，有胸神经後枝。	3分	10-20	喘息，支氣管炎，肺結核，肺炎，瘧疾，惡寒，預防感冒。
至陽	第七椎之下	在第七、八胸椎棘突之間，斜方肌起始部，有肋間動脉後枝、胸神經後枝。	5分	10-20	腰背神經痛、胃部厥冷、黄疸，食慾减退，腸雷鳴，胸膜炎、肋間神经痛。
筋縮	第九椎之下	在第九十胸椎棘突之間，斜方肌起始部，有肋間動脉後枝，胸神經後枝。	4分	5-10	癲癇，腰背神经痛，强直性痉挛及胃痉挛，神经衰弱。
中樞	第十椎之下	在第十、十一胸椎棘突之間，斜方肌起始部，有肋間動脉後枝，有胸神经後枝。	5分	5-10	腰背神經痛，食慾减退，視神經衰弱，有退热之效。
脊中	第十一椎之下	在十一、十二胸椎棘突之間，腰背肌膜起始部，有肋間動脉後枝，胸神经後枝。	4分	禁灸	癲癇，黄疸，腹部膨脹，食慾减退，腸出血，小兒脱肛，痔瘡，感冒
懸樞	第十三椎之下	在第一、二腰椎棘突間，有腰動脉後枝，分佈下位胸神经後枝。	3分	20-30	腰背神经痉挛，急性腸炎，胃腸神经痛

命門	第十四椎之下。	第二、三腰椎棘突間，有腰動脉後枝，分佈腰神經後枝。	3分	20-30	头痛、小兒腦膜炎及破傷風、腸疝痛、腰痛、痔瘡、白帶、耳鳴、遺尿、遺精、陽萎、失眠。
陽關	第十六椎之下。	第四、五腰椎棘突間，腰背肌膜起始部、有腰動脉後枝、分佈腰神經後枝。	3-8	10-20	膝關節炎、腰骶神經痛、下腹臌脹、下痢、腸炎。
腰俞	第二十一椎之下。	在骶骨裂孔腰背肌膜中，有骶中動脉的後枝，分佈骶神經後枝。	3-8	10-20	腰骶神經痛及下肢厥冷症、月經閉止、尿量過少、淋病及痔瘡。
長強	尾骨端下五分處。	在尾骨下部，肛門尾骨韌帶的當中，即尾骨尖和肛門外括約肌中，有由陰部內動脉來的痔下動脉，分佈尾骨神經和陰部來的痔下神經。	3-5	10-30	痔瘡、慢性淋病、腸出血、下痢、嘔吐、遺精、陽萎、腰神經痛、癲癇。

三、第一側線

大風肺厥·心督膈，肝胆脾胃三腎穴，
氣大関小膀中膂，白環八髎會陽接。

大杼	第一椎之下，陶道旁開约二横指。	在第一胸椎之下的兩旁，上層為斜方肌，下層為小菱形肌和後上鋸肌，有頸横動脉降枝，分佈胸神經後枝、肩胛肩神經，和支配斜方肌的副神經。	3-5	10-20	支氣管炎、头痛、目眩暈、胸膜炎、癲癇、項部強直、腰背肌痙攣、肩背疼痛、膝關節炎。
風門	第二椎之下，旁開约二横指。	在第二胸椎之下的兩旁，肌同上，有頸横動脉降枝，最上肋間動脉後枝，分佈肩胛神經和胸神經。	5分	10-20	胸膜炎、頭項部和頸項部痙攣、支氣管炎、百日咳、嗜眠、嘔吐、胸背部諸肌痙攣、癱瘓。可預防感冒。
肺俞	第三椎之下旁開约二横指。	在第三椎之下的兩旁，肌同上，神經同上。	3-5	10-50	肺結核、肺炎、肺出血、支氣管炎、心内外膜炎、心臟麻痺、黄疸、皮肤瘙痒、口頰炎、吞酸、嘔吐、腰背神經痛、小兒營養不良症。
厥陰俞	第四椎之下，旁開约二横指。	第四椎之下的兩旁，斜方肌和骶棘肌中，有頸横動脉降枝、肋間動脉後肢，分佈胸神經的後枝。	3分	10-20	心臟肥大、心外膜炎、呃逆、嘔吐、齒神經痛。
心俞	第五椎之下，旁開约二横指。	第五椎之下的兩旁，斜方肌和骶棘肌中，有肋間動脉後枝、頸横動脉降枝，分佈胸神經後枝。	3分	3分	心臟諸疾患、胃出血、嘔吐、癲癇、食道狹窄、癔症。
督俞	第六椎之下，旁開约二横指。	第六椎之下的兩旁，斜方肌，背濶肌和骶棘肌中，有肋間動脉後枝，分佈胸神經後枝。	3分	5-10	心内外膜炎、腸雷鳴、腹痛。
膈俞	第七椎之下，旁開约二横指。	第七椎之下的兩旁，有斜方肌和背濶肌，再下有骶棘肌，有肋間動脉後枝，分佈胸神經後枝。	4分	20-30	心臟内外膜炎、心臟肥大、心悸亢進、胸膜炎、喘息、支氣管炎、胃炎、胃癌、嘔吐、食道狹窄、食慾减退、腸炎、腸出血、癔症、四肢倦怠、盗汗、小兒營養不良。

肝俞	第九椎之下旁開約二横指。	第九椎之下的两旁有腰背肌膜、骶棘肌深部有背最長肌有肋間動脉後枝、胸神經後枝、右方深部容肝左方深部容胃。	4分	20-30	黄疸熱病眩暈溢淚症精神病慢性胃炎、胃擴張胃痙攣胃出血支氣管炎、肋間神經痛胸骨部痙攣、腸出血、十二指腸虫夜盲症。
膽俞	第十椎之下旁開約二横指。	第十椎之下的两旁、上層為腰背肌膜和骶棘肌下層為背最長肌有肋間動脉後枝、分佈胸神經後枝。	3-5	10-20	發熱惡寒头痛胆囊疾病黄疸、嘔吐食道狭窄、喉头炎、腋窩淋巴腺炎、胸膜炎、高血压症。
脾俞	第十一椎之下旁開約二横指。	第十一椎之下的两旁有腰背肌膜和骶棘肌、深部為背最長肌、有肋間動脉後枝、分佈胸神經後枝。	3-5	20-30	胃痙攣胃擴張胃出血腸炎、嘔吐下痢、黄疸喘息、水腫、小兒夜盲、糖尿病。
胃俞	第十二椎之下旁開約二横指。	第十二椎之下的两旁、肌、脉、神經同上。	3-5	20-30	胃癌、胃炎胃痙攣胃擴張消化不良、腸炎、嘔吐、腹部膨脹腸雷鳴、肝脏腫大、視力减退小兒夜盲、吐乳、羸瘦癱疽、十二指腸虫。
三焦俞	第十三椎之下旁開約二横指	第一腰椎之下的两旁、有腰背肌膜和骶棘肌、下層是背最長肌、有腰動脉後枝、分佈腰神經後枝。	3-5	20-30	胃痙攣食慾減退、消化不良、腸炎、嘔吐、腸雷鳴腎脏炎、腰椎神经痛神经衰弱遺尿遺精。
腎俞	第十四椎之下旁開約二横指。	第二腰椎之下的两旁、肌、脉、神經同上。	5-8	10-25	腎脏炎、肝脏腫大、膀胱麻痺及痙攣、痔瘻淋病糖尿病尿血、腰神经痛精液缺乏、遺尿遺精、身体羸瘦月经不調、胃出血、腸出血、肋間神經痛。
氣海俞	第十五椎之下旁開約二横指。	第三腰椎之下的两旁、有腰背肌膜和骶棘肌、有腰動脉的後枝、分佈腰神經後枝。	5分	10-20	腰神經痛、痔瘻、高血压症。
大腸俞	第十六椎之下旁開約二横指。	第四腰椎之下的两旁、肌、脉、神經同上。	8-10	20-30	脊柱肌痙攣、腰神经痛腹部膨脹腸炎腸雷鳴腸出血、下痢便秘淋病遺尿、腎脏炎脚氣。
關元俞	第十七椎之下旁開約二横指。	第五腰椎之下的两旁、第五腰椎横突与骶骨側部之間、有骶中動脉後枝、分佈腰神经後枝。	8-10	5-10	腰神经痛、下痢、尿閉。
小腸俞	第十八椎之下旁開約二横指上髎穴之旁。	在第一骶椎下的两旁腰背肌膜和骶棘肌中、有骶中動脉後枝、分佈骶神经後枝。	8-10	20-30	腸炎、腸疝痛、下痢便秘、淋病痔瘻、腰骶神经痛。子宫内膜炎。
膀胱俞	第十九椎之下旁開約二横指次髎穴之旁。	在第二骶椎之下的两旁腰背肌膜中、骶棘肌的起始部、有骶中動脉後枝、分佈骶神經後枝。	8-10	20-30	膀胱炎遺尿便秘下痢、糖尿病、脚氣病、腰神經痛、腹下神经痛骶神经痛、子宫内膜炎。
中膂俞	第二十椎之下旁開約二横指。	第三骶椎之下的两旁腰背肌膜中、臀大肌起始部、有臀上動脉分佈骶神经後枝。	5分	20-30	糖尿病、腹膜炎腸炎、腸神经痛腰神经痛、坐骨神經痛脚氣病。

·12·

白環俞	第二十一椎之下旁開約二横指。下髎穴之旁。	在骶骨孔的两側、坐骨大孔内缘，臀大肌中，深部有臀下動脉，分佈臀下神经、骶神经後枝。	3-5	5-10	骶骨神经痛、肛門諸肌痙攣、坐骨神经痛、便泌尿閉、子宫内膜炎、四肢麻痹。
上髎	第十八椎之下旁開約一横指，与髂後上棘平高。	在第一骶骨後孔部、腰背肌膜及骶棘肌中，有骶側動脉，分佈骶神经後枝。	8-12	20-30	便閉尿閉、嘔吐、衄血、腰痛、坐骨神经痛、膝盖部厥冷、子宫内膜炎、月经不調、淋病、睾丸炎、卵巢炎。（上次中下、四髎穴名合称爲八髎，主治男女生殖器方面的疾患）。
次髎	第十九椎之下旁開約一横指。	在第二骶骨後孔部，腰背肌膜中，骶棘肌起始部，有骶側動脉，分佈骶神经後枝。	8-10	20-35	便泌尿閉、嘔吐、衄血、腰痛、坐骨神经痛、膝盖部厥冷、子宫内膜炎、月經不調、淋病、睾丸炎、卵巢炎。
中髎	第二十椎之下旁開約一横指。	在第三骶骨後孔部，腰背肌膜中，有骶側動脉，分佈骶神经後枝。	8-10	20-30	便泌尿閉、嘔吐、腰痛、坐骨神经痛、子宫内膜炎、月经不調、睾丸炎、卵巢炎。
下髎	第二十一椎之下旁開約一横指。	在第四骶骨後孔部，腰背肌膜中，有骶側動脉，分佈骶神經後枝。	6-8	20-30	便泌尿閉、淋病、腰痛、子宫内膜炎、月经不調、腸出血、睾丸炎、卵巢炎。
會陽	尾骨的下部旁開約一横指，長强穴外上方約五分。	在尾骨下端的两旁，臀大肌的起始部，有痔下動脉，分佈臀下神经、肛門尾骨神经。	4分	10-20	腸炎、腸出血、痔瘡、陰部瘙痒和陰部神经性皮炎、坐骨神经痛、淋病。

四、第二側線

背部旁開二側線，附魄膏神譩膈關，
魂陽意胃肓志室，胞肓秩边二穴完。

附分	第二椎之下旁開約四横指，肩胛内缘。	在第二胸椎之下的两旁約三寸，肩胛岗内側端的边缘，上層爲斜方肌，下層为大小菱形肌的边缘，有頸横動脉降枝，分佈肩胛神经、胸神经後枝和副神經。	3-5	10-20	肩背神经痛、頸部諸肌痙攣、不能回顧、肺炎、肋間神经痛、副神经麻痹。
魄户	第三椎之下旁開約四横指。	在第三椎之下的两旁，肩胛骨的内缘，上層斜方肌，下爲大菱形肌，有頸横動脉降枝、肋間動脉後枝，分佈胸神经後枝及肩胛背神经。	3-5	20-30	肺萎縮、支氣管炎、喘息、嘔吐、肱部和肩背部麻痹或神经痛。
膏肓	第四椎之下旁開約四横指。	在第四椎之下的两旁，肩胛骨的内缘，上爲斜方肌，下爲大菱形肌，有横頸動脉降枝、肋間動脉後枝，分佈肩胛背神经和胸神经後枝。	3-5	20-50	各種慢性病，古説「百病」皆效，並有預防作用。肺结核、胃出血、神经衰弱、夢遺失精、健忘、嘔吐、胸膜炎。

(肩胛部及背部肌肉及皮神經圖)

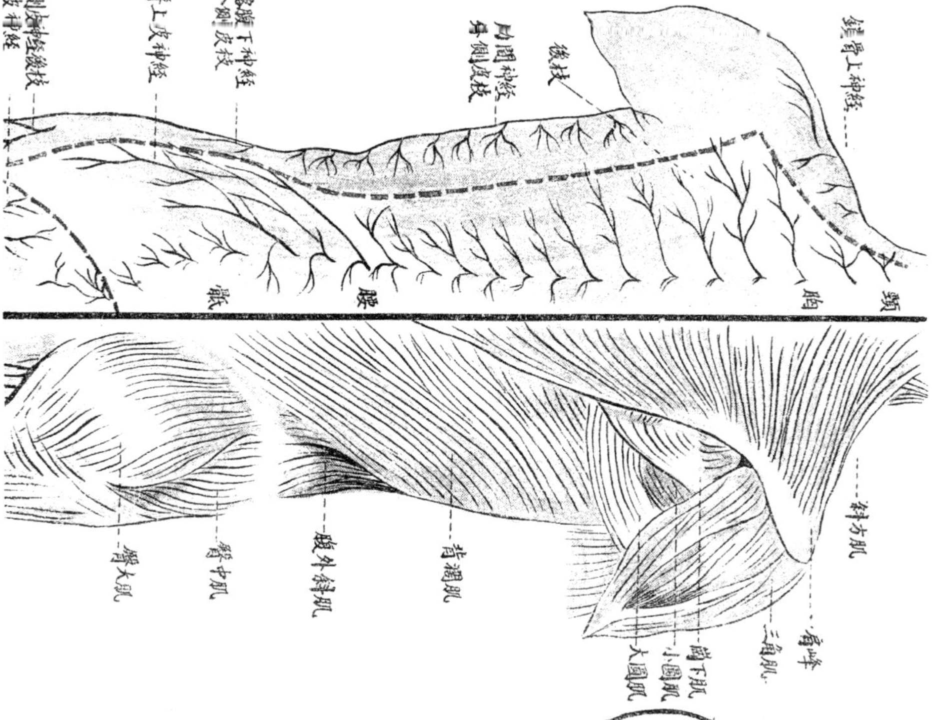

鎖骨上神經
後枝
肋間神經外側皮枝
髂腹下神經外側皮枝
臀上皮神經
股外側皮神經後枝
臀下皮神經
頸
胸
腰
骶
斜方肌
肩峰
三角肌
崗下肌
小圓肌
大圓肌
背濶肌
腹外斜肌
臀中肌
臀大肌

(肩胛部及背部穴位圖)

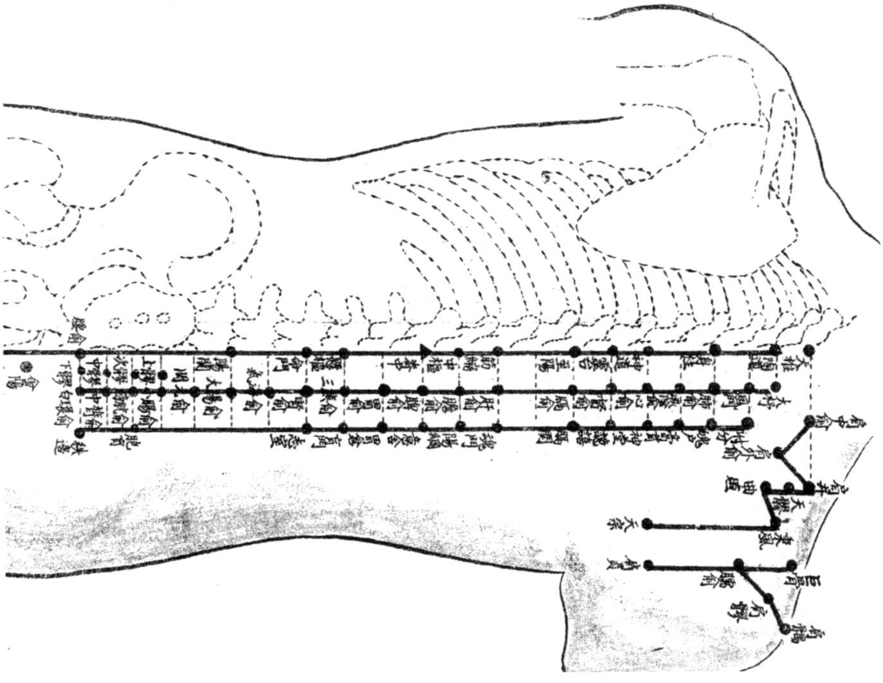

肩中俞
肩井
巨骨
肩髃
天髎
秉風
曲垣
肩外俞
肩髎
臑俞
天宗
肩貞
大椎
陶道
身柱
神道
靈台
至陽
筋縮
中樞
脊中
懸樞
命門
陽關
腰俞
會陽
大杼
風門
肺俞
厥陰俞
心俞
督俞
膈俞
肝俞
膽俞
脾俞
胃俞
三焦俞
腎俞
氣海俞
大腸俞
關元俞
小腸俞
膀胱俞
中膂俞
白環俞
上髎
次髎
中髎
下髎
附分
魄戶
膏肓
神堂
譩譆
膈關
魂門
陽綱
意舍
胃倉
肓門
志室
胞肓
秩邊

（胸腹部穴位圖）

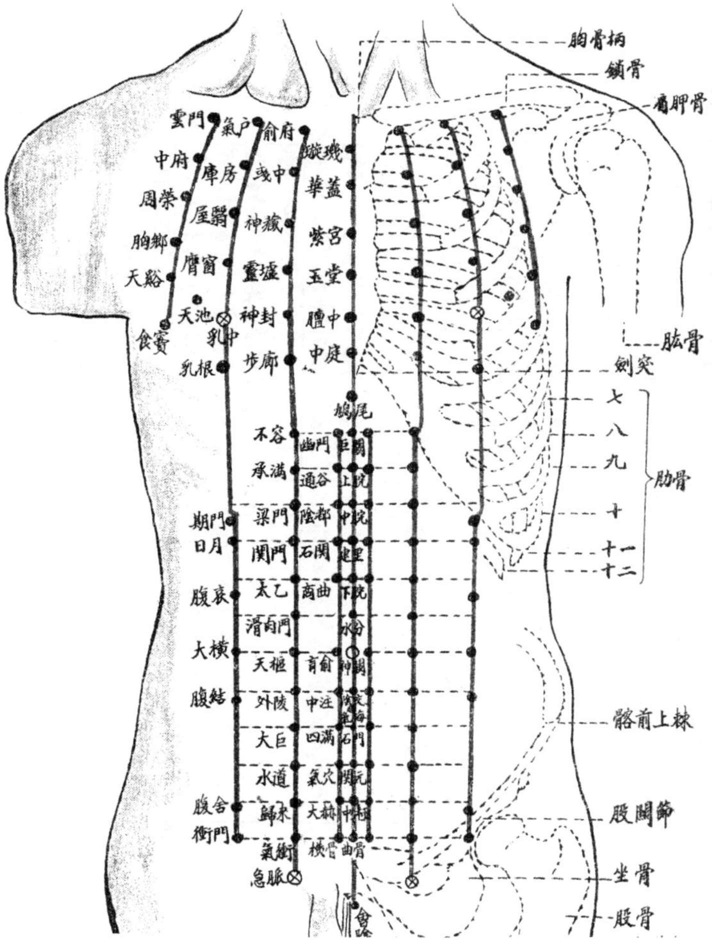

（側胸腹部穴位圖）

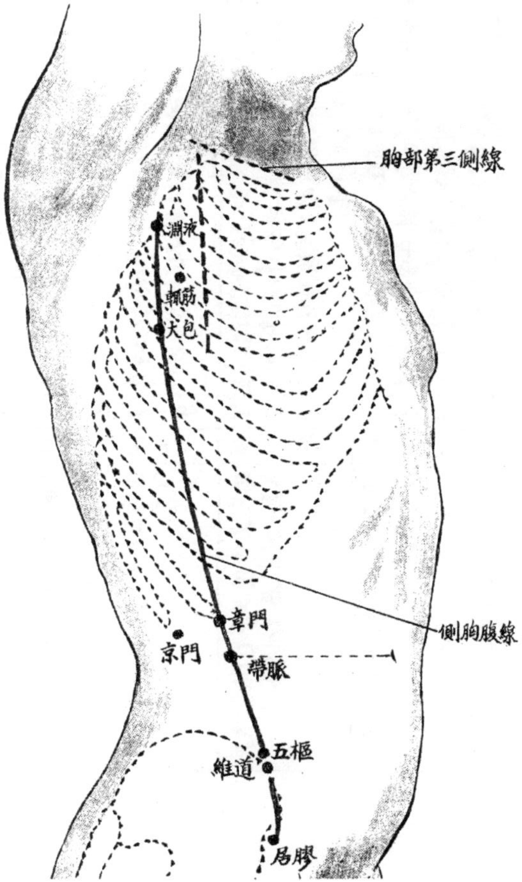

神堂	第五椎之下旁開約四横指。	在第五椎之下的兩旁，約開三寸。上有斜方肌，下有大菱形肌，有頸横脉降枝、肋間動脉後枝，分佈肩胛背神經和胸神經後枝。	3-5	5-10	心臟病、支氣管炎、喘息、背長肌痙攣、肩背痠痛。
譩譆	第六椎之下，旁開約四横指。	第六椎之下的兩旁，約開三寸，斜方肌外緣、大菱形肌下緣、背闊肌上緣，有頸横動脉降枝、肋間動脉後枝，分佈胸神經後枝。	3-5	10-30	心臟外膜炎、肋神經痛、腰背部痙攣、呃逆、嘔吐、眩暈、盗汗、瘧疾。
膈關	第七椎之下，旁開約四横指。	第七椎之下的兩旁，外開約三寸，肩胛下角之内側，背闊肌中，有肋間動脉後枝，分佈胸神經後枝。	3-5	5-20	肋間神經痛、食道狭窄、嘔吐、呃逆、流涎、腸炎。
魂門	第九椎之下旁開約四横指。	第九椎之下的兩旁，外開約三寸，背闊肌中，有肋間動脉後枝，分佈胸神經後枝。	3-5	5-20	肝臟病、胸膜炎、心内膜炎、胃痙攣、腸雷鳴、食道狭窄、食慾不振、消化不良、肌肉風濕病。
陽綱	第十椎之下，旁開約四横指。	第十椎之下的兩旁，外開約三寸，背闊肌中，有肋間動脉後枝，分佈胸神經後枝。	3-5	5-20	消化不良、胃痙攣、腹鳴、食慾不振、肝臟病、胸膜炎、心臟内膜炎、肌肉風濕病、蛔虫引起的腹痛。
意舍	第十一椎之下，旁開約四横指。	第十一椎之下的兩旁，外開約三寸，背闊肌中，有肋間動脉後枝，分佈胸神經後枝。	5-7	5-30	消化不良、嘔吐、胃擴張、腹直肌痙攣、腹鳴、食慾不振、肝臟病、胸膜炎、食道狭窄、肌肉風濕病。
胃倉	第十二椎之下，旁開約四横指。	第十二椎之下的兩旁，外開約三寸，有肋間動脉後枝，分佈胸神經後枝。	5-7	10-30	嘔吐、腹脹、腸鳴、便泌、背神經痛、水腫病。
肓門	第十三椎之下旁開約四横指。	第一腰椎之下的兩旁，外開約三寸，背闊肌中，有腰動脉後枝，分佈腰神經後枝。	5-7	10-30	各種内臟慢性疾患。胃痙攣、便泌、乳腺炎有奇效。
志室	第十四椎之下旁開約四横指。	第二腰椎之下的兩旁，横開約三寸，背闊肌中，有腰動脉後枝，分佈腰神經後枝。	7-9	10-30	生殖器的各種疾患、消化不良、嘔吐、腹瀉。
胞肓	第十九椎之下，旁開約四横指。	在第二骶椎之下的兩旁，約開三寸，皮下有臀大肌，深為臀中肌、臀小肌、臀上動脉、臀下神經、腰神經後枝、臀上皮神經。	5-7	10-30	腸炎、腸鳴、便泌、尿閉、淋病、睾丸炎、腹直肌痙攣。腰背部疼痛。
秩邊	第二十一椎之下，旁開約四横指。	在骶骨裂孔的外方，上層為臀大肌，下層為梨状肌，再深部正中為坐骨神經通路，有臀上動脉，臀上下神經由臀上、中皮神經司感覺。	5-12	20-50	膀胱炎、痔瘡、腰神經痛、坐骨神經痛。

·114·

第三章 胸部

一、正中線

璇璣華蓋與紫宮，
玉堂中庭及膻中。

璇璣	天突穴的下方約一横指臨中夹稍仰取穴。	在胸骨柄中央、左右第一肋骨之間有胸廓内動脉（即乳房内動脉）分枝，分佈頸皮神經和第一肋間神经。	2分	5—20	肋間神經痛、肺充血、扁桃腺炎、喘息、食道狭窄、胃痙挛。
華蓋	璇璣穴的下方約一横指，平对第二肋骨間。	在胸骨柄和胸骨体交界处，即胸骨角的正中，有胸廓内動脉皮枝。分佈肋間神經前皮枝。	2分	5—20	喘息、支氣管炎、胸膜炎、肺充血、扁桃腺炎、喉头炎、声門肌痙挛。
紫宮	華蓋穴的下方約二横指，臨中正对第三肋骨端。	在胸骨体的上四分之一處，有胸廓内動脉皮枝，分佈肋間神經前皮枝。	2分	5—20	胸膜炎、食道狭窄、肺充血、肺結核、支氣管炎、胃出血。
玉堂	紫宮穴的下方約二横指正对第四肋骨端。	在胸骨体的中點，有胸廓内動脉皮枝，分佈肋間神經前皮枝。	2分	5—20	胸膜炎、喘息、嘔吐、小兒吐乳、支氣管炎。
膻中	兩乳的中間，臨中正对第五肋骨端。	在胸骨体部兩乳的正中間，有胸廓内動脉皮枝，分佈肋間神經前皮枝。	2分	3—5	肋間神經痛、食道狭窄、咳嗽、支氣管炎、乳腺炎、小兒吐乳、心悸亢進。
中庭	膻中穴之下約二横指正对第七肋骨端。	在胸骨体与劍突的交界处，膻中穴下一寸六分，有胸廓内動脉皮枝，分佈肋間神經前皮枝。	2分	5—20	肺充血、喘息、扁桃腺炎、食道狭窄、嘔吐、小兒吐乳。

二、第一側線

俞府彧中到神藏，
靈墟神封與步廊。

俞府	鎖骨之下，璇璣穴之旁開約二寸。	在鎖骨下方胸大肌中，分佈胸前神經、鎖骨肌上、下神經。第一肋間神經前皮枝。	3分	5—20	肺充血、支氣管炎、肋間神經痛、胸膜炎、呃逆、嘔吐、流涎、食慾不振、呼吸困难。
彧中	第一、二肋骨之間，華蓋穴之旁約二寸。	在第一、二肋骨間，胸大肌中，有肋間動脉，分佈肋間神經和胸前神經。内容肺臟。	3分	5—20	肺充血、支氣管炎、肋間神經痛、胸膜炎、呃逆、嘔吐、食慾不振、盗汗。
神藏	彧中穴之下第二肋間，紫宮穴旁開約二寸。	在第二、三肋骨之間，胸大肌中，有肋間動脉，分佈肋間神經和胸前神經，内容肺臟。	3分	5—20	肺充血、支氣管炎、肋間神經痛、胸膜炎、喘息、呃逆、嘔吐、食慾不振、呼吸困难。

靈墟	神藏穴之下第三肋間(乳上一肋間)玉堂穴旁約二寸。	在第三、四肋骨間，胸大肌中，有肋間動脉，分佈肋間神経和胸前神経。内容肺臟。	3分	5—20	肋間神経痛、胸膜炎、支氣管炎、鼻孔閉塞，嗅覚減退、嘔吐、食慾不振、腹直肌痙攣、乳腺炎。
神封	灵墟穴之下第四肋間，平乳，膻中穴和乳中穴的中間。	在第四、五肋骨間，胸大肌中，有肋間動脉，分佈肋間神経和胸前神経，内容右肺左心。	3分	5—20	肋間神経痛、胸膜炎、支氣管炎、鼻孔閉塞，嗅覚減退，嘔吐、食慾不振，腹直肌痙攣、乳腺炎。
步廊	中庭穴之旁開二寸的肋骨間。	在第五、六肋骨間，胸大肌中，有肋間動脉，分佈肋間神経和胸前神経、内容右肺左心。	3分	5—20	肋間神経痛、胸膜炎、支氣管炎、鼻孔閉塞，嗅覚減退，嘔吐、食慾不振、腹直肌痙攣。

三、第二側線

氣户庫房屋翳穴，膺窗乳中乳根得。

氣户	鎖骨下方，璇璣穴之旁開約四寸，在乳中穴正上方。	在鎖骨下方与第一肋骨鄰近部，表為胸大肌、深為鎖骨下肌，有最上肋間動脉、分佈胸前神経、鎖骨下上神経。内容肺。	3分	5分	胸膜炎、慢性支氣管炎、横膈膜痙攣，百日咳、呃逆、呼吸困难、胸背部痙攣。
庫房	氣户穴之下約二横指，華蓋穴旁開約四寸。	在第一、二肋骨間、胸大肌中，深部為肋間肌，有肋間動脉、分佈胸前神経和肋間神経。内容肺。	3分	5—20	肺充血、支氣管炎、胸膜炎、呼吸困难。
屋翳	氣户穴之下第二肋間，紫宮穴之旁開約四寸。	在第二、三肋骨之間，胸大肌中，深部為肋間肌、有肋間動脉，分佈胸前神経和肋間神経。内容肺。	3分	5—20	咳嗽、吐血、胸膜炎、肋間神経痛、全身浮腫，全身麻痺。
膺窗	氣户穴之下第三肋間，即乳上一肋間，玉堂穴之旁開約四寸。	在第三、四肋骨間，胸大肌中，深部為肋間肌、有肋間動脉、分佈胸前神経肋間神経，内容肺。	3分	5—20	肺充血、肺実質肥大、胸膜炎、腸雷鳴、腹瀉、乳腺炎、肋間神経痛。
乳中	乳房正中，即乳头上。	第四肋間，胸大肌中，深部為肋間肌、有肋間動脉、分佈胸前神経和肋間神経。			此穴諸書都説禁針灸、無針灸法与主治症。惟《銅人針灸图》説針三分、禁灸、治乳癌有效。
乳根	乳中穴之直下一肋間。	第五、六肋骨間、有肋間動脉、分佈胸前神経和肋間神経。	3分	10—20	乳腺炎、乳房腫脹、乳汁不足、咳嗽、胸膜炎、肋間神経痛、臂神経痛。

四、第三側線

雲門中府周榮胸，天谿天池食竇終。

雲門	鎖骨下部的外端離中行約六寸。	在鎖骨外端的下面，肩胛骨喙状突的内側，胸大肌的上部，皮下有头静脉通過，深部正当腋動脉的起点。	3分	5—20	咳嗽、氣喘、扁桃腺炎、肩背部麻木或神経痛、肋間神経痛、心臟病、肺病等。

·16·

		臂神經叢、有胸肩峯動脉、分佈胸前神经、肋間神經、及鎖骨上神經。			
中府	雲門穴下方約一寸，離中行約六寸。	在前胸壁之外上方、第二肋骨之外側，胸大肌之上部，有胸肩峯動脉、胸外側動脉、分佈肋間神經和胸前神经。	3分	5—20	喘息、支氣管炎、扁桃腺炎、回歸熱、肺病、心臟病、头面和四肢浮腫、胸肌病。
周榮	中府之下，離中行約六寸，第二肋間。	第一、三肋骨之間，胸大肌中，下層為胸小肌，有胸外側動脉、分佈胸前神経和肋間神経的外側皮枝。	3分	5—20	肺充血、胸背部痛、食道狭窄、呃逆、支氣管炎、胸膜炎、肋間神經痛、嚥下困难。
胸鄉	周榮穴直下，天谿穴直上，第三肋間。	在第三、四肋骨之間，胸大肌中，下層當胸小肌之外緣，有胸外側動脉、分佈胸前神經和肋間神經的外側皮枝。	3分	5—20	肺充血、胸背疼痛、嚥下困难、流涎症、呃逆、胸膜炎、肋間神經痛。
天谿	胸鄉穴直下，第四肋間。	在第四五肋骨之間，胸大肌之外下緣，下層為前鋸肌，有胸外側動脉、分佈胸長神經和肋間神經的外側枝。	3分	5—20	肺充血、肺炎、支氣管炎、肋間神經痛、乳腺炎、乳汁不足。
天池	天谿穴与乳中穴横徑之間的肋間。	第四肋間，胸大肌中，下層為胸小肌，有胸外側動脉、分佈胸前神經和肋間神經。	3分	5—20	心臟外膜炎、腦充血、腋窩淋巴腺炎、乳腺炎、乳汁不足。
食竇	天谿穴直下，乳根穴旁開約二寸。	在第五六肋骨間，前鋸肌中，有胸外側動脉、分佈胸長神經和肋間神經的外側枝。	3分	5—20	肺充血、肺炎、肋間神經痛、胸膜炎、右側此穴治肝臟痛有卓效。

第四章　腹部

一、正中線

鳩區上中建下水，神交氣石關中極。
恥骨上緣曲骨穴，兩陰之間會陰分。

鳩尾	在胸骨下突出尖端下五分，臍上七寸。	在胸骨劍突尖端，腹白線起始部，有腹壁上動靜脉、分佈着肋間神經前皮枝、內容肝左葉。	3分	10—30	心包炎、支氣管炎、急性胃炎、腦神經衰弱、精神病、喘息、扁桃腺炎、喉头炎、肺氣腫、肋間神經痛、胃神經痛。
巨闕	鳩尾穴之下一寸，臍上六寸。	在劍突下腹白線中，有腹壁上動脉、分佈肋間神經前皮枝、內容肝左葉。	6分	20—30	心包炎、支氣管支炎、横膈膜痙攣、胃痙攣、腹直肌痙攣、腹瀉、嘔吐、食慾減退、腹脹、胸膜炎、精神病、心悸亢進。
上脘	鳩尾穴之下二寸，臍上五寸。	在臍上腹白線中，有腹壁上動脉、分佈肋間神經前皮枝。	5—8	20—30	各種胃病，即急慢性胃炎、胃擴張、胃痙攣、食慾不振、消化不良、胃出血等。慢性腸炎、腹膜炎、腸疝痛、支氣管炎、胸膜炎、腎臟炎。

中脘	上脘穴下一寸、臍上四寸。	在臍上腹白線中、有腹壁上動脈、分佈肋間神經前皮枝、正对胃小彎。	3—8	20—30	急慢性胃炎、胃擴張、胃痙攣、胃出血、食慾不振、消化不良、腹瀉、霍亂。
建里	中脘穴下一寸、臍上三寸。	在臍上腹白線中、有腹壁上動脈、分佈肋間神經前皮枝。内容胃。	5—8	20—30	水腫病、腹膜炎、嘔吐、消化不良、腹肌痙攣。
下脘	建里穴下一寸、臍上二寸。	同上	8分	20—30	胃擴張、胃痙攣、消化不良、慢性胃炎、腸炎、嘔吐、尿血。
水分	臍上一寸。	在臍上腹白線中、有腹壁上動脈、分佈肋間神經前皮枝、内容横結腸。	5分	10—20	水腫特效、餘病少用。腹部鼓脹、腹直肌痙攣、疝痛、腸雷鳴、慢性腸炎、胃擴張、食慾減退、腰背痙攣、小兒顖門陷沒。
神闕	臍窩的中央。	在臍窩的中央、有腹壁上動脈、分佈肋間神經前皮枝。深部容小腸。	禁針	20—30	慢性腸炎、下痢、水腫、腹脹、腸雷鳴、脱肛。古說此穴主治腦溢血。
陰交	臍下一寸。	在臍下腹白線中有腹壁下動脈、分佈肋間神經前皮枝。	8分	20—30	治生殖器疾病有效、特别是婦人尿道炎、子宫内膜炎、月經不調、子宫出血、産後虚脱、惡露不止等。也用於小兒顖門陷沒、睾丸神經痛、精神病。
氣海	臍下一寸五分、陰交穴下五分。	在臍下腹白線中、有腹壁下動脈、分佈肋間神經前皮枝、深部容小腸。	8分	20—30	泌尿生殖器疾病及腸病慢性闌尾炎、慢性腹膜炎、腸神經痛、腸炎、腸出血、神經衰弱、小兒發育不全、子宫出血、月經不調、痛經、膀胱炎、遺精、遺尿尤效。
石門	臍下二寸、氣海穴下五分。	在臍下腹白線中有腹壁下動脈、分佈肋間神經前皮枝、深部容小腸。	5—8	20—30	治泌尿生殖器疾病。慢性腸炎、消化不良、水腫、吐血、闌尾炎、腸系膜炎。古說婦人禁針灸、違者不孕云。

·18·

關元	石門穴下一寸、曲骨上二寸。	在腹白線中有腹壁下動静脉、分佈第十一第十二肋間神經前皮枝。深部容小腸。	8—15	20—30	消化不良、慢性腸炎、腸出血、下腹部痙攣、水腫、腎臟炎、睾丸炎、遺精、蛋白尿、淋病、尿閉、婦女慢性子宮病。
中極	關元穴下一寸、曲骨上一寸。	在恥骨上際的白線中有腹壁下動脉分佈第十二肋下神經前皮枝、和髂腹下神經。	8分	10—20	遺精、淋病、腎臟炎、腹膜炎、水腫病、尿意頻數、膀胱括約肌麻痺、不姙症、產後子宮神經痛、產後惡露不行、胎盤不下、月經不調、月經痛。
曲骨	臍下五寸、恥骨上方。	在恥骨聯合上際、左右錐体肌停止部的中間、有腹壁下動脉、陰部外動脉、分佈髂腹下神經。	5分	10—20	身体虚弱、遺精、下腹痙攣、膀胱炎、淋病、尿閉、子宮内膜炎、子宮頸糜爛、產後子宮收縮不全。
會陰	男子在陰囊与肛門的中間、女子在陰唇後連合与肛門的中間。	在球海綿体的中央、有陰部内動脉、分佈會陰神經。	禁針	10—20	陰部多汗、淋病、尿閉、便秘、月經不調、痔瘻、一般少用此穴。古書有謂針此穴救淹溺假死者[illegible]。

二、第一側線　一側幽通陰石曲，肓中四氣大横骨。

幽門	巨闕穴旁開約五分。	在上腹部腹直肌内緣、腹白線外側、有腹壁上動脉、分佈肋間神經前皮枝。	5分	20—30	上腹部膨脹、呑酸、流涎、嘔吐、肋間神經痛、眼球充血、支氣管炎、肝痛、妊娠嘔吐。
通谷	幽門穴之下一寸、上脘穴旁開約五分。	在上腹部腹直肌内緣、腹白線外側、腹壁上動脉、分佈肋間神經前皮枝。	5分	20—30	肺氣腫、喘息、嘔吐、消化不良、胃擴張、慢性胃炎、急性舌骨肌麻痺、欠伸、笑肌萎縮、眼球充血。
陰都	中脘穴旁開約五分。	同　　上	7—10	20—30	肺氣腫、胸膜炎、嘔吐、喘息、腸雷鳴、腹痛、黄疸、眼球充血、角膜白斑。
石關	建里穴旁開約五分。	在臍上腹直肌的内緣、有腹壁上動脉、分佈肋間神經前皮枝。	7—10	20—30	胃痙攣、呃逆、流涎症、便秘、淋疾、眼球充血、子宮充血、子宮痙攣。

·19·

商曲	石關穴下一寸下脘穴旁開約五分	同上	7—10	20—30	胃痙攣、腸疝痛、腹膜炎、食慾減退、黄疸、眼球充血、角膜炎。
肓俞	商曲穴之下二寸平臍旁開約五分。	在臍的兩旁，腹直肌的內緣，有腹壁下動脈，分佈肋間神經前皮枝。	10分	20—30	胃痙攣、腸疝痛、習慣性便泌、下痢、眼球充血、角膜炎、腸炎、黄疸。
中注	陰交穴旁開約五分。	在恥骨上方，腹直肌中，有腹壁下動脈，分佈肋間神經前皮枝。	7—10	20—30	便泌、腸炎、眼球充血、角膜炎、月經不調、卵巢炎、輸卵管炎、睾丸炎。
四滿	中注穴之下一寸、石門穴旁開約五分。	同上	7—10	10—30	腸炎、腸疝痛、角膜白斑、月經痛、子宮痙攣、月經不調。
氣穴	四滿穴之下一寸、関元穴旁開約五分。	在恥骨上方腹直肌中，有腹壁下動脈，分佈第十二肋下神經前皮枝。	5—10	10—30	遺精、早洩、陽萎、陰莖痛、腎臟炎、膀胱麻痺、眼球充血、角膜炎、月經不調。
大赫	氣穴穴之下一寸、離中線橫開約五分。	在恥骨上部，錐体肌的外緣，腹直肌中，有腹壁下動脈，分佈第十二肋下神經前皮枝、及髂腹下神經。	5—10	10—30	陰囊收縮、陽萎、陰莖痛、精液缺乏、遺精、早洩、眼球充血、角膜炎、慢性陰道炎。
橫骨	曲骨穴旁開約五分，恥骨上方。	在恥骨結節上緣的內部，表層為錐体肌，深層為腹直肌，有腹壁下動脈、陰部外動脈，分佈髂腹股溝神經及髂腹下神經。	5分	10—30	淋病、膀胱麻痺和痙攣、腸疝痛、遺精、眼球充血、角膜炎。

三、第二側線

不承梁關太滑門，
天外大水歸氣脉。

不容	巨闕穴旁開約二寸。	第八肋軟骨附着部下緣，皮下為腹直肌鞘前葉，再下為腹直肌，有腹壁上動脈，分佈肋間神經。	5分	10—30	肩臂諸肌痙攣或萎縮、喘息、咳嗽、嘔吐、胃擴張、肋間神經痛、腹直肌痙攣。
承滿	不容穴下一寸，上脘穴旁開約二寸。	第八肋軟骨附着部的下方，皮下為腹直肌鞘前葉，再下為腹直肌，有腹壁上動脈，分佈肋間神經。	5分	10—30	咳嗽、唾血、嚥下困难、食慾減退、腹脹、下痢、腸雷鳴、腹膜炎、黄疸。
梁門	不容穴下二寸，中脘穴旁開約二寸。	第八肋軟骨下部，皮下為腹直肌鞘前葉，再下為腹直肌，有腹壁上動脈，分佈肋間神經。	7分	10—30	治各種胃病，尤以急性胃炎、食慾減退、消化不良、胃痙攣有效。

關門	梁門穴之下一寸、建里穴旁開約二寸。	在腹直肌第二腱劃处，皮下為腹直肌鞘前葉，再下為腹直肌，有腹壁上動脉分佈肋間神經。	8分	10—35	急性胃炎、胃痙挛、胃肌衰弱症、食慾減退、消化不良、腸炎、腸疝痛、大便秘結、水腫。
太乙	臍上二寸旁開約二寸。	在腹直肌中，有腹壁上動脉、分佈肋間神經，內容橫結腸。	8 5	10—30	急性胃炎、胃神經痛、食慾不振、消化不良、腸鳴、腹脹、腸疝痛、精神病、脚氣。
滑肉門	臍上二寸旁開約二寸。	在腹直肌中，有腹壁上動脉、分佈肋間神經。	8分	15—30	癲癇、精神病、舌炎、舌下腺炎、舌腫瘍、慢性胃腸病、水腫、腎臟炎、子宮內膜炎、月經不調。
天樞	平臍旁開約二寸。	上層為腹直肌鞘前葉，下層為腹直肌，有腹壁下動脉，分佈肋間神經，正當腹直肌之最下腱劃中。	5—10	20—50	慢性胃腸病、腸炎、慢性下痢等特效。水腫病、間歇热、腎臟炎、子宮內膜炎、月經不調。
外陵	臍下一寸旁開約二寸。	在腹直肌中，有腹壁下動脉、分佈肋間神經。	8—10	10—30	腹直肌痙挛、腹下神經痛、腸痙挛。
大巨	天樞穴下二寸，陰交穴旁開約二寸。	在腹直肌中，有腹壁下動脉分佈肋間神經。	8—10	10—30	失眠、四肢倦怠、腹直肌痙挛、腸疝痛、便閉、尿閉。
水道	臍下三寸旁開約二寸。	在腹直肌下端近外處，有腹壁下動脉，分佈第十二肋下神經和髂腹下神經。	8—10	10—30	腎臟炎、膀胱炎、尿閉症、睾丸炎、脊髓炎、疝痛、脱肛、子宮病、卵巢病。
歸來	臍下四寸，中極穴旁開約二寸。	在腹直肌下端的外緣，有腹壁下動脉，分佈髂腹下神經。	5—8	10—30	睾丸炎、陰莖痛、白帶過多、卵巢炎、月經閉止、男女一切生殖器病。
氣衝	曲骨穴旁開約二寸。	在腹直肌停止部的外側，恥骨結節上外方，有旋髂淺動脉和腹壁下動脉，分佈髂腹下神經和髂腹股溝神經。	3分	10—20	男女生殖器各種疾病、腰痛有效。

急脉	歸來穴下一寸、陰莖根之旁陰毛中。	在恥骨結節之外下部，即提睾肌(男)或子宮韌帶(女)之通過处，有陰部内動脉分佈髂腹股溝神经和腰腹股溝神经。			「甲乙经」及有些針灸書，不載此穴。有的書不載療法与主治。惟「類經圖翼」云：「可灸而不可刺，病疝小腹痛者，即可灸之。」

四、第三側線　期門日月腹哀横，腹結腹舍到衝門。

期門	乳正中下方肋弓的边緣。	在第九肋軟骨附着部的下緣，皮下為腹外斜肌，下層為腹内斜肌，再深為腹横肌，有腹壁上動脉，分佈肋間神經外側皮枝。	4分	10—20	胸膜炎、腎臟炎、咳嗽、喘息、吞酸、腹瀉、腹膜炎、高血压症、傷寒症主穴、肠痛、肋間痛、难產。
日月	期門穴之下五分。	在第九肋軟骨下，腹外斜肌中，有腹壁上動脉、分佈肋間神經的外側皮枝。	5分	10—20	胃疾患、肝疾患、黄疸、横膈膜痙攣、腸疝痛、鼓腸。
腹哀	離中線旁開約四寸，大横穴上一寸半。	在腹内外斜肌部，有腹壁上動脉，分佈肋間神经外側皮枝。	7分	10—20	胃潰瘍、胃痙攣、胃酸過多或過少、消化不良、腸出血、便血。
大横	平臍，離中線旁開約四寸。	在腹内外斜肌部，有腹壁淺動脉，分佈肋間神经。	10分	10—30	流行性感冒、四肢痙攣、寄生虫病、多汗症、慢性下痢、腸炎、習慣性便秘。
腹結	大横穴下一寸三分。	在腹内外斜肌部，有腹壁淺動脉，分佈肋間神经，内容小腸。	7分	10—30	咳嗽、腹膜炎、腸神经痛、陽萎症、痢疾、脚氣。
府舍	衝門穴之上七分，離中線旁開約四寸。	在腹股溝韌帶中点稍上方，有腹外斜肌腱膜、腹内斜肌腱膜、腹壁下動脉，分佈旋髂淺動脉及髂腹下神經和髂腹股溝神经。右有盲腸下部，左有乙状結腸的下部。	7分	10—30	脾腫、鉛中毒、便秘、闌尾炎、霍乱、腹部麻木。

·22·

衝門	曲骨穴(恥骨上缘正中)旁開约四寸。	在髂前上棘的内下方,腹股溝韌帶中点的下缘,有腹壁下動脉和旋髂淺動脉分佈髂腹股溝神经。	7分	10—20	睾丸炎、精索神经痛、子宫内膜炎、淋病、腹脹、胃痙攣、乳腺炎。

第五章 側胸腹部

側胸腹線　輒筋淵液到大包,章帶五維京居髎。

輒筋	在天谿穴与淵腋穴的中間離中行横開约六寸半。	在乳後第四肋間,胸大肌之外側,前鋸肌中,有胸外側動脉,分佈胸長神経和肋間神经外側皮枝。	5分	10—20	嘔吐、吞酸、神经衰弱、流涎症、下腹部的炎症、四肢痙挛。
淵腋	腋下三寸,平乳,舉臂得之。	在側胸腹部腋中線上,第四肋間,前鋸肌和肋間肌中,有肋間動脉和胸外側動脉,分佈肋間神经和支配前鋸肌的胸長神经,内容肺。	4分	3—5	胸膜炎、肋間神经痛、胸肌痙挛。
大包	腋下六寸,第六、七肋骨間。	在側胸腹部第六、七肋骨間前鋸肌中,有胸外側動脉,分佈肋間神经的外側皮枝和胸長神经,内容肺,但右側与肝接近。	3分	10—20	心内膜炎、喘息、胸膜炎、肋間神经痛。
章門	在第十一肋骨前端。	在側腹部第十一肋軟骨尖端,腹内外斜肌中,有肋間動脉,分佈肋間神经,右側内容肝下缘,右側内為脾臟下方。	6—8	20—50	腸雷鳴、消化不良、胸腹部疼痛、腹膜炎、喘息、嘔吐、寄生虫病、腰神经痛、背脊神经痙挛、胸膜炎、黄疸、高血压。
帶	章門穴之下一寸八分,平臍。	第十一肋軟骨之游離端直下,腹内外斜肌中,右為升結腸部	8分	10—30	月经不調、子宫神经痛、子宫内膜炎、腰肌疼痛。

·23·

脈		左為降結腸部,有腹壁上動脉,分佈肋間神經。			
五樞	章門穴之下四寸八分,帶脈穴之下三寸。	在髂前上棘之上部,腹内外斜肌之下緣,有旋髂淺動脉,分佈髂腹下神經皮枝。	7分	10—30	泌尿器疾病,胃痙攣,腸疝痛,肩胛部和背部腰部神經痛,睾丸炎,子宮神經痛,子宮内膜炎,便秘等均有效。
維道	五樞穴之下五分。	在髂前上棘的上方,髂骨嵴邊緣,腹内外斜肌下緣,有旋髂淺動脉,分佈髂腹下神經,髂腹股溝神經。	8分	10—30	闌尾炎,腎臓炎,睾丸炎,嘔吐,食慾減退,子宮病,腸炎,腹水。
居髎	五樞穴之下一寸五分。	在闊肌膜張肌之前緣,髂前上棘之下方凹陷部,有旋髂淺動脉,分佈股外側皮神經。	8分	10—30	腰痛,下腹部痙攣,睾丸炎,腎臓炎,闌尾炎,月經不調,子宮内膜炎,白帶過多症,膀胱炎。
京門	章門穴旁開約一寸八分,最下的短肋骨前端。	在側腹部第十二肋軟骨之尖端,腹外斜肌和腹内斜肌中,有腹壁上動脉之分枝,分佈肋間神經。	7分	20—30	腎臓炎,腸神經痛,嘔吐,腸雷鳴,肩胛神經痛,肋間神經,腰痛,高血压症。

第六章　上肢部

一、前外側線　少商魚際經渠缺,孔最尺澤府俠白。

少商	大指橈側距爪甲角約一分。	在拇指末節爪廓之橈側,有指掌側固有動脉形成的動脉網,分佈正中神經而來的指掌側固有神經和橈神經的淺枝。	1分	3分	腦充血(卒到,臉部潮紅),口頰炎,喉头炎,食道狭窄,黄疸,呃逆,齒齦出血,舌下軟瘤,手指痙攣,腮腺炎,扁桃腺炎,失眠,盜汗,小兒搐搦。

魚際	大指本節後的橈側太淵穴的前方一寸。	在第一掌骨基底与舟状骨的關節部，即外展拇短肌的停止部，有橈動脉分枝，分佈橈神經淺枝。	3分	3分	头痛、头暈、神經性心悸亢進、失眠、多汗、扁桃腺炎。
太淵	掌後横紋上，橈動脉側。	在橈側屈腕肌腱的外側，外展拇長肌腱的内側，旋前方肌的下緣，舟状骨結節之外上部，有橈動脉，分佈前臂外側皮神經和橈神經。	2分	3分	肺氣腫、肺和支氣管出血、咳嗽、肋間神經痛、前臂神經痛、結膜炎、角膜炎、失眠症。
經渠	腕上一寸，橈動脉側。	在橈側屈腕肌腱与外展拇長肌腱之間，旋前方肌中，為橈動脉、静脉之通路，分佈前臂外側皮神經和橈神經。	2分	禁灸	扁桃腺炎（喉痺、喉風、喉癰、乳蛾）、喘息、食道痙攣、嘔吐、呃逆、欠伸、橈神經痛或麻痺。
列缺	經渠穴後外方約半寸。	在橈骨之橈側，莖突之上方，外展拇長肌腱的外緣，旋前方肌中，有橈動脉分枝，分佈前臂外側皮神經和橈神經。	2分	5—10	顏面神經痙攣或麻痺、三叉神經痛、头痛、牙痛、喘息、偏癱。
孔最	離列缺穴五寸五分，離尺澤穴五寸。	在橈骨前面，上層是肱橈肌之内緣，下層為屈拇長肌之外緣，深部有橈動脉和橈神經通過，分佈前臂外側皮神經。	5分	5分	肺出血、咳嗽、嘶嗄、咽喉炎、發熱汗不出、臂痛、手關節痛。
尺澤	肘窩横紋的橈側，兩肌中間。	在肱橈關節部，肱二头肌腱的外方，肱橈肌起始部，有橈返動脉，分佈橈神經和前臂外側皮神經。	3分	5分	肺結核、咯血、支氣管炎、胸膜炎、喘息、四肢麻痺、膝就拮的肌麻痺、精神病、前臂部痙攣、小兒驚風、肩胛神經痛、偏癱。
俠白	天府穴下一寸，肱二头肌外側溝。	在肱骨之前外側中央部，即肱二头肌外緣，头静脉之通路，有橈側副動脉，分佈臂外側皮枝神經。	3分	10—20	心臟病、胸背神經痛、神經性心悸亢進、惡心。

·25·

天府	腋平線下三寸，肘上五寸，肱二头肌外側有靜脈处，病人手平举鼻尖所接触处。	在肱骨之前外側上部，即肱二头肌外側溝中，當头靜脈通路，分佈肌皮神經及臂外側皮神經。	4分	5分	腦充血、肺出血、鼻衄、嘔吐、支氣管炎、头暈、精神病、風濕性關節炎、肩胛一部神經痛、間歇熱、煤氣中毒。

二、前內側線

少衝少府神陰里，靈道少海青靈極。

少衝	小指橈側(即無名指側)，距指甲角約一分。	在小指第三節之橈側，爪甲之旁，有指掌側固有動脈形成的動脈網，分佈尺神經之分枝。	1分	3—5	熱病後衰弱、胸膜炎、肋間神經痛、神經性心悸亢進、上肢神經痙攣、喉头炎。
少府	在小指本節後、骨縫陷中。	在第四五掌骨之間，即对掌小指肌的橈側，有指掌側總動脈，分佈尺神經之分枝。	2分	5—10	肋間神經痛、尿閉或遺尿、月經過多、陰門瘙痒、神經性心悸亢進、間歇熱、臂神經痛。
神門	在掌後尺側銳骨之端陷中，陰郄穴前五分。	在豆骨与尺骨之關節部，即尺側屈腕肌腱之橈側，當尺動脈和尺神經之通路，有前臂內側皮神經及尺神經掌皮枝。	3分	10—20	心臟肥大、鼻膜炎、舌肌麻痺、食慾減退、產後失血、淋巴腺炎、神經性心悸亢進、扁桃腺炎、失眠等均效。為精神病和心臟病的要穴。
陰郄	距腕橫紋約五分，通里穴前五分。	在尺側屈腕肌腱与屈指淺肌之間，為尺動脈及尺神經之通路，分佈前臂內側皮神經。	3分	10—20	头痛、眩暈、鼻血、神經性心悸亢進、扁桃腺炎、急性舌骨肌麻痺、胃出血、呃逆、子宮內膜炎。
通里	腕側後一寸，靈道穴前半寸陷中。	在尺側屈腕肌腱与屈指淺肌之間，為尺動脈、尺神經之通路，分佈前臂內側皮神經。	3分	10—20	头痛、眩暈、神經性心悸亢進、扁桃腺炎、急性舌骨肌麻痺、眼球充血、上肢痙攣、精神病、月經過多、遺尿。
靈道	掌後一寸五分，通里穴後五分。	在尺骨下部之前內側，尺側屈腕肌腱之橈側，為尺動脈和尺神經的通路，分佈前臂內側皮神經。	3分	10—20	心內膜炎(心痛)、癔病、急性舌骨肌麻痺或萎縮、惡心、腳關節炎、肘部神經痛、尺神經麻痺。

少海	肘内侧横距肘端五分陷中	在肱二头肌腱之内方，肱前肌停止部，肱骨内上髁之前面，有尺泽下副动脉分佈臂内侧皮神经和前臂内侧皮神经。	2—3	10—20	腺病、手指厥冷、精神病、牙痛、头痛、眩晕、肋間神經痛、三叉神經痛、頸肌收縮不能回顧、臂肋部痙攣、肺結核、胸膜炎。
青靈	少海上三寸。	在肱骨之前内側，肱二头肌内缘皮下有貴要静脉，深部为肱動脉、尺神經及正中神經之通路，有臂内側皮神經。	禁針	5—10	額神經痛、肋間神經痛、肩胛及肱部痙攣、間歇熱。
極泉	腋窩内，两肌中間。	在胸大肌下缘，肱二头肌短头之内側缘，深部正當腋動脉移行於肱動脉之接續部，有尺神經及正中神經通過，臂内側皮神經。	5分	5—10	心包炎、肋間神經痛、胸脇部神經痙攣、癔病、肘臂厥冷、惡心。

三、正前中線　中衝勞宫大内使，郄門曲澤天泉止

中衝	中指的正尖端距指甲約一分	在中指末節尖端，有指掌側固有動脉形成動脉網，分佈正中神經的指掌側総神經。	1分	3分	咽頭炎、小兒消化不良、腦充血、热病不發汗。
勞宫	在掌中央。	在第三、四掌骨之間，掌腱膜中，有尺、橈動脉合成的掌淺弓，及正中神經与尺神經合成的指掌側総神經。正中神經司皮肤感覚。	2—3	3分	血压亢進、血管硬化、嚥下困难、食慾不振、口腔炎、黄疸、咽血、小兒齒齦炎、指端知覚異常。
大陵	以中指為直線，在手腕横紋陷中。	在腕關節之掌側面横紋正中之凹陷部，掌長肌腱与橈側屈腕肌腱之間，腕横韌帯後缘，深部有正中神經通過，有掌側骨間動脉，正中神經掌皮枝。	3分	10—20	心肌炎、心臟内外膜炎、肋間神經痛、腋窩淋巴腺炎、扁桃腺炎、头痛、發热、疥癬、急性胃炎、胃出血、失眠。

·27·

内關	大陵穴上二寸、兩肌中間。	在橈骨与尺骨之間、掌長腱与橈側屈腕肌腱之間、深部有正中神経通過、有掌側骨間動脈、前臂内側皮神経。	3-5	5-10	心肌炎、心臟内外膜炎、心悸亢進、蘘扁、眼球出血、肘臂神経痛、胃神経痛、産後虚脱。
間使	掌後三寸、内關穴上一寸、兩肌之間。	同　上	3-5	5-10	心肌炎、喉头炎、胃炎、中風、憂鬱症、月経不調、子宮充血、子宮内膜炎、小兒驚風。
郄門	掌後五寸、距間使穴二寸、兩肌之間。	在橈、尺骨之間、掌長肌腱与橈側屈腕肌腱之間、深部為正中神経之通路、有掌側骨間動脈、前臂内、外側皮神経。	4分	5分	心肌炎、胃出血、鼻血、呃逆、精神病。
曲澤	肘内側横紋上凹陥中。	在肘窩正中、肱骨和前臂骨的関節部、肱二头肌腱的尺澤緣、當肱動脈及正中神経之通路、皮下有肘正中靜脉、臂内側皮神経。	3-5分	5-10	心肌炎、支氣管炎、臂神経痛、嘔吐、中暑、妊娠惡阻。
天泉	在臂的前内側、腋平線下二寸。	在肱骨前内側、肱二头肌兩头之間、有肱動脉之分枝、分佈臂内側皮神経。	5分	3-5	心内膜炎、心悸亢進、肋間神経痛、上腹部膨脹、呃逆、嘔吐、視力減退、肺充血、支氣管炎。

四 後外側線

商陽二三合谷線，陽谿偏溫上下康，
手三曲池肘髎穴，五里臂臑角肌邊。

商陽	食指橈側、距指甲約一分。	在食指爪廓之橈側、有指掌側固有動脉形成的動脉網、分佈正中神経的指掌側固有神経。	1分	3分	胸膜炎、喘息、間歇熱、腦充血、顏面組織炎、口部諸肌萎縮、口腔炎、喉头炎、齒痛、耳聾、耳鳴。
二間	食指橈側本節前横紋头陥中。	在食指橈側第一節指骨基底的前方、有橈動脉的指背動脉、分佈橈神経淺枝。	3分	3分	喉头炎、扁桃腺炎、食道狭窄、急性口輪諸肌萎縮、肩背和臂神経痛、黄疸、鼻血、牙痛。

三間	食指本節後、橈側陷中。	在食指橈側，第二掌骨小头之後方，握拳時正当第二掌骨与第一背側骨間肌之間，指背动脉，分佈橈神經淺枝。	3分	5—10	扁桃腺炎、呼吸困难、痰阻塞、肩背痛、臂神經痛、牙痛、腸雷鳴、腹瀉、眼瞼痒痛。
合谷	手大指次指歧骨之間，靠近次指边缘。	在第一、二掌骨之間，第二掌骨之橈側，第一背側骨間肌中，有橈动脉的指背动脉，分佈橈神經淺枝	5分	5—20	头痛、肩胛痛、角膜白斑、視力减退、耳聾、耳鳴、鼻血、牙痛、扁桃腺炎、呼吸困难、痰阻塞、喘息、窒息、虚脱、失眠、盗汗、月經闭止、神經衰弱。
陽谿	腕的橈側两肌之間，正对合谷穴。	在舟状骨、橈骨之間，橈腕関節之橈側陷中，当伸拇短長肌腱之間，橈動脉的後方，有橈動脉分枝，橈神經淺枝。	3分	5—20	头痛、耳鳴、耳聾、扁桃腺炎、牙痛、偏瘫、小兒消化不良。
偏歷	在腕後三寸。	在橈骨遠位之背側面，伸拇短肌腱与外展拇長肌腱之间，有橈動脉分枝，分佈橈神經淺枝和前臂外側皮神經。	3分	5—20	鼻血、耳鳴、耳聾、牙痛、肩胛以下至腕部的神經痛及麻痺或痙挛、喉头炎、扁桃腺炎。
温溜	陽谿穴之上六寸，曲池穴之下六寸。	在橈側伸腕短肌肌腹之下、橈骨之背側，有橈動脉分枝，分佈前臂側皮神經。	3分	5—30	腸雷鳴、下腹痉挛、舌炎、口腔炎、癰疽、腮腺炎、扁桃腺炎、前臂痛。
下廉	上廉穴下一寸，曲池穴上四寸。	在橈骨之橈側，伸腕短肌中，有橈動脉分枝，分佈橈神經和前臂背側皮神經。	4分	5—20	膀胱麻痺、血尿、下腹部痉挛、腸雷鳴、心前區痛、喘息、支氣管炎、胸腺炎、肺結核、乳腺炎。
上廉	手三里穴下一寸，曲池穴之下三寸（微向外）。	在橈骨之橈側，伸腕長肌之後方，伸腕短肌之上方，有橈動脉分枝，分佈橈神經和前臂背側皮神經。	4分	5—20	膀胱麻痺、淋病、偏瘫、中風、喘息、腸雷鳴。
手三里	曲池穴下二寸，曲肘肌肉高处。	同上	5分	5—20	牙痛、口頰炎、頸淋巴腺炎、肘臂神經痛、偏瘫、中風、顔面神經麻痺、乳腺炎、腮腺炎、感冒。

·29·

曲池	屈肘横紋头陷中。	在肱骨外上髁与橈骨的関節部之橈側。橈側伸腕長肌起始部，肱橈肌之外側有橈返動脉，分佈橈神经和前臂背側皮神经。	5—8	10—30	扁桃腺炎、臂神经痛、肩胛神经痛、偏瘫、脳充血、腦膜炎、肋間神経痛、神经衰弱、貧血。
肘髎	曲池穴上一寸，肘的大骨外側陷中。	在肱骨外上髁的上方，肱橈肌的起始部，肱三头肌外缘，有橈側副動脉分佈臂背側皮神经。	3分	5—10	臂神经痛、肩臂部風湿性関節炎、上肢麻痺。
五里	肘上三寸，臂臑穴下四寸。	在肱骨的外側，肱三头肌外缘，深部為橈神经溝的下部，乃橈神经之通路，有橈側副動脉分佈臂外側皮神经和臂背側皮神经。	禁针	5—20	肺炎、腹膜炎、咳嗽、風濕病、腺病、前臂神经痛、四肢運動神经麻痺、嗜眠、頸淋巴腺結核、恐怖症。
臂臑	肩髃穴下三寸，肘上七寸。	在肱骨的外側、三角肌尖端的後緣，肱三头肌的外缘，有旋肱後動脉、分佈腋神经和臂背側皮神经。	3分	5—20	臂神经痛、顱頂部諸肌痙挛、頸淋巴腺結核、头痛。治眼目欠明有效。

五、後内側線　少澤前谷後谿腕陽谷養老支海連

少澤	小指端尺側距指甲約一分。	在第五指骨末節爪廓之尺側、有尺動脉之指掌側固有動脉分佈尺神经之指掌側固有神经。	1分	3—5	咳嗽、头痛、扁桃腺炎、心臟肥大、前臂神经痛、頸項神经痙挛、角膜白斑、產後乳閉、乳腺炎。
前谷	手小指本節之前横紋外側陷中。	在第五指骨第一節基底的前方尺側，有尺動脉的指背動脉、尺神经的指背神经。	1分	3分	癲癇、呃逆、吐血、扁桃腺炎、耳鳴、鼻塞、前臂神经痛、產後乳閉、乳腺炎。
後谿	手小指外側本節後掌横紋头陷中。	在第五掌骨小头後方之尺側，外展小指肌与第五掌骨之間，有尺	2分	5—10	瘧疾、肘臂痙挛、癲癇、鼻血、耳聾、角膜炎、角膜白斑、疥瘡、扁桃腺炎。

谿		動脉的指背動脉、分佈尺神経的指背神經。			
腕骨	手外側、腕豆骨的旁側。	在第五掌骨基底与三角骨之間、尺側伸腕肌停止部的外緣外展小指肌中.有尺動脉分佈尺神經的背枝。	3分	5—20	肋腕部及五指関節炎、口頰炎、角膜白斑、溢涙症、耳鳴、头痛呕吐、胸膜炎。黄疸。
陽谷	手外側、腕中鋭骨的前面、陥中。（鋭骨即尺骨莖突）	在尺骨莖突与三角骨之間尺側伸腕肌腱之尺側緣有腕骨側動脉分佈尺神經的背枝。	2分	5—20	目眩、头暈、耳鳴、耳聾、癲癇、口腔炎、齒齦炎、肋間神经痛、尺神经痛、小兒驚風。
養老	手髁骨上、腕上二寸。	在尺骨背面尺骨小头之上方尺側伸腕肌腱、腕背側動脉分佈尺神經背枝、及前臂内側神經。	3分	5—20	肩臂運動神经痉挛和麻痺、眼球充血、視力減退。
支正	腕後五寸。	在尺骨後面之中央、尺側伸腕肌之尺側緣、有背側骨間動脉、分佈前臂内側皮神經。	3分	5—20	精神病、腦神經衰弱、眩暈、头痛、顔面充血、臂神經痛、肘臂痙挛、手指疼痛、握手不能、眼瞼麥粒腫。
小海	肘大骨外側、横去肘端五分。	在肱骨的内上髁和尺骨鷹嘴的中間尺神經溝中、尺側屈腕肌起始部有尺神经、尺側下副動脉、分佈臂内側及前臂内側皮神經。	2分	5分	頸部組織炎、肩肘臂諸肌痉挛、尺神经痛、听覚器麻痺、齒齦炎、舞蹈病、小腹痛。

六、後正中線　　關液渚池外支會，三四天清消臑對，
十指尖端十宣穴，大小骨空中魁覔。

關衝	無名指尺側（小指側）、距指甲約一分。	在第四指骨第三節的尺側、爪廓之旁有掌側固有動脉形成的動脉網、分佈尺神經的指掌側固有神經。	1分	3分	惡心、头痛、食慾減退、肘臂神經痛、角膜白斑、小兒消化不良。

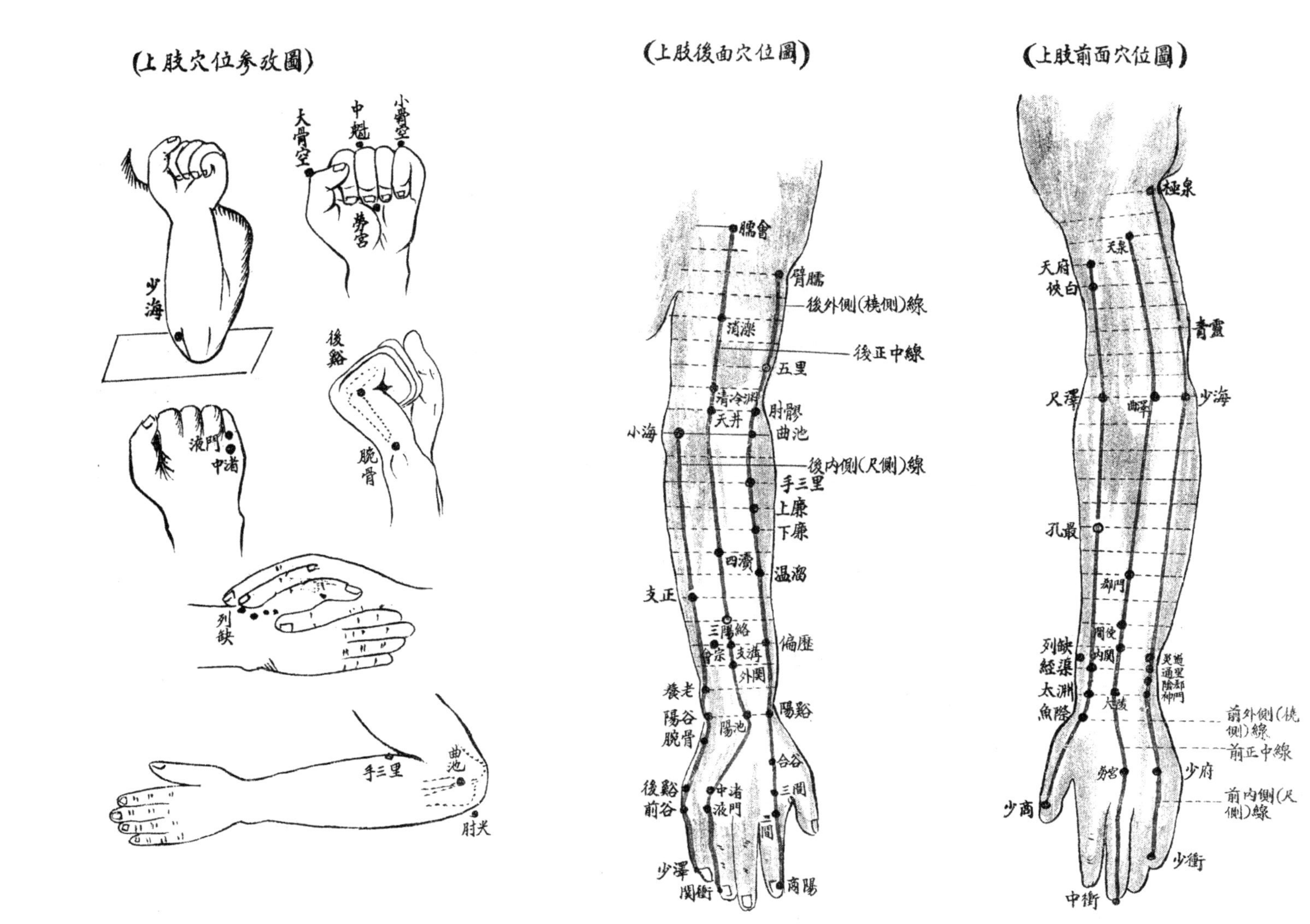
(上肢穴位參攷圖)
天骨空
中魁
小骨空
勞宮
少海
後谿
腕骨
液門
中渚
列缺
手三里
曲池
肘尖
(上肢後面穴位圖)
臑會
臂臑
後外側(橈側)線
消濼
後正中線
五里
清冷淵
肘髎
天井
小海
曲池
後內側(尺側)線
手三里
上廉
下廉
四瀆
溫溜
支正
三陽絡
偏歷
會宗
支溝
外關
養老
陽谿
陽谷
陽池
腕骨
合谷
後谿
中渚
三間
前谷
液門
少澤
關衝
商陽
(上肢前面穴位圖)
極泉
天泉
天府
俠白
青靈
尺澤
曲澤
少海
孔最
郄門
間使
列缺
內關
經渠
太淵
大陵
魚際
靈道
通里
陰郄
神門
前外側(橈側)線
前正中線
勞宮
少府
前內側(尺側)線
少商
少衝
中衝

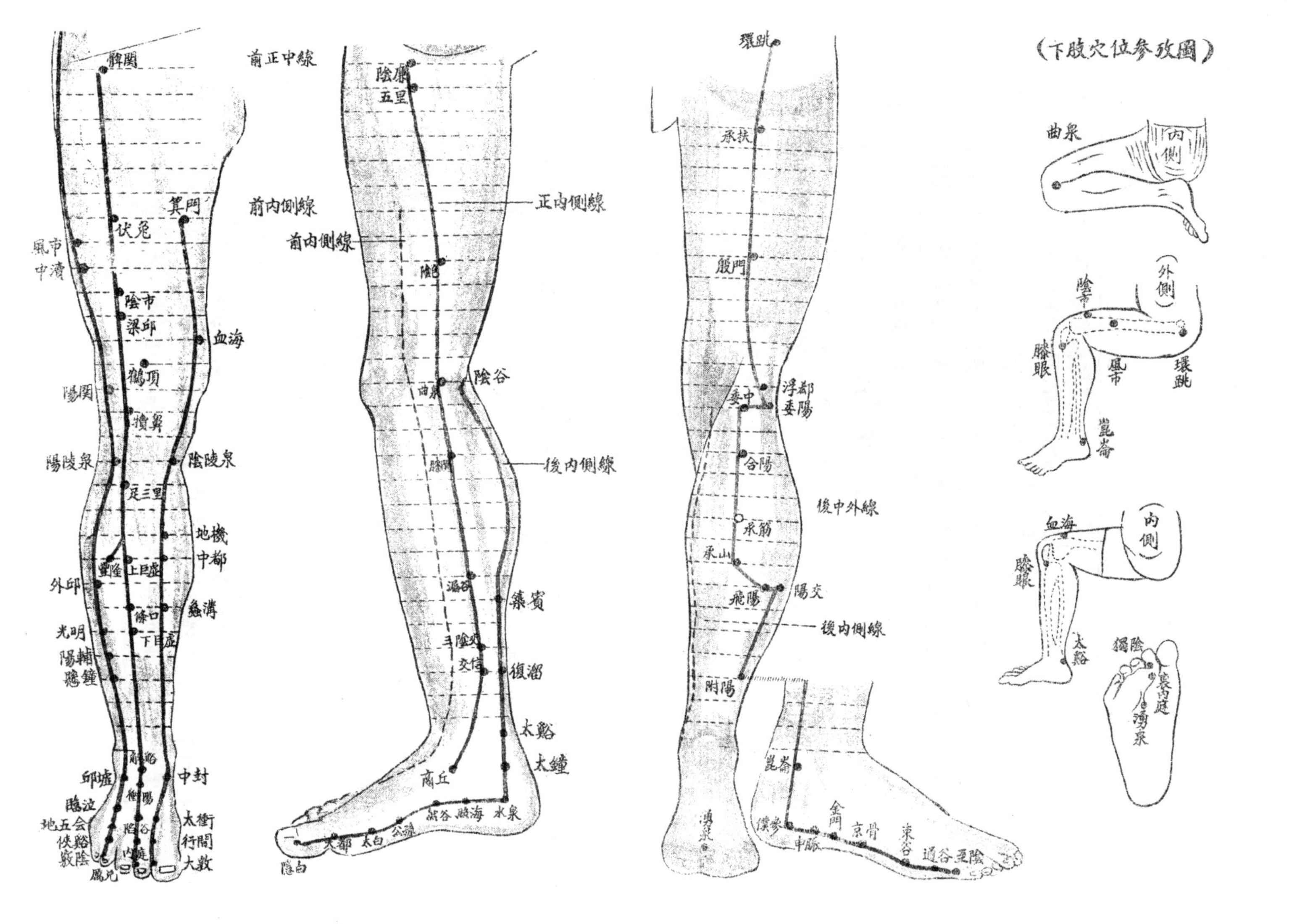
《下肢穴位参攷圖》
髀關
伏兔
陰市
梁邱
鶴頂
犢鼻
足三里
上巨虛
條口
下巨虛
豐隆
風市
中瀆
陽關
陽陵泉
外邱
光明
陽輔
懸鐘
邱墟
臨泣
地五会
俠谿
竅陰
箕門
血海
陰陵泉
地機
中都
蠡溝
中封
太衝
行間
大敦
前正中線
前內側線
正內側線
後內側線
陰廉
五里
陰谷
商丘
水泉
太谿
太鐘
復溜
築賓
交信
三陰交
隱白
太都
太白
公孫
環跳
承扶
殷門
浮郄
委陽
委中
合陽
承筋
承山
飛陽
陽交
附陽
後中外線
崑崙
僕參
申脈
金門
京骨
束谷
通谷
至陰
湧泉
曲泉
內側
外側
膝眼
風市
血海
太谿
獨陰
裏內庭

液門	無名指本節前靠小指一側。	在無名指掌指関節的前方尺側、有尺動脈的指背動脈、分佈尺神經的指背神經。	1分	3分	貧血性头痛、眩暈、耳鳴、耳聾、齒齦炎、角膜白斑、肘臂部痙挛或麻痺、精神病。
中渚	無名指本節後。	在第四掌骨小头的後方尺側的骨間陥中、有第四骨间指背動脉、分佈指背神經。	3分	5|10	眩暈头痛、耳聾、喉头炎、角膜白斑、臂神經痛、肘腕部関節炎、五指不能伸屈。
陽池	在手背腕上横紋陥中、与陽谿穴相隔一肌。	在尺骨和腕骨的関節部、伸指総肌腱的橈側、有腕背側動脉、分佈尺神経背枝和橈神經淺枝。	3分	3分	間歇热、糖尿病、腕関節炎、感冒、風濕病、前臂諸肌痙挛或麻痺。
外關	在陽池穴後二寸两肌间。	在伸指総肌和固有伸小指肌之間、有背側骨間動脉、分佈前臂側皮神經和橈神經的肌枝。	5分	10|30	耳聾、肘臂神經痛、上肢関節炎、牙痛、眼病、四肢倦怠、失眠、感冒。
支溝	在外関穴上一寸、两肌间。	在橈骨尺骨之間、伸指総肌和固有伸小指肌之間有背側骨间動脉、分佈前臂側皮神經和橈神經肌枝。	5分	5|10	胸膜炎、心肌炎、肋间神經痛、臂神經痛、急性舌骨肌痙挛、嘔吐、便秘、産後血暈、小葉性肺炎。
會宗	支溝穴旁偏小指一側、腕後三寸。	在尺側伸腕肌和固有伸小指肌之间、有背側骨動脉、分佈橈神經肌枝、前臂内側皮神經和前臂背側皮神經。	3分	5|20	舞蹈病、听覺器麻痺、臂及前臂神經痛或痙挛或萎縮。
三陽絡	陽池穴後四寸、支溝穴後一寸。	在橈骨尺骨之間、伸指総肌和固有伸小指肌之间陥中、下層有伸拇長、短肌、有背側骨间動脉、分佈橈神經肌枝、前臂背側皮神經。	禁針	5|20	耳聾、下齒神經痛、眼病、臂及前臂神經痛、痙挛、萎縮。

四瀆	肘前五寸，在支溝穴、三陽絡穴一線。	在橈骨和尺骨之間，伸指總肌与尺側伸腕肌之間，有背側骨間動脉，分佈橈神經肌枝、前臂背側皮神經。	6分	5—20	喉头炎、腎臟炎、臂及前臂神經痛或痙挛或麻痹。耳聾、下齒痛。
天井	肘尖上寸（肩的方向）一寸陷中。	在肱骨後面，鷹嘴突起的上方，肱三頭肌腱之中，有肘關節動、靜脉網，分佈臂後及臂内側皮神經和橈神經肌枝。	3—5	5—20	支氣管炎、喉头炎、癲狂、憂鬱症、耳聾、眼瞼緣炎、頸項神經痛、中風、咳嗽、扁桃腺炎。
清冷淵	肘上二寸，天井穴上一寸。	在肱骨的後側，鷹嘴突起的尖端上方，肱三头肌腱中，有中側副動脉，分佈臂背側皮神經，和橈神經肌枝。	3分	5—20	肩胛部前臂部痙挛或麻痹。
消濼	天井穴上四寸、臑会穴下四寸。	在肱骨的後面，橈神經溝之附近，肱三头肌中，有中側副動脉，分佈臂背側皮神經和橈神經肌枝。	5分	5—20	头痛、枕神經痛、頸項部組織炎、肩胛部諸肌痙挛、癲癇、風濕性関節炎。
臑會	臂上端背面，肩头直下三寸，消濼穴上方四寸。	在肱骨上端背面大粗隆之後下方，三角肌下緣，肱三头肌外側头之上部，有旋肱後動脉，分佈腋神經、臂背側皮神經。	5—7	5—20	肩胛部及肱部肌肉痙挛和麻痹、頸項部之炎症。
〔附〕十宣穴	手十指尖端。	在手各指末節的尖端，有指掌側固有動脉形成的動脉網，分佈指掌側固有神經。	一分出血	10分	休克虚脱、扁桃腺炎、癔病、脳膜炎、腦炎、失語症。
大小骨空	握拳大小指第二節骨尖微前。	拇指小指第一節骨之前端，第二節上端，有指背神經。	禁針	5—7	目内障、流淚、角膜白斑。
中魁	握拳中指第一、二節関節之尖端上。	中指第一、二節関節部之前端，有指背神經。	禁針	5—7	胃痛、五噎、翻胃有效。

·33·

第七章　下肢部

一、前外側線　竅陰侠谿五會臨，邱墟懸鐘陽輔明，外邱陽陵陽関穴，中瀆風市新建成。

竅陰	足第四趾外側前端、距趾甲約一分。	在第四趾骨第三節的外側爪廓之旁、有来自脛前的趾背動脉、分佈来自腓淺神經的趾背神經。	1分	3—5	胸膜炎、心臟肥大、呃逆、头痛、口内乾燥、耳聾、眼球疼痛、腦貧血、咳血、乳腺炎。
侠谿	足小趾、四趾歧骨間、本節之前。	在第四趾的蹠趾関節之前外側、第四、五伸趾長肌腱之間有趾背動脉、分佈腓淺神經的趾背神經。	3分	3—5	耳聾、眩暈、腦充血、下肢麻痺、肋間神經痛、肺充血、咳血、乳腺炎。
地五會	足小趾、四趾本節之後、陷中、去侠谿穴一寸。	在第四、五蹠骨間的前端、第五伸趾長肌腱之前、有脛前動脉的足背動脉、分佈腓淺神經的足背中間皮神經。	2分	禁灸	腋下神經痛、乳腺炎、風濕病、足背神經痛、肺結核、咳血。
臨泣	足小趾四趾本節後之間、陷中、去侠谿穴一寸五分。	在四五蹠骨之間之後、第五伸趾長肌腱之後、有足背動脉、分佈足背中間皮神經。	3分	3—5	間歇熱、全身麻痺或疼痛、心内膜炎、眩暈、呼吸困难、月經不調、乳腺炎、神經轉移性疼痛、畏寒、頸淋巴腺結核。
邱墟	外踝之下、前方陷中。	在外踝前下緣、骰子骨後上方、腓骨短肌腱上緣、伸趾短肌上端、有脛前動脉的外踝前動脉、分佈腓腸神經的足背外側皮神經。	5分	5—20	腓腸肌痙攣、坐骨神經痛、脚氣、肺充血、胸膜炎、呼吸困难、腸疝痛、腋下腫痛、角膜炎、角膜白斑。
懸鐘	外踝之上三寸。（又名絶骨穴）	在腓骨前緣伸趾長肌与腓骨短肌分歧部、有脛前動脉分枝、分佈腓淺神經、腓腸外側皮神經	6分	5—20	下肢神經痛、偏癱、脚氣、扁桃腺炎、腎臟炎、鼻血、急性鼻膜炎、頸項部疼痛、中風、血管硬化症。

·34·

陽輔	外踝之上四寸。	在腓骨前緣、伸趾長肌与腓骨短肌之間，有脛前動脈分枝，分佈腓淺神經及腓腸外側皮神經。	6分	5—20	腰痛、膝関節炎、全身疼痛、扁桃腺炎、腋窩淋巴腺炎、頸淋巴腺結核。
光明	外踝之上五寸。	在腓骨前緣、伸趾長肌和腓骨短肌之間，有脛前動脈分枝，分佈腓淺神經和腓腸外側皮神經。	6分	5—20	脛腓部神經痛、腓腸肌痙攣或萎縮、脚氣、精神病也有效。
外邱	外踝之上七寸。	同　上	4分	3—5	腓腸肌痙攣、腓神經痛、脚氣、胸膜炎、頸項部疼痛、癲癇。
陽陵泉	膝下二寸，腓骨小头(外骨尖)前的臨凹處。	在腓骨小头的前下緣、腓骨長肌和伸趾總肌之間，腓總神經分為腓淺腓深神經之分歧处，有脛前動脈枝和脛返後動脈、腓腸外側皮神經。	4—6	20—30	膝関節炎、偏癱、脚氣、下肢痙攣為主穴、血管硬化、顏面浮腫、習慣性便秘、舞蹈病、坐骨神經痛。
陽關	膝旁外側，臨中陽陵泉穴之上三寸。	在股骨外上髁之後方、腓骨小头之上方、股二头肌腱的前方、有膝関節動脈網，分佈腓腸外側皮神經。	5分	禁灸	膝関節炎、股外側部麻痹、偏癱、風濕病、坐骨神經痛及脚氣病。
中瀆	股外側、膝上五寸，兩肌之間臨中。	在股骨外側，股外側肌与股二头肌之間，有旋股外側動脈，分佈股外側皮神經。	5分	5—20	下肢麻痹或痙攣很有效。脚氣、偏癱也有效。
風市	股外側兩肌間，直立時，兩手垂直靠腿上中指尖處。	在股骨外側，股外側肌与股二头肌之間，髂脛束中，有旋股外側動脈，分佈股外側皮神經。	5分	5—20	下肢麻痹或痙攣、坐骨神經痛、膝関節痛、脚氣。
新建	髂骨外側，股骨大粗隆前上方。	在股骨大粗隆与髂前上棘之間，濶肌膜中，深部正对股関節，有旋髂淺動脈、股外側皮神經。	3—7	5—20	感冒、發熱、股外側皮神經、股関節炎。

二、前正中線

厲兑内陷衝解巨，條口豐隆上巨虛，
三里犢鼻鶴頂梁，陰市伏兔髀關去。

厲兑	足第二趾外側距趾甲約一分。	在足第二趾外側爪節之旁，有脛前動脉的趾背動脉分佈腓淺神經的趾背神經。	1分	3分	肝臟炎、消化不良、腦貧血、精神病、扁桃腺炎、齒齦炎、腹股以下神經痛或組織炎、腹水、水腫病、口輪肌笑肌萎縮、急性鼻炎。
内庭	足二三趾合縫處陷中。	在足第二、三趾的蹠關節之前第二趾伸趾短肌腱之外側，有趾背動脉、分佈腓淺神經的趾背動脉。	2分	5—7	間歇热、顏面浮腫、齒齦炎、鼻血、欠伸、咽喉痙攣、腸鳴、腸疝痛。
陷谷	内庭穴後二寸足二三趾本節後、凹陷中。	在第二三蹠骨間腔中、第二三趾的伸趾長肌腱之間，有脛前動脉的足背動脉分佈腓淺神經的足背内側皮神經。	3分	3—7	顏面浮腫、眼球充血、腹水、腹鳴、腸疝痛、間歇热、及其它热病、盗汗、足跟痛。
衝陽	陷谷穴後、足背高处、骨間動脉側。	在足背的最高处、第二三楔状骨第二三蹠骨的關節部、伸趾長肌腱之内緣，有足背動脉、分佈腓淺神經的足背内側皮神經。	3分	5—10	下肢神經痛或麻痺、足關節炎、牙痛、齒齦炎、癲癇、嘔吐、皷腸、食慾不振。
解谿	衝陽穴後一寸五分足腕之上（繫鞋帶处）陷中。	在伸趾長肌腱与伸拇長肌腱之間，小指十字韌帶中、有脛前動脉、分佈腓淺神經。	5分	5—20	風濕病、下肢肌炎、顏面浮腫、眩暈、头痛、癲癇、便秘、皷腸。
下巨虛	足三里穴下六寸、上巨虛穴之下三寸。	在脛腓兩骨之間，脛骨前肌与伸趾長肌之接近处、深部為伸趾長肌，有脛前動脉及腓深神經、小腿内側皮神經及腓腸外側皮神經。	5分	5—20	下肢麻痺或痙攣、腦貧血、肋間神經痛、下腹部痙攣、扁桃腺炎、流涎、食慾不振、脚氣。

條口	上巨虛穴之下二寸、三里穴之下五寸、翹起足尖取之。	在脛腓骨之間伸趾長肌和脛骨前肌中、有脛前動脈、腓深神經通過、腓腸外側皮神經。	5分	5—20	下肢麻痹、膝關節炎、腳氣、扁桃腺炎及其它胃腸病。
上巨虛	三里穴之下三寸、翹起足尖取之。	在脛、腓骨之間即脛骨前肌中、有脛前動脈、腓深神經通过、分佈腓腸外側皮神經。	5分	5—20	腰痛、胃腸炎、腸疝痛、腹鳴、食慾不振、消化不良、腳氣、下肢麻痹或痙攣、膝關節炎、腦貧血。
豐隆	外踝之上八寸，上廉穴之後。	在脛腓兩骨之間，脛骨前肌肌腹外緣、有脛前動脈的分枝、分佈腓深神經、腓腸外側皮神經。	3—5	5—20	下肢神經痙攣或麻痹、胸膜炎、肝臟炎、精神病、头痛、便秘、尿閉。
足三里	膝蓋下三寸，脛骨之外約一寸。	在脛骨上端和腓骨小头關節部的下方、脛骨前肌和伸趾長肌之間、有脛前動脈、分佈腓深神經、股神經前皮枝、腓腸外側皮神經。	5—8	20—50	急慢性胃炎、胃痙攣及一切胃痛、口腔病、腹膜炎、腹鳴、便秘、尿閉、動脈硬化、血压亢進、四肢倦怠或麻痹疼痛、腳氣、头痛、眩暈、呃逆、眼病有著效。其它神經系諸疾患及内臟疾患也有效。此穴常針灸、可防病。
犢鼻	膝下脛骨上端外側凹陷中与髕骨尖平高、名外膝眼、內側凹陷中為內膝眼穴。	在脛骨上端之外側即髕韌帶的外緣有膝關節動脈網分佈股神經前皮枝、脛神經和腓總神經的關節枝。	3分	10—20	膝關節炎、膝蓋部神經痛或麻痹、腳氣。
鶴頂	膝髕上緣正中、屈膝取之。	在髕骨上緣股四头肌腱中、有膝關節動脈網分佈股神經前皮枝。	4分	5—20	膝關節炎、下肢麻痹或疼痛、下肢無力。
梁邱	膝上（自髕骨上緣算起）二寸。	在股骨的前外側、股直肌与股外側肌之間、有旋股外側動脈降枝、分佈股神經肌枝与前皮枝。	4分	10—20	腰部、膝蓋部神經痛或麻痹、乳腺炎、乳头痛、下肢倦怠或疼痛。

·37·

陰市	膝上三寸。	同上	4分	10-20	腰部股部膝蓋部厥冷或麻痺、脚氣、腹痛、子宮痙攣、糖尿病。
伏兎	膝上六寸起肉之間(大腿前側肌肉中)。	在股骨的前外側、股直肌的肌腹中,有旋股外側動脉的分枝,分佈股神經肌枝与前皮枝。	6分	10-20	膝蓋部厥冷症、下肢痙攣和厥冷、头痛、脚氣、下肢神經痛、子宮病。
髀關	膝上外一尺二寸、与会陰平高。	在股骨大粗隆之前下方、縫匠肌与濶肌膜張肌之間,股直肌之上端,有旋股外側動脉分佈、股神經肌枝和腰腹膜滑神經。	6分	10-20	腰痛、内外股肌痙攣、脚氣、下肢麻痺或疼痛、腹股溝淋巴腺腫。

三、前内側線

大敦行間太衝穴、中封蠡溝中都接,
地機陰陵与血海,箕門穴在股有側。

大敦	足大趾外側(即小趾側),距趾甲約一分。	在踇趾外側、爪甲之旁,有胫前動脉的趾背動脉、分佈腓深神經的趾背神經。	1分	5-7	上腹部和臍部膨脹並厥冷、腸疝痛、腰神經痛、便秘、遺尿、陰莖痛、淋病、糖尿病、月經过多、子宮神經痛。
行間	大次趾之間的隙中。	在足踇趾、第二趾的蹠趾関節之前,有趾背動脉、分佈腓深神經。	3分	5-15	腦貧血、腹膜炎、神经性心悸亢進、腸神經痛、消化不良、便秘、遺尿、陰莖痛、糖尿病、月經过多、小兒驚風、牙痛、齒齦炎、失眠、盜汗、肋間神經痛、脚跟痛。
太衝	足大趾外側(小趾側)本節後一寸半。	在第一、二蹠骨的骨間腔中、伸踇長肌腱的外緣,有胫前動脉的第一足背動脉、分佈腓深神經。	3分	3-7	肋間神經痛、腰神經痛、下腹痙攣、淋病、子宮收縮不全。
中封	内踝之前一寸,微屈足時有凹陷,下大肌腱内側。	在第一楔狀骨之背側、舟状骨結節之上方、胫骨前肌腱之内側,有内踝前動脉、分佈腓淺神經的足背内側皮神經及隐神經。	4分	5-15	膀胱炎、淋病、黄疸、食慾減退、全身麻痺、下肢厥冷。

蠡溝	内踝之上五寸、脛骨後緣。	在脛骨後緣与比目魚肌之間深部為脛骨後肌大隱靜脉、有脛後動脉分枝、分佈隱神經和肌肉脛神經。	3分	5—10	腸神經痛、下腹痙攣或麻痹神經性心悸亢進、脊髓炎尿閉子宫内膜炎、月經不調。
中都	内踝之上七寸、脛骨後緣。	在脛骨後緣与比目魚肌之間、有脛後動脉分枝和大隱靜脉、分佈肌肉脛神經和隱神經。	3—5	5—10	膝關節炎、喉头炎、下肢神經痛或麻痹。
地機	膝下五寸、内踝之上八寸脛骨後緣。	在脛骨後緣与比目魚肌之間有脛後動脉的分枝、分佈脛神經和隱神經。	4—6	5—20	腰痛、食慾減退、胃痙攣、精液缺乏、月經痛或月經過多、白帶過多。
陰陵泉	膝下二寸、内輔骨下陷中。	在脛骨内踝下緣、脛骨後緣比目魚肌与腓腸肌三角腔中、縫匠肌的附着部、有脛後動脉、膝下内動脉、分佈隱神經及肌肉脛神經。	5—6	3分	上腹部厥冷、腹膜炎、消化不良、限局性痙攣、腹瀉、腸神經痛、遺尿、尿閉、陰道炎、脚氣、失眠。
血海	膝髕之上一寸内側白肉际陷中。	在股骨前内下部、股骨内上髁之上緣、縫匠肌与股内側肌之間、有膝上内動脉、分佈隱神經及股神經前皮枝与肌枝。	3—5	5—20	慢性腹膜炎、月經不調、子宫出血、子宫内膜炎、睾丸炎、濕疹、癰疽、下肢潰瘍。
箕門	膝上六寸、股内側兩肌之間、動脉側、陰廉与鶴頂之中点。	在股骨内側縫匠肌之内側緣、内收長肌之下端、有股動脉、分佈閉孔神經及股神經。	5分	3—10	淋病、尿閉、遺尿、腹股溝淋巴腺炎。

四、正内側線

商丘交信三陰交，漏骨膝關曲泉到，
陰包穴在股内側，五里陰廉腹股溝。

商	内踝之下、稍前陷中。	在内踝前下方、与舟状骨結節之間、小腿十字韌帶的下側有内踝前動脉、分佈小腿内側	3分	5—10	腹部膨脹、腹鳴、小腹痛、咳嗽、嘔吐、便秘、痔瘡、消化不良、黄疸、小兒驚風、百日咳、腓腸肌

·39·

丘		皮神經腓淺神經的足背內側皮神經。			瘈瘲。
交信	內踝之上二寸在復溜穴之前五分、三陰交穴下一寸。	在脛骨後方伸趾長肌之後緣、屈踇長肌中、有脛後動脈分佈脛神經枝及隱神經。	4分	5—20	淋病、尿閉、便秘、腸炎、月經不調、子宮收縮不全、月經過多、下肢神經痛或麻痹、脊髓炎、腹膜炎、睪丸炎、
三陰交	內踝之上三寸、骨後陷中。(孕婦禁針灸)	在脛骨後方、比目魚肌與屈趾長肌之間、有脛後動脈分佈隱神經及脛神經。	4—6	10—30	男女生殖器疾病、尤以月經過多、子宮出血、陰莖痛、遺精、早洩、淋病等特效。下肢神經痛或麻痹、腸炎、消化不良、痔出血、失眠、神經衰弱等也有效。
漏谷	內踝之上六寸、蠡溝穴後上方一寸陷中。	在小腿中央的內側、比目魚肌中、有脛後動脈分枝分佈隱神經及脛神經。	4分	3分	腹鳴、腹脹、消化不良、脚部疼痛、脚氣、精神病。
膝關	膝下二寸、陰陵泉穴後一寸。	在脛骨內髁下方、腓腸肌內側头之上部、有膝下內動脈、分佈隱神經及肌內的脛神經。	4分	5分	風濕性膝關節炎或下肢疼痛。
曲泉	膝內輔骨之後。	在股骨內髁之後半膜肌停止部之前緣、有膝關節動脈網、分佈股內側皮神經和隱神經。	4—6	5—20	腸神經痛、陰股神經痛或痙攣、腹部痙攣、四肢神經痛、尿閉、陰門搔、陰道炎、子宮收縮不全、月經不調。
陰包	膝上四寸、股內側兩肌之間陷中。	在股內側半膜肌之前緣、股薄肌之下方、內收大肌之下後緣、深部有股動脈、分佈閉孔神經皮枝及股神經前皮枝。	5分	5—10	腰臀部痙攣、下肢痙攣、尿閉、遺尿、月經不調。
五里	陰廉穴之下一寸。	在恥骨結節下方、內收長肢的外側緣、恥骨肌的內緣、有陰部外動脈分佈髂腹股溝神經和閉孔神經。	5—7	5—10	發汗或催眠、此為主穴、胸膜炎、尿閉、感冒後衰弱也有效。

·40·

陰廉	氣衝穴下二寸，陰股内大肌前凹陷中。	在恥骨結節下方内收長肌的外側緣恥骨肌之内側緣，有陰部外動脉分佈髂腹股溝神經和閉孔神經。	3分	3分	股牽引性疼痛、白帶過多陰門瘙痒。

五、後内側線

隱白大都太白穴，公孫照水脚内側，
太鐘太谿與復溜，築賓陰谷九寸隅。

隱白	足大趾内側(小趾的反对側)離趾甲一分。	在足蹈趾第二節的末端内緣爪廓之旁，有趾背動脉，分佈腓淺神經的趾背神經。	1分	3分	失神、腹膜炎、急性腸炎、下肢厥冷、月經过多、子宮痙挛、小兒驚風。婦人孕期或産後禁針。
大都	大趾第二節後、本節前、内側骨縫中。	在蹈趾蹠趾関節前外展蹈肌停止部之下緣，有蹠内側動脉，分佈脛神經蹠内側枝。	3分	5—20	全身倦怠、胃痙挛、腹直肌痙挛、腰痛、小兒驚風。婦女孕期和産後禁針灸。
太白	足大趾本節後、内側梅楞樣小骨下凹陷中。	在第一蹠骨小头的後下方，外展蹈肌中、屈蹈長肌上緣，有脛後動脉蹠内側動脉，分佈脛内神經的蹠内側神經。	3分	5—10	胃痙挛、嘔吐、消化不良、便秘、腸疝痛、腸出血、腰痛、下肢疼痛或麻痺。
公孫	足大趾本節後一寸。	在第一蹠骨基底的前下緣，外展蹈肌中、屈蹈長肌上緣，有蹠内側動脉，分佈蹠内側神經。	3分	3—5	心肌炎、胸膜炎、胃癌、嘔吐、食慾減退、下腹痙挛、腸出血、面浮腫、癲癇、腹水。
然谷	内踝前起骨之下，公孫穴後一寸。	在舟状骨和楔状骨関節部的下緣，舟状結節前下方，外展蹈肌中、屈蹈長肌之上緣，有蹠内側動脉和神經。	5分	5—10	喉头炎、心肌炎、扁桃腺炎、流涎、嘔吐、盗汗、膀胱炎、尿道炎、睾丸炎、精液缺乏、遺尿、糖尿病、不孕症、月經不調、子宮充血、陰部充血、陰門瘙痒、瘡毒症、小兒痙挛。
照海	内踝之下一寸，陷中。	在舟状骨結節之後，跟骨載距突之下陷中，外展蹈肌停止部，有脛後動脉、蹠内側神經、小腿内側皮神經。	3分	5—10	月經閉止、或月經过多、过少、膀胱麻痺。

大鐘	太谿穴下、水泉穴上、兩穴之間。	在跟腱(即腓腸肌比目魚肌下端附着跟骨強大的腱)附着部的内側陷中,有腿後動脈、脛神經及皮神經。	3分	5—20	神經性心悸亢進、精神病、口腔炎、嘔吐、食道狹窄、便秘、淋病、子宮痙攣。
太谿	内踝之後五分、跟骨上、動脈側陷中。	在内踝与跟腱之間陷中、脛後動脈和脛後神經、小腿内側皮神經。	3分	5—10	熱病後四肢厥冷、心内膜炎、胸膜炎、横膈膜痙攣、喉头炎、口腔炎、喘息、咳嗽、呃逆、嘔吐、便秘、子宮痙攣、乳腺炎。
復溜	内踝之上二寸、交信穴後五分。	在脛骨後方、比目魚肌下端移行於跟腱處、有脛後動脈与脛神經分枝、腓腸内側皮神經。	3分	5分	脊髓炎、腹膜炎、淋病、睾丸炎、腹鳴、水腫、下肢麻痺、盗汗、腰痛、牙痛、痔瘡出血。
築賓	内踝之上五寸、三陰交穴上二寸、再向後横開一寸二分。	在腓腸肌内側肌腹下方移行於跟腱之处、有脛後動脈及脛神經、腓腸内側皮神經及小腿内側皮神經。	5分	5—20	精神病、癲癇、腓腸肌痙攣、舌炎、小兒胎毒。
陰谷	膝内輔骨之後、大肌之間。	在脛骨内髁的内緣後部、半腱肌和半膜肌之間、膕動脉分枝、分佈脛神經及股後股内側皮神經。	4分	3分	股内側部疼痛、膝関節炎、下腹膨脹、淋病、陽萎、陰莖痛、陰道炎、外陰炎、陰門瘙痒、子宮出血。

六後中外線

足心陷中湧泉穴，通束京金到申脈，
僕參崑崙与附陽，陽交飛陽後外側。
承山後中承筋上，合陽委中至委陽，
浮郄六寸殷門穴，承扶環跳関節旁。

湧泉	足心陷中、第二趾尖到足跟後緣的前五分之二。	在第二、三蹠骨之間、蹠腱膜中、有股前動脉的足底支、分佈蹠内側神經、外側神經。	5分	3—7	舌骨肌麻痺、声音嘶啞、失声症、咳嗽、急性扁桃腺炎、心悸亢進、黄疸、眩暈、子宮下垂、足蹠神經痛、下肢痙攣、小兒驚風、其它急救時。

至陰	足小趾外側距趾甲約一分。	在小趾第三節外側、爪廓之旁、有趾背動脈、分佈腓腸神經的趾背動脈。	2分	3分	头痛眩暈、眼球充血、角膜白斑、尿閉、遺精、鼻孔閉塞、偏癱、足關節炎。
通谷	足小趾外側本節之前骨下陷中。	在第五趾蹠趾關節的前外側、有趾蹠側動脈、分佈趾蹠側固有神經。	2分	5—20	头痛眩暈、鼻血、顫項部疼痛、慢性胃炎、子宮充血。
束谷	足小趾外側、本節後、赤白肉際。	在第五蹠骨小头的後外側陷中、外展小趾肌之前端、有蹠外側動脈分枝、分佈蹠外側神經。	3分	3—5	头痛眩暈、耳聾、内眥炎、淚管狹窄、顱項部疼痛、項肌收縮不能回顧、腰背神經痛、腓腸肌痙攣、癲疽疔瘡。
京骨	足外側大骨下、束谷穴後、赤白肉際。	在第五蹠骨基底的前外側、外展小趾肌中、有蹠外側動脈、分佈脛神經的蹠外側神經。	3—5	5—20	心肌炎、腦膜炎、腦充血、腰痛、間歇熱、佝僂病、癲癇、小兒驚風。
金門	外踝之下一寸、前五分、骨下陷中。	在外踝之前下方、骰子骨外側、第五蹠骨基底後方之陷凹部、外展小趾肌上緣、有蹠外側動脈、分佈脛神經的蹠外側神經。	5分	5—20	前头痛、下腹痛、腹膜炎、膝蓋部麻痹、嘔吐、限局性痙攣、癲癇、小兒驚風。
申脈	外踝下方赤白肉际陷中。	在外踝直下、跟骨滑車突下緣、外展小趾肌的上緣、有脛動脈的外展側枝、分佈脛神經的蹠外側神經。	3分	3分	头痛眩暈、腰部和下肢疼痛、脛部麻痹、動脈硬化、子宮痙攣、中風。
僕參	崑崙穴直下二寸、申脈穴後、跟骨外側陷中。	在跟骨結節後下部的外側、即跟腱停止部的下方、有腓動脈的跟外側枝、分佈腓腸神經的跟外側枝。	3分	5—20	脚氣、淋病、膝關節炎、腓腸肌和足蹠肌麻痹、限局性痙攣、癲癇。
崑崙	外踝之後、跟骨之上陷中。	在外踝与跟腱之中央陷凹部、腓骨短肌中、有外踝後動脈、腓動脈、分佈腓腸神經。	3—5	5—20	头痛眩暈、鼻血、肩背部神經痙攣、腰痛、坐骨神經痛、踝關節炎、脚氣、腺病、佝僂病、陰門腫痛、胎盤不下、痔瘡出血。

·43·

附陽	外踝之上三寸，与復溜穴相平。	在腓骨的後側部，跟腱外緣，腓骨短肌中，有腓動脈分佈腓腸外側皮神經及腓淺神經。	5分	5—7	限局性痙攣、腰痛、顏面神經麻痹、三叉神經痛、大腿部神經痛、四肢麻痹。
陽交	外踝之上七寸，外丘穴後飛陽穴前。	在腓骨後緣，腓骨長肌之附着部，有腓動脈分枝，分佈腓腸外側皮神經。	4—6	5—10	腓淺神經痛及麻痹為主穴，喘息、胸膜炎、脚氣、坐骨神經痛、顏面浮腫也有效。
飛陽	外踝之上七寸，腓骨後側。	在腓骨的後側，当腓腸肌的外側肌腹移行於跟腱處，有腓動脈分佈腓腸外側皮神經。	5—7	5—20	痔瘡、風濕性關節炎、脚氣、眩暈、癲癇。
承山	小腿肚下分肉之間陷中。	在小腿後面正中，腓腸肌兩側肌腹交界的下端，跟腱上端，有脛後動脈分佈脛神經、腓腸內側皮神經。	7—20	5—15	限局性痙攣、嘔吐、腹瀉、便秘、淋病、脚氣、小兒驚風、痔瘡。
承筋	在腓腸肌（小腿肚）中央。	在腓腸肌兩側肌腹之間，有脛後動脈分佈脛神經及腓腸內側皮神經。	禁針	5—20	限局性痙攣、嘔吐、腹瀉、便秘、痔瘡、腰背部神經痙攣、腓腸部神經痙攣和麻痹。
合陽	膕中約文之下二寸。	在腓腸肌兩側肌腹的上端分歧处，有膕動脈，分佈脛神經及腓腸內側皮神經。	5分	10—20	腰背疼痛、下腹痙攣、膝膕部組織炎、腸出血、睾丸炎、子宮出血、子宮內膜炎。
委中	膕窩中央，約文中之動脈側。	在膝關節的後面，股二头肌、半膜肌、蹠肌、腓腸肌內側头等圍成的膕窩中，有膕動、靜脈及脛神經、股後皮神經。	10—20	3分	感冒、腹脹、膝關節炎、中風、汗出不止或熱病汗不出、鬚眉脫落、痔瘡出血、鼻衄、嘔吐、腹瀉。
委陽	膕窩外側，兩肌之間，曲膝取之。	在股二头肌之內側，膕窩外側，有膝上外動脈及膝下外動脈的分枝，分佈腓總神經、腓腸外側皮神經。	7分	3—5	腰背部痙攣、膝膕窩神經痛、腓腸肌痙攣、下腹痙攣、癲癇，解熱亦可用此穴。

·44·

浮郄	委陽穴之上一寸，曲膝取之。	在股骨外上髁之後面，股二头肌内側，有膝下外動脉的分枝，分佈腓総神経和股後皮神経。	5—7	5—20	嘔吐、腹瀉、限局性痙攣、便秘、膀胱炎、尿閉、下肢外側麻痹。
殷門	承扶穴之下六寸。	在股骨後面的中央部，即股二头肌与半腱肌之間，深部為坐骨神経，有旋股外側動脉的第三穿通枝，分佈股後皮神経。	7分	5—10	腰背部疼痛、股部發炎、坐骨神经痛。
承扶	在臀下横紋之中央。	在臀下皺襞中央，即臀大肌的下緣，肌二头肌和半腱肌之間，有臀下動脉，分佈臀下神経、股後皮神経，深部有坐骨神経。	8—10	5—10	腰背神経痛、痔瘡、便秘、尿閉、臀部發炎、坐骨神経痛。
環跳	股骨上端的後方，並两足立正時的凹陷处，取穴時屈膝側卧。	在股骨大粗隆、坐骨結節和髂後上棘联成的三角形的中央部，上有臀大肌，下有臀中肌，深有坐骨神経，分佈臀上動脉、臀上、中、下神経。	10—25	20—50	偏癱、腰股、膝部疼痛或組織炎、坐骨神経痛、風疹、濕疹、脚氣、感冒。

第八章　其他（經外奇穴摘要）

天應穴（又名阿是穴）	病灶所在的部位。	患病的部位，就是穴位，並無一定的部位。	無定	無定	主治各種疾病。
腰眼	第十六椎之下，旁開三寸八分。	有腰背肌膜、腰動脉後枝，分佈腰神経。（伏卧，两足伸直，两手相叠於額，腰有凹处）	4分	5—15	肺結核、羸瘦、衰弱、腎虧、腰痛的有效穴。
膝眼	膝関節前内外側的凹陷中。犢鼻即外膝眼。	在曲膝時髕骨之下的两旁凹陷处。計四穴。	8分	5—15	膝関節炎、膝痛、麻木、脚氣、下肢痠痛。

四縫	在手四指中節橫紋中。	在手四指一、二節關節部掌面橫紋中。	出血	不灸	治小兒疳積。
子宮	在中極穴兩旁各開三寸。	下腹部在中極穴的外側，離開約三寸即是。	2分	10—30	治婦人不妊症。
獨陰	在足第二趾下橫紋中。	有長屈趾肌腱、足蹠動脈、趾神經。	不針	5—10	催產，死胎不下，胎胞不下，小腸疝氣，月經不調，嘔吐。

第九章 誤針誤灸補救法

凡禁針禁灸的穴位，大概都是因為穴下有重要的臟器或者是由於經驗，昔日有人發生過事故而集累起來的，不可忽視！在今天科學的解剖學上來看，某些穴位，似乎是沒有禁針禁灸的理由，但在事实上我們已經看到了誤針神庭穴，病人發生神智不清、糊說亂講，誤灸啞門穴，輕灸則平安無事，重灸則發生聾啞。我們不要認為禁針禁灸的穴位，我也曾試行針灸過，沒有發生過事故，就不應列為禁穴，我認為這和刺激力的大小與深淺有關係。就是非禁針禁灸的穴位，如若刺針太深、刺激力過強，也可能發生事故，不可粗枝大葉草率從事，如萬一不慎而發生誤針誤灸的事故，則可根據下列各項予以補救。（本表係參攷陽醫亞先生的針灸學所編成。）

誤針灸穴位	症狀	補救方法
神闕	誤針有時睾丸強痛。	針命門，雀啄与旋捻術並用。
橫骨	誤針有時尿閉。	針湧泉，用旋捻術。
水分	針術不當有時發生水腫脹滿。	針天樞、肓俞，用旋捻術。
氣衝	針術欠佳，或發疝痛。	針豐隆一寸，用旋捻与雀啄術。
血海	針入過深，則劇倒悶。	針足三里則止。旋捻法。
箕門	誤針有時發生足部不能運動自由，或便秘。	針腹哀一寸五分，旋捻与卧針並用。

靈臺	誤針有時發生手足不調,不能做複雜運動。	針委中入一寸、外轉雀啄法。
神道	誤針,有時發生休克。	針長強一寸五分,用旋捻法。
承靈	誤針,能發生人事不省。	刺腎俞一寸五分、用雀啄術。
顱息	誤針則耳鳴、耳痛。	針陽池三分、旋捻術。
角孫	誤刺則血暈。	針三陽絡、旋捻術。
承泣	誤刺則失明。	針内庭穴、用旋捻術。目盲者、可灸听宮。
啞門	針入太深則立死,灸重者聾啞。	立死者速針人中。聾啞者針合谷、曲池,灸合谷、曲池、百会。
腦户	誤刺則头痛。	針百會、用旋捻術。
聰會	誤刺則立倒。	針風門、旋捻雀啄並用。
神庭	誤刺則狂乱。	針脊中十一椎之下、旋捻雀啄並用。
絡却	誤針則啞。	針至陰、用旋捻術。
玉枕	誤針則生黄水瘡。	針天池委中、旋捻雀啄並用。
鳩尾	針之過深、則呃逆、氣短、心悸。	針中脘穴、用旋捻、雀啄、卧針並用。
手三里	誤針則出血。真液枯。	針陽谿三分。雀啄術。
承筋	誤刺則腓腸肌痛、不能步行。	針崑崙、雀啄術。
青靈	誤刺則心痛、煩悶。	針神門四分、速旋捻。
三陽絡	誤刺則嘔吐、泄瀉、脉乱。	針足三里或三陰交、旋捻与雀啄並用

實用針灸講義

第五編　治療

針灸治病，應先正確診斷，是何病症，病在何部，其次就要找到與病灶有関的刺激點，然後要治療技術與病症洽當，能了解這三點，又會靈活運用，那麼治病時就能收到良好的效果。茲為使讀者能一目了然起見，特將各種疾病按系統的排列，並逐次將各病應取的刺激點，和治療技術，一般治療次数，與治療實例等，都簡單明瞭的分列於下，以供讀者臨症的症攷。

一　五総穴歌

肚腹三里留（上下腹部疾病針灸足三里）　腰背委中求（腰部和背部有病針委中）

頭項尋列缺（頭部和頸部的疾病針列缺）　面口合谷收（面部口部以及頭部的病都針灸合谷）

還有一個穴　胸部内關謀（臍以上胸胃部有病針灸内関有效）

以上各部疾病，應先針以上各部主穴，然後再針其他配穴。

二　按部取穴

遇有某些疾病，一時雖不能診斷明白，祗要知道病在何部，就可按部取穴，施行對症治療，也能收到針灸治療的效果，茲將按部取穴法，分列於下：

頭部　合谷、列缺、神門、間使、風池、神庭、百會、足三里、湧泉、委中、頭維。

面部　合谷、曲池、水溝。

頸部　列缺、合谷、百勞、翳風。

口部　合谷、少商、太淵。

眼部　合谷、曲池、頭維、太陽、睛明、攢竹、絲竹空、童子髎、命門、肝俞、大小骨空。

耳部　聽會、聽宮、耳門、翳風、外關、液門、合谷、曲池。

鼻部　合谷、曲池、風池、風門、肺俞、上星、顖會、通天、迎香。

喉部　少商、中渚、合谷、委中、尺澤下一寸，天突、大杼、心俞，「卒然無音」天突、照海，「暴瘖」合谷、間使。

舌部　心俞、合谷、金津、玉液、海泉，「舌強難言」通里，「舌下腫難言」廉泉、啞門。

齒部　合谷、內庭、頰車、內關、風府、下關。

咽部　心俞、合谷、中渚、少商、委中、內關、太淵。

扁桃腺　少商、合谷、中渚、委中。

食管　合谷、內關、太淵、天突、中脘、膈俞。

胃部　內關、足三里、中脘、上脘、下脘、建里、大都、內庭、公孫、胃俞、章門。

肝部	期門、中脘、巨闕、肝俞、膈俞、胆俞、脾俞、章門。
胰腺	内關、足三里、中脘、下脘、肝俞、心俞、胆俞、脾俞、膈俞。
胆部	胆俞、中脘、下脘、足三里、至陽、内關、章門。
腸部	足三里、天樞、水分、神闕、氣海、關元、肝俞、胆俞、命門。
心部	風門、心俞、神道、内關、大椎、通里、神門、間使、巨闕、靈道、内關。
氣管	合谷、列缺、大陵、太淵、天突、膻中、風門、肺俞、膏肓、靈台、大椎、氣海、豐隆。
肺部	合谷、太淵、列缺、大椎、大杼、風門、肺俞、膏肓俞、天突、尺澤、足三里、膻中、乳根。
腹膜	水分、水道、天樞、腎俞、陰陵泉、足三里、關元。
脾部	章門、天樞、脾俞、三焦俞、腎俞、肝俞、胆俞、足三里。
腎部	三陰交、陰陵泉、足三里、關元、氣海、腎俞、胆俞、脾俞。
輸尿管	腎俞、三陰交、陰陵泉。
膀胱	三焦俞、腎俞、氣海、關元、三陰交、陰陵泉、八髎。

尿道　三陰交陰陵泉關元。
睾丸　歸來氣衝三陰交陰陵泉大敦獨陰關元。
精囊　腎俞志室中極關元三陰交陰陵泉。
陰道　中極曲骨三陰交陰陵泉血海。
子宮　腎俞大腸俞三焦俞關元中極氣海陰陵泉三陰交血海大都隱白湧泉。
輸卵管　氣海關元中極三陰交陰陵泉歸來。
卵巢　腎俞歸來獨陰三陰交陰陵泉大敦。
乳部　心俞乳根膻中肩井。
背部　委中中渚大椎天應。
胸部　内關間使太淵列缺陽陵泉少府内庭。
腹部　足三里天樞氣海神闕曲泉。
腰部　委中腎俞八髎腰俞三焦俞命門。
前陰　關元中極曲骨三陰交血海。
後陰　長強承山命門腰俞八髎會陰。
手部　大陵支溝合谷腕骨中渚。
前(下)臂　合谷曲池支溝大陵間使。
肘部　曲池尺澤曲澤足三里少海。
後(上)臂　肩顒臂俞曲池尺澤巨骨少海。
肩部　肩顒巨骨肩井。
足部　太谿崑崙太衝内庭。

腔骨　絶骨、承山、三陰交、委中、陽陵泉。
膝部　委中、膝眼、陽陵泉、陽陵泉、陰市。
大腿部　環跳、委中、風市、腰俞、天應、腎俞。
皮膚　血海、曲池、委中，「多汗少汗」合谷、復溜。
脊骨　大椎、委中、命門、長強、百會。
淋巴管　翳風、天應。
肌肉　天應。
血管　委中、足三里、湧泉、曲池、血海、「鼻血不止」顖會、上星、大椎、少商、「吐血」膻中、大椎、風府、上脘、中脘、氣海、關元、足三里、大陵、「口鼻出血」灸上星。

三、各部疾病治療歌

這篇歌係根據玉龍歌及新的经驗所編成，初學者宜熟讀，可為臨症的參攷。

頭部　偏正頭痛及頭風　嘔吐眼花鼻不通
合谷列缺上星穴　風池大都病無踪
前頭暈脹引額旁　攢竹絲竹刺為良
若加太陽髮際穴　立即頭輕復健康

鼻部　鼻膜發炎流清涕　不聞香臭竅已閉
先針合谷與迎香　素髎通天灸為宜
鼻血不止灸少商　上星顖會也相當
額竇發炎先合谷　風池神庭復健康

耳部　急性耳炎痛不堪　先針合谷即時安
听會頰車翳風穴　針灸数次就可痊

眼部　兩眼紅腫痛難熬　怕日羞明心自焦
先針睛明童子髎　太陽出血自然消
結膜發炎淚囊炎　合谷頭維臨泣先
二竹睛明隨後刺　瞳子髎針得安然
風眩目爛最堪憐　淚出汪汪兼翳雲
大小骨空皆妙穴　多加艾灸疾無形
体弱血少眼昏花　宜補肝俞力便加
風池三里頻針灸　益血還光要算它

口部　口眼喎斜爲中風　頰車地倉有奇功
喎左病右須明白　喎右治左理須通
口渴不休消渴症　速將金津玉液針
口噤不開難言語　人中頰車瘂門尋

喉部　喉部有病非等閒　遲延自誤命有關
合谷中渚天突穴　少商出血保平安
熱氣上壅喉中焦　口苦舌乾豈易調
針刺關衝出毒血　口生津液病俱消

齒部　牙疼下關合谷佳　去病如同用手抓
若加列缺頰車穴　太谿三里也堪誇

顋部　腮腺發炎有變單　腫热疼痛懊惱煩
急針合谷頰車穴　听會翳風病可痊

心部　連日虛煩面赤糙　心中驚悸亦难當
若將通里穴尋得　一用針刺体便康
心氣疼痛先間使　内関巨闕同時取
三里隱白針灸後　頃刻心平痛亦止
心臟擴大心跳慌　胸悶氣喘难卧床
内関三里中脘穴　心俞膻中灸亦強

胃部　胃中疼痛苦难當　内関三里效力強
若加針灸中脘穴　針到便消復健康

肺部　肺及氣管病嗽頻　先針太淵與風門

大椎肺俞隨針灸　膻中兼灸咳喘輕

腸部　腸炎腹瀉次數多　紅白痢疾也同科
三里內關天樞穴　關元氣海卻病魔
疝氣疼痛發頻々　氣上攻心刻不寧
關元大敦施針灸　立覺病去身亦輕

腹部　小腹脹滿氣攻心　內庭大敦要先針
關元帶脉施妙術　內關三里保安寧

水腫　水腫之病二便少　胸悶水脹不易消
先灸水分並水道　復溜三里三陰交

中風　中風不語最难醫　髮際顖會最相宜
更向百會施妙術　即時甦醒免危機

感冒　頭項強痛腰背疼　發熱惡寒感冒形
合谷列缺上星穴　曲池委中立見輕

痧症　發痧之症身疼脹　胸悶無汗實重恙
速將內關三里刺　諸症如掃復健康

瘧疾　時熱時寒瘧疾形　針灸大椎病除根
再針間使與後谿　一次全癒笑嘻々

腰部　腰脊強痛难伸屈　古法人中針可入
針灸腎俞好一半　加針委中病自除

二便　大便閉結不能通　照海分明在足中
更把支溝來針動　三里長強有奇功

小便不通險非常　金針一進可消殃
先取陰陵足三里　刺未畢時小溲忙
再刺氣海天樞穴　真如大壩崩一缺
五淋專穴是氣海　重灸病菌能消滅
腎敗腰虛小便頻　夜間起止苦勞神
命門若得金針刺　腎俞艾灸顯奇能

生殖部

生殖器官病諸般　要除宿疾莫隱瞞
關元氣海中極穴　針灸對症有何难
陰陵三交施針灸　腎俞志室補不足
八髎功效能加速　轉瞬病去心無憂

婦科

赤白帶病血損耗　月経不調体瘦消
關元氣海中極穴　三里陰交三陰交
婦人乳腫痛难消　吐血風痰稠似膠
少澤穴内用針刺　立時見效氣和調

產科

妊娠惡阻嘔吐狀　不食唇白貧血像
針灸内關和間使　中脘天突能除恙
难產催生針灸能　先針合谷痛趕陣
三交針後至陰灸　獨陰相應兒降生
產婦体弱流血多　產後暈厥怎奈何
速灸百會印出血　立時甦醒起沉疴

小兒科

急驚風起針人中　太谿崑崙搯莫鬆

十指出血人必醒　曲池委中退熱功
慢驚多由腹瀉成　大椎三里先施針
天樞關元並氣海　厥冷施灸許回生

汗吐

發汗急宜針合谷　止汗合谷陰市取
要吐速針內關穴　止吐內關三里除
發汗止汗隨針應　要吐止吐依法行
興奮制止依症变　全在手術收效能

熱痛

滿身發熱痛為虛　盜汗淋漓漸損軀
須得百勞大椎穴　金針一刺病均除
全身疼痛疾非常　天應穴中細審詳
有筋有骨須淺刺　艾灸臨時要酌量

上肢部

肩端紅腫痛难當　肩髃進針却病良
興奮制止隨機應　少針多灸自然康
兩臂急痛氣攻胸　肩井分明穴可攻
兩手难伸筋不開　速針尺澤自然鬆
兩肘拘攣筋骨連　動作艰难欠安然
只將曲池來針動　尺澤兼刺免纏綿
腕中無力痛艰难　握力难移体不安
腕骨一針雖見效　刺激強弱也有關
手臂紅腫連腕疼　液門中渚用針明
再加臂俞曲池穴　紅腫症狀立覺輕

下肢部

膝蓋紅腫鶴膝風　陽陵二穴亦堪誇
陰陵針刺也收效　紅腫全消見異功
寒濕脚氣不可熬　先針三里三陰交
再將絶骨用針刺　腫痛立時如氷消
膝腿無力身立難　原因風濕致傷殘
若在二市施針灸　步履悠然漸自安
環跳能醫兩腿疼　膝頭紅腫不能行
必針膝眼膝関穴　功效須臾病遂平
腿足紅腫草鞋風　須把崑崙二穴攻
中脈太谿如再刺　天應施灸立時鬆
脚背疼痛丘墟尋　斜針出血即時輕
解谿再與商丘刺　手法輕重对症行
行步艰难疾轉加　太衝二穴效堪誇
更針三里中封穴　去病如同用手抓

四、新馬丹陽十二穴雜症歌

三里内庭穴，曲池合谷接。委中配承山，太衝崑崙穴。
環跳與陽陵，通里並列缺。刺針中神經，治病湯潑雪。
三里膝眼下，三寸兩筋間。能通心腹脹，善治胃中寒。
腸鳴並泄瀉，腿腫膝関痠。傷寒羸瘦損，氣蠱及諸般。
年過三十後，針灸眼便寬。取穴當審的，八分三壯安。

·59·

内庭次趾外，合縫腦中尋。能治四厥逆，喜靜惡聞聲。
隱疹咽喉痛，數欠及牙疼。虛疾不能食，三分三壯平。
曲池拱手取，屈肘骨邊求。善治肘中痛，偏風手不收。
挽弓開不得，筋緩不梳頭。喉閉促欲死，發熱更無休。
遍身風癬癩，五分七壯瘥。
合谷在虎口，兩指歧骨間。頭痛並面腫，瘧病熱還寒。
齲齒及鼻血，口噤不開言。針入五分深，三壯即便安。
委中曲膕裏，橫紋脉中央。腰痛不能舉，疼痛引脊梁。
痠痛筋莫展，風痺復無常。膝頭难伸屈，五分禁灸康。
承山名魚腹，腓腸筋肉間。善治腰疼痛，痔疾大便难。
脚氣並膝腫，輾轉戦疼痠。霍乱及轉筋，七分五壯安。
太衝足大趾，節後二寸中。動脉知生死，能醫驚癇風。
咽喉並心脹，兩足不能動。七疝偏墜腫，眼目似雲矇。
亦能療腰痛，針灸有奇功。
崑崙足外踝，一動即呻吟。若欲求康樂，三壯五分深。
環跳股関樞，側卧屈足取。折腰莫能顧，冷風並濕痺。
腿胯連腨痛，轉側重欷歔。若能施針灸，二寸五壯除。
陽陵居膝下，外廉一寸中。膝腫並麻木，冷痺及偏風。
舉足不能起，坐卧似衰翁。針入六分止，三壯妙無窮。
通里腕側後，去腕一寸中。欲言聲不出，懊惱及怔忡。
實則四肢重，頭顋面頰紅。虛則不能食，暴瘖面無容。

·60·

持針三分刺，施灸七壯功。
列缺腕側上，次指手交义。善療偏癱患，遍身風痺麻。
痰涎頻壅上，口噤不開牙。若能施針灸，三分七壯拿。

五. 治療一覽

本編中有許多实例，係我老師曾天治先生在世時的治驗紀錄，因為我照這些紀錄治療了十餘年，無不得心應手，所以摘附於此，以供讀者参攷，並藉以紀念曾先生。 編者附註

符號説明

△ 一般治療次数　　○ 治療穴位和方法

▲ 朱璉編新針灸學上所取穴位　　● 治驗事例

1. 呼吸系統病

急性鼻炎（鼻感冒）　　△ 一二次全愈。

○針合谷、風池、風門、迎香、上星，加灸上星。

●胡某稱日來覺微热、頭重、頭痛、鼻裏作癢，鼻腔閉塞，分泌稀薄鼻涕，這種傷風症候，很不舒適，経檢查，鼻内發炎，曾為針合谷二穴而愈。

▲風池、天柱、大椎、風府、風門、禾髎、迎香、上星、合谷、百會、勞宮、前谷。

慢性鼻炎　　△ 七八次可愈

○針合谷、風池，灸通天、上星、風池風門、素髎。

●伍君患鼻腔閉塞，呼吸障碍，声帶鼻音，嗅能減退，屢医不愈，経針合谷、風池，灸通天，上星五六分鐘，再針迎香，次日重灸通天、上星，風池風門也灸治，施術四次全癒。

▲風池、天柱、大椎、風府、風門、禾髎、迎香、上星、合谷、百會、勞宮、前谷。

·62·

萎缩性慢性鼻炎（臭鼻症）　　△七八次可愈

○針合谷、迎香、風池，灸通天、上星、素髎。

●鄧某患臭鼻病約二年，常流臭液，極討厭，用西药洗滌，稍见減輕，但不能全癒，經針合谷、迎香、風池，灸通天，上星五六分钟，次日加灸素髎，二次有效，六次全癒。

▲百會、風池、天柱、上香、大柱、命門、曲池、足三里、迎香、禾髎。

鼻　血　　△一二次可愈

○灸上星顖會，燋少商經渠。（少商病右治左病左治右）

●李建修患鼻血病十餘年，中西医術治療，俱未見效，曾為用燈草醮茶油，点火燋少商穴，一次即獲全愈。

▲攢竹、素髎、上星、天柱、風池、關元、肩井、肩中俞、大椎、身柱、委中、曲池、手三里、合谷、足三里。

粘液性息肉　　△輕二三次重二十次可愈

○針合谷、風池，灸風池、風門、上星、素髎。

●梅柏林患息肉病二年，初覺鼻塞，呼吸受阻，常流涕如水，微带血色，日久鼻裡有灰色罍透明而返光之物，日夜呼吸不通，而由口呼吸，鼻骨脹大，左方更大，屢治不癒，身体日瘦，後經曾天治先生為針合谷、風池，灸上星、素髎，次日照上施治，並酌灸風池、風門，九次後左边鼻骨縮小，十九次後全癒。

鼻　癌　　△二十次可愈

○針合谷、曲池、風池、迎香，灸上星。

·63·

●劉志宏患鼻癌，鼻流膿水血絲，纏綿不絕，各種療法，都未生效，經針合谷、曲池、風池、迎香，灸上星每次七分鉡，廿餘次膿血已逐漸減少。

急性上頜竇炎　　　　△五六次治愈

○針合谷、風池、迎香、神庭，灸上星、通天。

●盧培基患鼻内不絕流出膿性分泌物，頗臭，鼻裡似腫脹，呼吸不暢，有時頭痛，服葯甚多，未見有效，經針合谷、風池、迎香，四次分泌物減少，嗅能也漸恢復。

前頜竇炎　　　　△五六次治愈

○針合谷、列缺、風池、頭維，灸神庭。

●馮悦心女工，卅一歲，患額竇炎三年，額竇部劇痛，痛時鼻流膿水甚臭，上午痛，下午痛止，頭暈，心跳，屢治不愈，苦悶得很。經針合谷、列缺、風池，灸神庭五六壯，二次後，痛輕膿少，四次後全癒。

腮腺炎　　　　△一次愈

○針合谷、頰車、听會、翳風。

●李郎君患腮腺炎，腮頰腫脹，發熱，吃飯不便，經針合谷、頰車、听會、翳風四穴，只治一次即癒。

▲灸天應，針灸頰車、合谷、大迎、翳風、風池、足三里、头維、下関、完骨、大杼、曲垣。

急性喉炎　　　　△二三次愈

○針合谷、中渚、少商（出血）、委中。

●陳十妹女性五歲，患喉痒，吸冷風則痛，乾咳，初則声音沒粗，久之說話亦痛，終則失音、氣促。經針合谷、中渚、少商（出血）。次日同上施治，加針委中，二次而愈。

▲天柱、風池、大椎、肩井、肺俞、天突、列缺、尺澤、關衝、風府、間使。

慢性喉炎　　　　　　　　△七八次全愈

○針合谷、中渚、天突，灸喉部至潮紅。

●陳瑩玖患慢性喉炎病多年，中西医治療甚久，俱未見效，經針合谷、中渚、天突，灸喉頭，八次根治。

▲天柱、風池、大椎、肩井、肺俞、天突、列缺、尺澤、關衝、風府、間使。

水腫性喉炎　　　　　　　　△一二次治愈

○針合谷、液門、少商（出血）、風府、天應、天突，太陽靜脉出血。

●周王氏女性，五十餘歲，忽患喉痺腫痛，湯水不能下咽，危在旦夕，求吳啟賢治療，經針少商出血，液門，不久即消十分之三四。外囑其將苧麻剪碎，放在旱烟筒上，燃火吸烟，以麻烟薰喉（如吸草烟）。過二小時，即已痛止腫消。

喉結核　　　　　　　　△廿餘次可愈

○針合谷、中渚、天突、少商、委中、啞門，灸天突。

●汪永生男性，患肺結核、兼喉头結核病，咳嗽、痰多，不易咳出，失声月餘，盗汗、微热，經西医檢驗診斷為肺結核及喉頭結核，經曾天治為刺合谷列缺、中渚、天突、風門、肺俞、啞門，第六次後，加灸肺俞各五分鐘，症狀乃逐漸減輕，惟声音尚未復原。治療四次後，檢驗喉部即無結核菌云。

·65·

喉部良性新生物　　△小的易愈大的三四十次可愈

○針合谷、中渚、天突，灸天應。

●范叔渊声带之前部，患乳頭狀瘤，形如疣狀，基底甚廣，如鴨蛋大，經西医診斷為瘤，須施行開刀手術。經曾天治為針合谷、中渚、天突，灸天應（喉外对天應處）計四十八次而全癒。

聲　嘶　　△七八次愈

○針合谷、中渚、啞門、天突。

●趙隱女士，因說話太多而声嘶，服藥甚多，未見效，經刺合谷、中渚、啞門、天突四穴，計八次，声音乃獲復原。

急性氣管及氣管枝炎　　△八九次可愈

○針合谷、太淵、列缺、大椎、風門、肺俞、天突、豐隆，如無發热，加灸風門、肺俞、天突。

●鄧女士患咳嗽，痰多，氣促，氣管炎病甚久，吃藥甚多，未見有效，以為無全癒的希望了。經曾天治為之刺合谷、列缺、太淵、肺俞、風門、大椎，並在風門、肺俞各灸五六壯，過了兩星期，已没有咳嗽。

▲風池、天柱、肩外俞、大杼、風門、肺俞、厥陰俞、附分、膏肓、膈関、手三里、合谷、少海，為了加強營養，取膈俞、肝俞、巨闕、足三里、曲池。

慢性氣管枝炎　　△一年内七八次，十餘年二三十次可愈

○針合谷、太淵、列缺、風門、肺俞、豐隆、天突、乳根、膏肓、中脘，灸風門、肺俞、乳根、膏肓、天突、中脘。

●周活民患慢性氣管炎甚久，咳嗽痰多，胸部不舒，痰多時鼻亦不通、精神困倦，頗感辛苦，吃葯注射，收效不多，經針合谷、列缺、風門、肺俞、三次全癒。

▲同前。（急性氣管及氣管枝炎）

氣管枝哮喘　　△輕症四五次年久二十次可愈

○針合谷、列缺、風門、肺俞、大椎、氣海、豐隆，灸風門、肺俞、膻中、氣海、大椎、天突、及背部对劍突骨尖處。

●雷徽男性，二十二歲，自幼即患哮喘病，已二十年，每逢咳嗽，即發哮喘，不分天冷天热，三五日一發，也有月餘才發的，屢治無效，痛苦萬分、經針合谷、列缺、大椎、風門、肺俞，重灸風門、肺俞，起水泡亦所不惜，非如此不易好，次日加針灸氣海、豐隆，三日加灸膻中、大椎、天突、灵台等穴，共治五次，即已全愈。

▲天柱、風池、氣户、肩外俞、大杼、風門、肺俞、厥陰俞、心俞、附分、膏肓、合谷。

加答兒性肺炎　　△三四次愈，初起極易愈

○針列缺、太淵、尺澤、曲池、使出汗為效，再針大椎、肺俞、風門、委中。

●曾立男性，三歲患麻疹兼肺炎，高热、呼吸困难、經曾天治為之針大椎、肺俞、風門一次已輕，二次热度減低，三次全愈。

▲大杼、風門、肺俞、心俞、厥陰俞、肝俞、俞府、彧中、神藏、氣户、庫房、屋翳、膺窗、外關。

肺水腫　　△十一二十次可愈

○針合谷、太淵、列缺、内關、風門、肺俞、腎俞、関元、陰陵泉、三陰交、脊骨痛点处當刺。

●龔祖洪患肺水腫五六年，每逢胸内苦悶、呼吸困难時，則請西醫放水，共已放

過三四次，每次十多西西，近又復發，已數星期，左肺劇痛，呼吸最惨，小便黄且短，脊上起痧点，經医X光照視，知患肺水腫，經針合谷、太淵、列鈌（病側穴）、腎俞、関元、陰陵泉、三陰交、脊上痧点處亦刺，一次痛止，二次小便長，三次痛除，六次後小便内見有蛋白，不久已癒云。

肺結核　　△三十次可愈

○針合谷、列鈌、太淵、大椎、風門、肺俞、足三里，灸風門、肺俞、膏肓。

●曾丕海患肺結核，咳嗽稠痰，痰中帶血，潮热盗汗，經医院檢驗為肺結核初期，結針合谷、列鈌、太淵、大椎、風門、肺俞、足三里也時針刺，如热度不高，則輪灸風門、肺俞、膻中、膏肓、腰眼、陰郄、尺澤亦時針刺，計廿九次而好

▲增加抵抗力，肩中俞、肩外俞、大杼、附分、肺俞、厥陰俞、膈俞、氣户、俞府、庫房和前胸部其他各穴。增強消化機能安眠，肝俞、胆俞、脾俞、胃俞、三焦俞、腎俞、氣海俞、三陰交、神門、通里、地機。制止盗汗，行間、合谷、魚際、内関。一般強壮穴位：膏肓、手足三里、曲池。

肺氣腫

▲大杼、風門、肺俞、肩外俞、附分、魄户、膏肓、肝俞、三焦俞、腎俞、命門、少海、列鈌、涌泉。

肋膜炎　　△十餘次可愈

○針内関、支溝、陽陵泉、風門、肺俞、天應。

●劉去非患漿液性肋膜炎甚久，屢治不愈，頗感苦悶，據医院檢診，斷定為右第四五肋腔内有積水，热度不高，脉搏頻數，患側的呼吸運動微弱，常有胸痛，由患側胸廓放散於背部，因滲出液的压迫，而呼吸困难，

经针内關、支溝、陽陵、風門、肺俞、天應，計二次痛除，三次全愈。

▲大杼、風門、肺俞、厥陰俞、心俞膈俞、魄户、膏肓、神堂、少海足三里、三陰交、支溝、陽陵泉、太衝、章門、期門。

2. 傳染病

瘧 疾（間歇熱） △一二次愈

○瘧發三四次後，在未發前二三小時，針大椎、間使、後谿，灸大椎七壯，久瘧加灸脾俞，瘧臨發針膏肓可停。

●治瘧实例太多，可以説按法針灸，有百分之九十以上的療效，真是特效啊。田樂春女性二十五歲，懷孕已八月，患三日瘧已五月，經中西医治療許久無效，生立都時發眩暈，經於未發前三小時，針大椎，灸七壯，再針間使、後谿，同時為預防其暈針，乃令一学徒時灸百會穴，一次後，已停止發作，二次除根。

▲椎頂、大椎、陶道、太谿、後谿、間使、復溜、神門、章門、脾俞。

瘋狗咬

○急在咬處放出污血，隔蒜片灸百壯，以後日灸一壯，不可一日不灸，滿百日方可免禍，忌食韭菜，終身禁食狗食蠶蛹。

又法：地榆一斤水八斤，煮出渣服藥水，飲完病好。

●上海某医師擅医狂犬咬病，医藥費卅銀元，缺一不治，某挑水貧民忽患狂犬咬病，因窮無錢就診，鄰人乃共捐得銀元十元，要求某医師減價治療，一再要求，均不應允，鄰人忿極，乃共縛某医師，强迫開方，某医師開地榆半斤，如法煎服，一劑而癒，後乃將此方印刷公開，以救同病云。

·69·

百日咳

▲第一次針商丘，灸肺俞；第二次針合谷，灸膏肓；第三次針曲池；第四次灸缺盆；此後灸肝俞、胃俞，再針商丘、曲池。

霍　亂（虎列拉）　　△一二次愈

○急性霍乱應速送医院治療，並速报衛生機関。如無医院则按下法治療。

●一法：針委中曲澤中脘足三里，灸神闕氣海中脘，吐加針内関内庭，瀉加灸天樞左章門，轉筋手足厥冷，加針承山絶骨，盐填臍灸。欲吐不吐，欲瀉不瀉，針委中十指头出血，另用盐烧紅和半温開水冲服，服後必吐，即減病一半，如盐水吐出，又再冲服。

二法：單瀉不吐，灸神闕関元天樞水分等穴，一齊着火，不得先後，吐者加灸天突，病亦可愈。

容秀出患霍乱，一日夜瀉数十次，吐十餘次，吃葯未見效，頗危險，經曾天治按第一法治療，灸背部三四壮後病人疲甚，不能耐坐，乃令仰卧，加灸中脘四五壮，用姜汁敷眼四周，一次而愈（注意，好人姜汁到眼覚痛，此病人，姜汁到眼覚涼快。）

▲針合谷、中脘、太衝、内庭、足三里、承山、人中、内関、素髎、間使、絶骨。灸天枢、神闕、章門、氣海。刺尺澤、委中、少商、少澤、関衝、十宣均出血，不可多出血。

麻風癩　　△三十次左右可愈

○針合谷、大陵、曲池、血海、天應，放出惡血後再灸，針夾天應附近經穴，委中放出惡血，大陵、曲池、血海每次灸五六分鐘。

·70·

●廣州惠愛東榨粉三十四号張氏，患麻風病凡十月，面之右方完全麻木，起環斑，边紅而略凸，血管充血，無汗，右額癱瘓，不起皺紋，眉毛脫落不少，右耳腫脹，按之則痛，右手臂也麻木，懷孕已七月，在一九三八年經曾天治為之針大陵、曲池、血海，並針右側頰車、听会、迎香、地倉，紅斑處針出惡血，並灸委中放血少許，大陵、曲池、血海每次灸五六壯，三次後斑除，紅色退，六次後耳消腫，額起皺紋，二十五次後全愈。

白　喉　　　　　　　　　　△一——三次愈

○針合谷、少商、頰車、風府。

另法：用大蒜头二三粒搗乱敷在陽谿穴上，時久大痛，三四時後，必起水泡，乃將敷蒜取去。

●徐友琴男性三十四歲，患白喉，身背寒热，誤用發表之劑，以致咽喉腫閉，茶水不能下咽，很危險，經医院診断為白喉，但當時無特效药，經曾天治為之針合谷、頰車、少商等穴，立時热减，能飲水，次日能進稀粥而愈。

赤白痢疾　　　　　　　　△一——五次愈

○針灸足三里、天樞、関元。

●張我忠患赤痢数天，每日泄粘液糞便七八次，惡寒發热疝痛，有裏急後重之苦，倦怠非常，經針足三里、天樞、関元，後加重灸，當晚減輕，三次痊愈。

鼠　疫　　　　　　　　　△一——三次愈

·71·

○療法見下

●口鼻出血的多危險，腹痛肚瀉的輕些，發瘡的最輕，針中衝關衝少商商陽隐白大敦尺澤委中太陽出血，百會針二分，湧泉大椎針五分，中脘針一寸，兼吐鼻血者，加針合谷上星，昏厥的加針神門支溝，發瘡的在腫毒处用三稜針刺出血，用鸡蛋清調黄柏乳香細末敷上。

河南遂興魏世興云：「民國二十二年初春，敝处鼠疫盛行，沿門闔户，傳染極快，死亡十之四五，余依上列方法施術，病即霍然，計施治百人，無一不活，亦可謂鼠疫針治捷法云云」（針灸雜誌一卷事五十二頁）

流行性感冒　　△一二次愈

○針合谷、列缺、風池、委中、大椎，腸胃性流行性感冒，加針内關、足三里。

●陶某患流行性感冒，惡寒戰慄，發熱、頭痛、背痛、四肢脊骨部都感很痛，疲倦萬分，不思飲食，吃葯数剂無效，經針合谷、風池、委中三穴，只施術一次，即已痊愈。

▲風府、風池、大椎、童子髎、曲池、足三里、支溝、内庭、附分、魄户、新建。

附痧症　　△一次愈

○針内關、足三里、大陵、曲池、委中，灸中脘。

●曹章林忽然發痧，手脚冷麻，心裏瞖塞，继而頭暈眼花，不省人事，全身抽筋，經針内關、足三里，立即痊愈。

3. 循環系統病

心　痛（狭心病、心絞痛）　△二—六次治愈

○針少府、灵道、内關、間使。灸間使、巨闕，痛未止，再針足三里、隐白，灸足三里、獨陰。

·72·

●帥耀生患狭心病已六年，初每年發作一二次，後每年五六次，這次舊病復發，心臟部劇痛，放散於左上肢，如鑽如灼如割，心痛如絞，顏面蒼白，冷汗，有死的恐怖，屈身伏卧，用手強压心臟部，以求止痛，並吃葯都無效，經曹天治施術一小時之久（按上法），痛止安眠，但醒後又復痛，但比前輕些，再治一次，施術十分鈡，即獲止痛。計治五次，即獲根治。

▲風府、天柱、風池、天牖、天窗、風門、肩中俞、肩外俞、大椎、大杼、心俞、合谷、附分、神堂、手三里、足三里、間使、崑崙。

神經性心悸亢進　　△六七次愈

○針神門、通里、内關、風池、大椎、腎俞，灸神道。

◎陳家禄患心悸亢進病八年，心臟跳動快，脈搏百二十餘次，中西醫治，又在家休养四年，未見有效，經按上法治療五次，心跳減少，十餘次後病就痊愈了。

▲天柱、風池、大杼、風門、肩外俞、神藏、胸鄉、侠白、少海、神門、間使、内關。

軟　病（中盐鋇毒）　　△一二次愈

○療法見下。

針合谷、内關、肩髃、臂臑、曲池、尺澤、足三里、承山、膝眼、委中、風市、環跳、等穴。心慌舌麻，加針神門、康泉、天突。應服硫苦（泄盐）一二两，多飲開水，冲淡其毒素，或服中葯驗方沱參陳皮吴于大枣各三錢生姜八錢煎服。

軟病又名鋇中毒，此病多在四川西南區發生，因有一部份川盐，熬燒的火力不够，以致盐内含有許多氯化钡，食此种盐後，有少数人易中钡毒，為血液中毒，循環困难，心中煩闷，精神不安，思眠，間或嘔吐，继之四肢麻木，渐麻至腹部咽喉，脉搏微弱而減少，体温降低到卅大度以下，若再重則死。早期按上法治療，迅即痊愈。編者見過許多，未有不愈。

結滯脉　　△一二次愈

○鍼内關、神門、通里。

●沈廸安忽覺心裡慌張，脉搏三、五次休止不定，名為結滯脉，經曾天治為之刺内関、神門、通里三穴，心裡慌張即止，脉搏好轉，休息一晚即已痊愈。

血液循環機能不全　　△十餘次可愈

○針内関、神门、通里、中脘、足三里、委中、風池。

●黄熙年女性，患慢性血液循環機能不全病有年，食後心窩部膨满压重，心悸亢進，急速步行，則呼吸困难，心臟部感压重狭窄，頭痛、睡眠不安。經按上法治療十餘次，已獲痊愈。

心臟喘息　　△二三次愈

○針心俞、内関、中脘、神門，灸心俞。

●萬東川、女性，患心臟喘息病甚久，心跳、氣喘、心内悶塞，但不咳嗽吐痰，經針心俞、内関、中脘、神門，灸心俞五壯，只治二次，即已痊愈。

高血壓症　　△三——五次根治

○針委中、足三里、湧泉、隐白、三陰交、曲池、環跳。

●彭继祖的爱人，患高血压症十五年，屡治不能除根，发時心悸、失眠、頭痛、眩暈、耳鳴、精神倦怠，胸腹部不舒，極感苦惱，經針委中、三陰交，血压即已降低三度，三次而愈。

脾 腫　　△二十次可愈

○針灸章門、天應、脾俞、天樞、足三里。

●林羨欣男性，十七岁，患脾臟腫大病数年，自左脇下到右脇下，結塊如拳大，長数寸，堅硬如石，針不能刺入，面黄肌瘦，經中西医治療，未能消散。經針左章門、天樞、脾俞、足三里，開始数日灸天應，針不能進，五六日後，腫硬处外面，已柔軟些，乃針天應，仍重灸治，十六天後，腹内腸鳴，次晨起床後連續瀉水三次而脾腫全愈。

貧 血

▲身柱、膈俞、胃俞、命門、中府、關元、足三里、内庭、豐隆、中脘、風池。

萎黄病（乾血癆）

▲八髎、關元、關元俞、膏肓、曲池、足三里、三陰交、豐隆、内庭、命門、内關、尾骶骨上四横指處、用温和灸半小時左右、每十天一次。

4. 神經系統病

腦貧血　　△急性一次、慢性三——五次可愈

○急性的針少商、中衝出血，針内関、列缺、灸百会、神庭必醒，慢性的針合谷、列缺、風池、足三里、内関、灸百会、神庭、風池。

●趙瑞園女性，患腦貧血五月，顔面蒼白、冷汗、四肢厥冷、心悸亢進，心窩覚苦悶，而發惡心嘔吐，头暈头痛，眼花閃發，精神倦怠，不能起

尘，經針合谷、列缺、内関、足三里後，头痛、头暈、作呕等减輕，計治三次全癒。

▲天柱、腕骨、風池、肩中俞、肩外俞、肩井、郄門、三里、合谷、大敦、厲兑、内庭、豐隆、上星、百会、中脘、解谿、水滴。

腦充血　　△四五次可愈

○針合谷、列缺、曲池、風池、大椎、湧泉、隐白、委中、針中衝出血。

●章先生忽患顏面潮紅，灼热、頸動脉搏動顯著，脉搏一百二十次，头痛、如重物压頂，非常緊張，如要暴裂一般，头暈眼花，不能睡眠，心悸亢進，心也象会裂開一般，經按上法治療，三次而愈。

▲天柱、腕骨、風池、肩中俞、肩外俞、肩井、手足三里、合谷、足上下廉、三陰交。如便秘則取大腸俞、腹結、大横、天枢。

中　風（腦出血）　　△一二次醒人事面神經麻痺三—五次半身不遂二三次可愈

○當時在委中、曲澤穴用三棱針刺出血，以減少腦出血，再在兩委中同時重灸，即可甦生，萬一還没醒，就加刺少商、商陽、中衝、関衝、少澤、少衝等穴，压出血少許，再針百会、隐白、大敦、湧泉、水滴等穴。口噤不開，顏面神經麻痹，加灸頰車、地倉、听会、斜左治右，斜右治左，半身不遂針灸肩髃、臂臑、曲池、合谷、環跳、陽陵泉、崑崙、太谿、絶骨、大陵、尺澤、風市、陰市、膝眼、委中。

●江女士患中風半身不遂已十一月，左手左腿，不能動弹，肘膝都已攣縮，起坐需人，經針肩髃、曲池、合谷、尺澤、大陵、環跳、陽陵、委中、绝骨，兼用灸治，施術一次後，腿即能動，四次後，能坐一小時，六次後能起立，計卅餘次，就可行動，举手如常。

▲天柱、腕骨、風池、肩中俞、肩外俞、肩井、手足三里、合谷、郄門、足上下廉、湧泉、大敦、三間、崑崙。同時促進消化与通便。可取肝俞、胆俞、脾俞、三焦俞、腎俞、三陰交。

失 眠　　　　△八——十次可愈

○針陰陵泉、三陰交、隐白、神門、肝俞、心悸亢進加針内関。

●張友山男性，因精神过劳，而患失眠症，常十二三天不能安眠五分鈡，經針隐白、三陰交、陰陵泉、神門、内関五穴，當晚就安眠六小時才醒，自後就每晚都能安眠，計治二次痊愈。

腦水腫　　　　△十次左右愈

○針少商、商陽、中衝、合谷、曲池、曲澤、尺澤、委中。

●蘇小仁小兒，患腦水腫，經西医穿刺，放出液体一百西西，當時見輕快，可是次日水腫如故，再請西医放水医稱不治，後請曹天治治療，經按上法針治，是晚小便十餘次，翌晨頭消了和前放水一般，次日再治，因其父有要事，不能留医田家，未能得到全愈的結果，甚惜。

流行性腦脊髓膜炎　　　　△早治可愈

○掐人中、中衝二穴出声者可治，否則危險。針水溝、風府、風池、及背部大椎穴到至陽各椎出血，必要時加針風池、風府、百会、命門、腰俞、腎俞、曲池、曲澤、外関、後谿、足三里、環跳、風市、委中、承山、陰陵泉、陽陵泉、上中下脘、天枢、氣海。

●沈逸生小兒，先天忽發高热，常々啼哭，继而眼向上視，頸微向後仰，狂噪不安，面色难看，已請人檢驗血液，尚未得报单，經曾天治為之按上述方法酌針十餘針，小兒大哭一场，即發大汗，热退神安而愈。後得驗血报单，檢查為腦膜炎。

如有医院应速送医院治療，現有配林西林可称特效药，如無医院則針灸。

腦　炎　　△二——四次愈

○針合谷、列缺、曲池、風池、大椎。

●黄生男性，中学生，因用功过度，致患头痛，痛久，腦内热滚，服葯甚多，未見有效，曾静养二月，亦未好轉。经按上法針治，立感腦内热度減低，三天全愈。

急性脊髓炎　　△十餘次可愈

○大腿痛，針委中、環跳、陽陵、風市、陰市、足三里、絶骨、腎俞、腰俞、八髎，無热再灸腎俞、八髎，手臂癱瘓加針肩髃、曲池、合骨、曲澤，膀胱直腸都癱，加針氣海、関元、長強。

●謝海如女性，患急性脊髓炎，二十天，初起两下肢刺痛，继腰背部痛，两上肢也痛，手脚不能動弹，完全癱瘓，痛苦不可言喻，吃葯未見效，經按上法針灸，立即痛除，可以行走。

▲患部附近。

脊髓痨　　△三四十次可愈

○針腎俞、陽関、腰俞、環跳、委中、風市、陰市、陽陵泉、崑崙、太谿，無热可間日灸腎俞、腰俞、陽関、八髎，必要時酌針足三里、関元、八髎、絶骨、三陰交、承山。

・78・

●梁琴润患忽起發神經樣疼痛，剧痛為電掣樣，屎發作性，膝反射消失，視力障害，间而两脚痿軟，行走不能，以後面色青白。經曾天治按上法針灸，初針時，毫無感覺，後始感覺有刺激，治療了二十二次後，脚與腿感觉有力，可扶杖而行，又治十二次後，病者回鄉静养，後據知者談及，已恢復常態，行走自如了。

▲一般对症取穴。

面神經麻痺　　　　△五六次愈

○針四白、水溝、針灸地倉、頰車、听会、翳風、地倉(喎右治左喎左治右)。

●羅仲鉞男性，廿四岁，忽患面神經麻痺，初覚疼痛，继而口眼向右喎斜，約七八分遠，講話困难，口角流涎，眼大不能闭合，已廿餘天，经多方治療，都歸無效，後經按上法針灸，只四次即已全癒。

▲翳風、天容、听会、巨髎、四白、攢竹、絲竹空、曲鬢、頰車、瞳子髎、地倉，禾髎。

面神經痙攣　　　　△二十次左右愈

○針有病边耳門、听会听宫、頰車、頭維、睛明、臨泣、攢竹、地倉、瞳子髎、四白。

●曾思蔚患面神経痙挛已三十五年，初患瘧疾甚久，継覚耳裡有点東西顫動，逐漸動到耳的四週，以後眼輪匝肌有持續迅速的縮動，成強直性挛縮，面肌也持续顫動，兼眼瞼全闭，眼常羞明流淚，久之降口肌，提下唇肌，潤肌均受累。经按上法施治，数次後，痉挛即止，共治二十餘次全愈。

·79·

三角肌麻痺　　　　　　　　△三五次愈

○針天應、肩井、肩髃、曲池、合谷、尺澤、中渚。

●葉初生女性，患三角肌麻痺已数月，右上臂上举困难，举至与腰平，即感三角肌牽制刺痛，但不妨手的運動，經針肩俞、曲池、合谷，即能上举全癒。

▲天容、天窗、天鼎、肩外俞、肩井、肩髃、肩髎、天府、天泉、尺澤、郄門、手三里。

上膊神經痛　　　　　　　　△一二次愈

○針肩井、肩髃、臂臑、曲池、合谷。

●曾恩章女性，患右上臂神經痛，凡数月，痛由肩部，經肩端而上膊到肘部止，日晚都有陣陣劇痛，經按上法治療，立即止痛痊愈。

▲俠白、郄門、間使、大陵、内関、天泉。

書　痙　　　　　　　　△卅餘次可愈

○針合谷、腕骨、曲池、尺澤、少海、肩髃、大椎、風池、只針患側穴，且只針不灸。

●伍策勵患書痙病六年，平常工作，右手不顫動，在寫字時則震動得很，不能成字，經按上法施術，七次後，用鉛筆寫字不顫動，二十次後，用毛筆寫字已和常人一般，不再痙攣了。

▲魚际、少商、三間、合谷、陽池、太淵、列缺、孔最、曲池、支溝、养老、陽谿、劳宫、间使。

三叉神經麻痺与痙攣　　　　△十次左右愈

○針合谷、迎香、地倉、頰車、听会，灸天應。

●廖瑜忽患三叉神經麻痺，左口角及唇上麻甚，全無知覚，吃飯談話，

·80·

極感不便，針刺入皮，並无感覺，深刺才感麻。經針迎香、地倉、頰車、合谷，直接灸地倉五六壯，麻痺就已去了一半，又治四次，病乃痊愈。

▲翳風、上関、下関、頰車、懸顱、懸厘、瞳子髎、听会、巨髎、四白、絲竹空、攢竹。起誘導作用取穴：天柱、風池、曲池、手三里、行間、商丘。

横隔膜痙攣与麻痺　　　　△二三次愈

○針内関、中脘、天突、灸乳根。

●鍾群，男性，六十餘岁，患吃逆病数天，經針内関、中脘、天突三穴，立即減輕，二次全愈。

▲横膈膜麻痺，胃俞、三焦俞、不容、期門、日月、鳩尾。横膈膜间代性痉挛（吃逆），章门、期门、膈俞、氣舍、氣户、孔最、風池、太谿、風府。横膈膜強直性痉挛，肝俞、胆俞、脾俞、幽门、不容、日月、期门。

頭　痛　　　　△一次愈，頑固病一二十次愈

○針合谷、列缺、風池、頭維，如不充血，必要時百会、神庭可灸。

●陳華軒，女性，卅五岁，自十三岁起，即患头痛病，屡治不愈，近又發作，头痛如破，经針合谷、列缺、風池後，立即止痛，续治二次全愈。

▲天柱、風池、肩井、強间、大椎、百会、風府、头維、瞳子髎、太陽。

三叉神經痛　　　　△十次左右愈

○針合谷、曲池，第一枝加針头維、絲竹空、攢竹，第二枝加針迎香、頰車，第三枝加針地倉、承漿。

●陳元穎，患三叉神经中的第一枝眶上神經痛病，已二年，痛在前头眼眶骨内，每逢吃热東西，或用精神，则疼痛不能制止，経針合谷、曲池、

夫維、攢竹、絲竹空五穴，立即全愈根治。

▲第一枝疼痛是額部上眼瞼疼痛。攢竹、曲差、陽白、翳風、下関、絲竹空。第二枝疼痛是上頜、下眼瞼上齒齦疼痛。四白、瞳子髎、巨髎、翳風、頰車。第三枝疼痛是下頜神經痛、压痛点是下頜骨的頦孔部听会穴部。听会、頰車、大迎、翳風、天容。顳部疼痛時，可針曲鬢、瞳子髎。

肋間神經痛（胸脅痛）　　△一二次根治

○針陽陵泉、内庭、必要時加針少府、灸期門、天應。

●苏伯士患肋骨神經痛數天，吃葯無效，經針陽陵泉、支溝二穴，立即止痛，未曾復發。

▲風门、肺俞、厥陰俞、心俞、膈俞、肝俞、胆俞、魂中、神藏、靈墟、步廊。冬季針胸背部易着凉，可取行間、支溝、曲池。

坐骨神經痛　　△五至十五次愈

○針委中、環跳、腎俞、崑崙、灸神俞、環跳、大都。

●曹磊、患左坐骨神經痛病二月餘，每晚七時後，劇痛不能忍受，曾經多方醫治無效，經針委中、環跳、風市、天应等穴，病人不感痠麻，但有感覺，当晚不再痛，安睡一宵，續治十三次全愈。

▲腎俞、氣海俞、大腸俞、小腸俞、八髎、環跳、髀関、承扶、殷門、足三里、三陰交、崑崙、陽陵泉、委中、委陽。

腰　痛　　△一二次愈

○針灸腎俞、委中、環跳、天應、禁房事二月除根。

●李有四患腰痛甚劇，起坐不能，經針腎俞、委中、環跳、天應，灸腎俞、天應，立即痛止，能起坐，二次全愈。

腰腹神经痛

▲三焦俞、腎俞、氣海俞、大腸俞、小腸俞、関元俞、上髎、肓門、志室、帯脉、維道、髀関、環跳。

橈骨神經麻痺　　△一一五次愈

○針合骨、曲池、肩髃、臂臑。

●毛吟音忽患右手大指不能举起，須用左手帮助，才能奔起，经針合谷一穴，雀啄術一分鈡久，大指立即奔動自如。

▲肩井、巨骨、肩髃、臑会、曲池、手三里、上廉、下廉、陽池、孔最、太渊、魚际、少商、合谷、二间、三间。

荐骨神經痛　　△八九次愈

○針八髎、環跳、委中、腰俞、腎俞。

●金愚公忽患荐骨神經痛，經按上法針灸六次，疼痛已不再見。

後頭神經痛　　△一二次愈

○針病側的合谷、曲池、風池。

●方德華患後头神经痛两天，痛到不能起坐，但無法止痛，經針合谷、曲池、風池，立即止痛，起坐談話。

関節神經痛　　△三四次愈

○下肢針委中、環跳、陽陵泉、陰陵泉、風市、膝眼。上肢針尺澤、曲池、肩髃，有時加針天應及附近經穴。

●梁愷鄉患左膝関節神經痛二月，日夜劇痛，有如電患一般，痛至不能食，不能睡、不能動，經針委中一穴，立即止痛，四次全愈。

▲膝關節痛：鶴頂、犢鼻、陽陵泉、委陽、陽関、血海、曲泉、梁邱。肘関節痛，曲池、四瀆、手三里、外関、天應。

神經炎　　　　　　　　　△十餘次可愈

○針天應附近的經穴及試灸（如有發熱則不可）再針環跳、委中、陽陵泉、肩髃、曲池、合谷、大椎。

●陳子南，每逢春夏之間，手脚必發生腫脹如鷄蛋大結節，沿神路疼痛非常，移動不能，知覺異常，熱不可近，已十餘年，經針天應附近各刺激点七次，立見痛止腫消。

神經瘤　　　　　　　　　△二三次愈

○針灸天應

●晏伯仁左頸上生一神經瘤，大如豆，以手按之，痠麻及頭，經針灸天應三次，即腫消而愈。

偏頭痛　　　　　　　　　△三一五次愈

○針合谷、列缺、風池、頭維、針灸太陽，必要時針湧泉。

●譚榆彬患偏頭痛五月，每晚痛至不能安睡，經針合谷、列缺，立即止痛而愈。

▲頷厭、懸顱、懸厘、陽白、攢竹、和髎、手足三里、合谷、瞳子髎、中脘、内庭、太陽、関元、三陰交。

肢端知覺異狀　　　　　　△二三次愈

○針大陵、合谷、中渚、支溝。

·84·

●胡云太常觉手指脚趾有時冷，有時热，有時麻痺，有時疼痛，同一指的知覺也不一樣，經針大陵、支溝、合谷、中渚四穴，数天後，經獲痊愈。

癲　癇（羊猪癲症）　　△二十次左右可愈

○未發時針大陵神门後谿间使照海水溝，灸鳩尾百會神庭，針灸中脘。灸肺俞、脾俞，發時灸内関中脘間使可醒。

●丘赵群患癲癇病，發時猝然昏倒，抽搐、口吐白沫，不省人事，半小時才醒，經按上法針灸九次而愈。

▲大椎、百会、神庭、湧泉、少商、僕参、間使、身柱、巨闕、風市、率谷、風府、人中、隐白、大陵、鳩尾、中脘、劳宫、申脈。

癲　　△二十次左右可愈

○針水溝、少商、隐白、大陵、申脈、風府、頰車、承漿、劳宫、上星、曲池、間使、後谿、神門。

●徐安生患癲病数月，因受恐嚇，一時精神刺激，致常不食不睡，喊類呼冤枉，救命不已，經按上法針治五次後，每日可安睡，續治数次而愈。

狂　　△三—五次愈

○与癲病同如病人全身發熱，則加刺曲池、大椎、湧泉、絶骨，無發热可灸百会。

●胡銀山男性，二十二岁，忽患狂病，喜怒無常，自尊自大，忽歌唱，忽啼哭，打人損物，曾用繩綑在家中，經按治癲方法針治，一次稍安，二次而省人事，三次而自行到診所求治，計五次全愈。

·85·

癲癇性痴呆　　　　△十一二十次可愈

○針神門、大陵、間使、中脘、湧泉、水溝，灸中脘、百會、神庭。

●楊福田男性十七岁，因鄉居捉賊，驚慌過度，变為痴呆病，常十數日不吃飯，不睡覚，不說話，两眼固定不動，記憶力減退，问話不答，經針神门、大陵、间使、中脘，一次後，神視已清，續治三次而愈。

神經衰弱　　　　△輕十餘次重卅餘次可愈

○針合谷、列缺、神门、風池、足三里，灸神庭、百会、肝俞、脾俞、腎俞。

●梁仁愛女性，因腹部施行外科手術後，神經因之極為衰弱，全身各組織失了固有的机能，經按上法針灸卅餘次而愈。

▲神门、百会、足三里、三陰交、合谷、関元、行间、内関、中極、膏肓、肺俞、大椎、命门。

癔　病（精神病）

▲喜笑無時：人中、陽谿、列缺、大陵、神门。呆而不灵：灸少商、心俞，針神門、湧泉、中脘。多悲泣：灸百会、大陵，針人中、頰車。

暈　眩　　　　△二一四次愈

○針合谷、列缺、風池，灸百会、神庭。

●梁百鍊患眩暈病已廿年，有時暈倒不能起來，經針合谷、列缺、風池，灸百会、神庭，只三次即獲根治。

震顫麻痺　　　　△病起才数月可愈久年者不易

○針病側少海、合谷、大陵、曲池、尺澤、曲澤、肩髃、陰市，灸神庭、百会，手脚全身病，針環跳、陽陵、風市、委中、大谿、崑崙、三陰交、絶骨、太衝。

·86·

●陳黄氏忽患動作遲緩，强硬，行動难而费力，右手除入睡外，常震顫非常，有如数銅錢或搓丸的運動，經針少海、陰市二次後，肌肉已不强硬，行路有力，右手便稳定如常了。

腦震盪　　△一二次愈

○針合谷、列缺，灸上星。

●趙崑山因抗日战時，受炮火驚嚇，致腦生震盪，睡下時，腦裡覚有声响，不能安睡，已八年了，經針合谷、列缺，灸上星，即已全愈。

枕神經痛

▲後項、曲鬢、腦空、通天、天柱、風池、百会、完骨、瘈脉、天牖、竅陰、曲垣、大杼、手三里。

股神經痛

▲三焦俞、腎俞、氣海俞、小腸俞、大腸俞、環跳、髀関、陰包、血海、陰陵泉、地机、大都。

股外側皮神經痛

▲命門、腎俞、氣海俞、髀関、中瀆、環跳、伏兎、梁邱、新建。

閉孔神經痛

▲大腿内側痛。命門、腎俞、陰廉、五里、箕門、陰包、曲泉、中都、行間、陰陵泉。

精索神經痛（陰莖痛）

▲腎俞、大腸俞、氣海俞、関元俞、八髎、足三里、三陰交。

舌下神經麻痺与痙挛

▲天柱、風府、風池、瘂門、肩井、听宮、翳風、承漿、廉泉、扶突、水突、人迎、頰車。

副神經麻痺

▲副神經是腦神經第十一对，主要分佈的肌肉是頸部和背中部、以及兩肩上，從耳後兩旁斜着伸到頸前面的肌肉（胸鎖乳突肌）。

斜方肌麻痺，肩膀就向前下垂，牵不起来，肩窩凹陷，上肢不能平牵。兩側都麻痺時，头也向前俯，背部顯得很寬。針灸肩中俞、肩外俞、天髎、附分、魄户、膏肓、譩譆、膈关。

胸鎖乳突肌麻痺，头就不能轉動，並偏向不麻痺的一边，臉轉向麻痺的一边，如兩边都麻痺，头就向後仰。針灸完骨、天牖、天容、天窗、風池、扶突、缺盆、肩井、腕骨。

肩胛部麻痺

▲多因肌肉过劳，外傷、風濕性肩胛关節炎、精神病等引起。因為麻痺的部位不同，症候也有所不同，針灸治法也不一樣：

（一）前鋸肌麻痺。肩胛骨很明顯的從背部鬆開，手下垂時，麻痺的一边肩胛骨顯得高些。臂上牵困难，不能超過水平再向上抬。主治穴位：天容、天窗、天鼎、中府、周榮、胸鄉、天谿、輒筋、食竇、大包。

（二）大小胸肌麻痺。患側的手，不能牵到健側的肩上；臂不能向前伸開，手腕上牵了不能下彎，所以不能拍手。主治穴位：肩中俞、肩外俞、肩井、彧中、神藏、灵墟、神封、步廊、庫房、屋翳、膺窗、周榮。

(三)菱形肌麻痺。肩胛骨对着背脊的一边和下角都很明顯的從背上鬆開，肩胛骨不能接近脊柱。主治穴位：肩中俞、肩外俞、肩井、附分、魄户、膏肓、神堂、風門、肺俞、厥陰俞。

(四)背濶肌麻痺。手不能向後、摸不着自己的臀部，手向上牵了也不能自由放下，脚尖如果向内轉站着，上身就摇々不定。主治穴位：肩中俞、肩外俞、肩井、肩髎、肩顒、肩貞、臑會、三焦俞、腎俞、氣海俞、大腸俞、小腸俞。

另外曲池、手三里、支溝、内関、支正、灵道、均可配穴。

股神経麻痺

▲這種病人想把大腿牵向腹部，或想把弯曲的大腿伸直，都不可能。走路很困难，甚至完全不能，膝蓋腱反射消失。這種病可以由骨盤腔内臓器腫瘍的压迫引起，脊髓疾患或外傷也可引發。股神経少部分枝麻痺時，運動没有明顯的困难，但肌肉逐漸萎縮，並且常有觸電樣感觉，這病有的需專科進行原因治療。針灸穴位：三焦俞、腎俞、氣海俞、大腸俞、箕門、陰包、血海、陰谷、曲泉、膝関、新建、陽陵泉。

坐骨神経麻痺

▲原因与上同。如坐骨神経全部麻痺，大腿向外旋轉困难，小腿屈曲及足的運動，均發生障碍，脚好像馬蹄，雖然憑髂腰肌臀大肌的力量，可以举步，而脚趾要離地時，就不能不在股関節处作過度屈曲，因此有涉泥步(鷄步)之稱。主要穴：承扶、殷門、環跳、浮郄、合陽、飛陽、三陰交。

(一)脛神経麻痺。病脚不能交义到好脚上面，脚掌不能向下窩，而反向上鈎、脚掌内側向下扭、外側上扭、成外翻脚。有時脚趾尖端的两節屈曲，形成鷹爪脚。委中、三陰交、交信、太谿、商丘、行間、公孫。

(二)腓神經麻痺。脚尖下垂、趾尖也向下、脚掌外側向下扭、形成内翻馬脚。委陽、三里、足上下廉、條口、懸鍾、伏谿、邱墟、解谿、内庭、崑崙。

5. 婦科病

經閉(無月經)　　△十次可愈

○針三陰交、血海、内庭、合谷、腎俞、陰陵泉、中極、關元、氣海。

●鍾翼雲、女性，患經閉病，已五月，吃葯未見有效，經針三陰交、内庭、陰陵泉、血海四穴，只治二次，四天後，月經来潮，以後按月都来月經。

▲命門、腎俞、大腸俞、長強、合谷、三陰交、地机、血海、四滿、大赫、關元、中極、曲骨、歸来、崑崙。

子宮萎縮　　△七八次愈

○治法与經閉同。

●陳淑貞、女性，卅岁，二十岁時曾生一女，以後即不行經，也不受孕，經西医檢驗為子宮萎縮，經按經閉法治療，計針灸八次，病即全愈。

月經過多　　△三—五次可愈

○針隱白、内庭、三陰交、中極、關元、腎俞、灸大都。

●刘趙氏女性，患經期過多，已一年之久，每次月經来潮期，有二十六日之多，屢治不愈，這次月經已来十六日了，当經針隱白、内庭、三陰交，灸右大都三壯，次日經血即已減少，再治一次，病已全愈。

▲氣海、大敦、陰谷、關元、太衝、然谷、三陰交、中極、大都、缺盆、水泉、極泉、曲澤、委中。

·90·

月經困难（經痛）　　　　△五—十次根治

○針内庭、三陰交、足三里、腎俞、陰陵泉。

●滌亞英女性，患經期困难病已十餘次，每次經水来時，痛三四天，吃葯未能根治。經針灸三陰交、陰陵泉、内庭、中極，立即止痛，繼續針灸四次，以後就不再痛了。

▲三陰交、足三里、関元、身柱、腎俞、氣海俞、大腸俞、上髎、次髎、瞳子髎、懸鍾。用強刺激法、針足三里、灸関元。每多一次獲效。每月針灸一次，二三個月治癒者多。

月經不調　　　　△三—四次愈

○針三陰交、血海、陰陵泉、中極、関元、氣海、腎俞。灸氣海、関元、腎俞。

●楊春秀、女性，自患病後，月經常不依期，遲一星期或三星期不定，服葯未見大效，經按上法針灸，四次而愈。

子宮痙攣　　　　△一、二次愈

○針足三里、三陰交、内庭、承山、中極。可灸獨陰、足三里、湧泉、中極。

●廖桂芬、女性，素有經痛病，每半年發一次子宮痙攣，這次發作時，為子宮收縮而發痙攣，初在下腹有压重及緊満的感覚，其後荐骨部及下腹部發生痙攣，波及股膝，如灼如刺，又有球状之物向心窩上衝，面色慘白，痛不可忍，經灸足三里、湧泉二穴各三壮，種々症候，如湯見雪，不及半小時，便安定如常。

慢性子宮実質炎　　　　△十次左右可愈

○針三陰交、陰陵泉、関元、中極、氣海，灸中極、関元、大都。

·91·

●李氏、女性，常感小腹部脹大压痛、荐骨部痠痛不舒適，月經不調，且月经過多，按上法針灸，一次而愈。

子宮冷痺　　　　　　　　△二、三次愈

○針内関、足三里、関元、氣海、中極，灸氣海、関元各十餘壯。

●梁氏、女性，卅三岁，每逢夜晚三時許，感子宮部刺痛，覚冷，久之手脚麻痺，腹部肌肉抽緊，左腹部有氣引上头部，致头感痛，欲嘔，而嘔不出，吃飯吃不下，到下午一時許，才緩解，每日如此，已六年之久，經按上法針灸二次而愈。

子宮手術括後疼痛　　　　　△一次愈

○針陰陵泉、三陰交。

●方癸君、女性，因患子宮病，經西医施行手術括治，術後，子宮部疼痛，無法制止，已六天之久，經針陰陵泉、三陰交，而立即止痛，並未再發。

白　帶　　　　　　　　　△十餘次愈

○針三陰交、足三里、関元、中極、腎俞、八髎，灸関元、中極、腎俞。

●李碧瑕、女性，患白帶病已八年，日夜不止，分泌甚多，色白且紅。經按上法針灸八次而愈。

輸卵管炎　　　　　　　　△四—六次愈

○針三陰交、陰陵泉、归来、関元、中極、天應，無發热可灸中極、関元天应。

●梁氏、患輸卵管炎九天，剧痛非常，經按上法針治，一次痛止並無復發。

卵巢炎　　　　　　　　　△三—五次愈

○針陰陵泉、三陰交、灸大敦、獨陰、归来亦可針灸（治病側）。

●張某.女性，患卵巢炎病数月，痛時小腹結成硬块，氣脹緊，不可耐，因痛久.故膝膕内大腱收縮，不能伸直，行走不便，經曾大治針三陰交.陰陵泉，灸大敦.独陰，劇痛全止，腿即能伸直，再在归来穴針灸，就好了。

▲膀胱俞.中膂俞.八髎.曲骨.足三里.上下巨虛.漏谷.三陰交。

陰道炎

▲命門.志室.白環俞.三陰交.中髎.長強.中極.曲骨.陰康.大赫.地机.归来.帶脉.常灸腰俞。

陰門瘙癢

▲大腸俞.八髎.長強.関元.中極.曲骨.髀関.陰康.氣衝，可灸會陰。

6. 産 科 病

惡　阻（姙娠嘔吐）　　△姙娠前半期一——三次可愈

○針内関.間使.針灸中脘.天突。

●苏氏.第一次懷孕，已数月，嘔吐不食，头暈不眠，体弱無神。經針内関.中脘，嘔吐即止。

脉搏一一〇——一二〇或熱度在卅九以上或發譫語或吐逆忽止者，預後不良。

▲足三里.内関.间使.大陵.三陰交.尺澤.胆俞.中脘.幽门.建里。

滞　産　　△一次愈

○針合谷.三陰交.太衝.崑崙，灸至陰.独陰。

●楊麗君二十岁，第一次生産，一晝夜不下，經針合谷.太衝.三陰交，半小時後即産。

·93·

姚氏分娩，胎兒手先出，两日不下，胎死腹中，產婦交骨復合，經曾天治為之先灸至陰五壯，手即縮上，隨即針合谷、太衝、三陰交，一小時後，死胎產下，產母無恙。

▲三陰交、合谷、太衝、崑崙、至陰。強刺激。

產後出血　　　△一次愈

○針印堂出血。針足三里、三陰交、関元、支溝。如暈厥，加灸百会，另服独参湯或當归補血湯。

●陳氏，因身体素弱，這次分娩已十餘小時尚未分娩，面白如紙，身体瘦弱，經先灸至陰七壯，復針合谷，陣痛已大緊，針三陰交時，胎兒即已產下。誰知產婦亦已暈去，乃急針水溝、灸百会，又針印堂出血数滴而愈。

胎盤分離過早（意外出血）

▲三陰交、支溝、陰陵泉、大都、太衝、崑崙。

妊娠水腫

▲手足三里、腎俞、脾俞、胃俞、懸鐘、灸氣海、交信、三陰交、陰陵泉、関元。

子　癇

▲足三里、内関、大陵、陽陵泉、太陽、肩外俞。發作時鎮靜取穴：天柱、風府、風池、水溝。

急　產

▲過強陣縮，針足三里，或行間以緩解。產婦暈倒，針人中、内関強刺激。胎盤滯留或出血，針三陰交、中極、照海，灸隱白。

子宮復舊不全　▲中極、三陰交、関元、陰谷、支溝、足三里、風府、腎俞、陽関。

94

子宫实質内膜炎(産褥热的一種)

▲大腸俞、小腸俞、膀胱俞、上、次、中髎、関元、手足三里、合谷、三陰交。

産後子宫神経痛

▲針中極、関元。

乳腺炎

▲膺窗、天池、天谿、乳根、步廊、肝俞、胆俞、極泉、天泉、膏肓、神堂、肩井、膻中、大陵、少澤、委中、足三里。

泌乳異常

▲乳汁不足，針少澤、極泉、灸膻中、乳根。乳汁過多，乳根、肩中俞、附分、魄户、中府、肝俞、心俞、少海、通里。

血栓性静脉炎

▲命門、陽関、大腸俞、八髎、陰廉、曲泉、伏兔、血海，弱刺激，浮腫部禁灸。

7. 小兒科病

初生兒破傷風(臍帶風)　△一二次愈

○灸臍至心口静脉上数壮，針頰車、地倉、灯火燒顖會、承漿、少商、印堂、臍帶口、臍輪周圍六燋，共十二燋。口中如有小白泡，用手指裹棉花擦出，將兩乳中白漿擠出。

遇此病，應叫速送医院治療，如無医院，則依法治療。

●王亞藻的兒子生下七日，吸乳口鬆，啼哭無時，眼角、眉心、鼻準有黄色，唇口收鎖，肚脹臍腫，臍上現有青筋一条上衝心口，经雷天治為之針頰車、地倉、然谷，当時用艾火在青筋头上灸之，並將二乳中小核，擠出白漿，次日復診，臍上青筋已退下一寸餘，乃又用灯心火焦顖會、印堂、少商各一焦，臍輪六焦，臍中一焦，針合谷、頰車、地倉，加灸然谷，則風止黄退，过四日全愈。

小兒驚厥　　　　△二三次愈

○針少商、水溝、曲池、大椎、湧泉、中脘。必要時針商陽、中衝、関衝、少衝、隐白、委中、承山、崑崙。

●黄小兒，病已數日，忽神暈氣促，兩眼直視，易驚，手足抽搐，昏迷不醒，兩拳緊握不放，經按上法針治一次，手脚已不抽，能吃奶，当晚痾黑色屎甚多，次日再照法針治一次而全愈。

如發高热者，能給予注射解热剂，或服解热剂，則全癒更快。

▲少商、合谷、曲池、人中、大椎、湧泉、中脘、委中、百会、印堂、承山、胃俞、腎俞、墟。

夜驚症　　　　△一二次愈

○針間使、中衝，灸百会、神庭。

●伍立群小兒患夜驚症，經灸百会三壮，炷如麥粒，病即全愈。

▲灸百会及參照前病取穴。

急性脊髓前角炎　　　　△三四十餘次可愈

○針委中、曲池、大椎、合谷、腎俞、環跳、八髎、腰俞、陽陵泉、三陰交、絶骨、崑崙並擇要灸治。

●賈明傑二岁，初發高热三四天，热退後兩腿麻痺無力，不能行走，左腿更甚。經曹天治為之針八髎、腰俞、環跳、陽陵泉、絶骨、崑崙，十次尚未見效，以後除針治外加用灸治，十四次後，患者可扶床而行，二十四次後，才能举步而行，还会跌倒，四十二次才全愈。

·96·

▲身柱、天樞、足三里。

小兒慢驚風　△由腹瀉而成者——四次愈

○如發熱針大椎足三里、天樞、關元、氣海，嘔吐加針內關，不用灸治。無熱則加灸關元、氣海、天樞、百会、印堂、神闕。另用白胡椒六七粒舂為末，加麝香一分，敷臍中，用膏藥貼上一小時即好。最好加注射鹽水針，或飲大量鹽開水，以補充水份，同時給服磺胺胍錠以消腸胃之炎則更好。

●李小兒患腹瀉病十數天，又作吐不止，經針天樞、氣海、關元、足三里、內關，灸天樞，二次全愈。

疳　積　△二三次愈

○針少府及四縫穴，使擠出白液為好。

●韓作旭一岁半，在夏季五月间，面黄肌瘦、不思飲食、腹脹尿赤、便泄、消化不良、搔鼻搔手，啼哭無常，潮熱無定，經按上法医治，一次而愈。

小兒吐乳　△一次愈

○灸膻中中庭。

●周丑娃，常日夜啼哭，哺乳後常吐乳，經灸膻中、中庭各三壯，即愈。

小兒窒息（閉氣）　△一次愈

○針合谷、列缺、少商、內關、灸中下脘、氣海。

●譚妹妹，忽患呼吸有時停滯，打之不哭，脉微、腹部靜脉怒張，呼吸微弱，經按上法針灸，小兒大哭一場而愈。

小兒心臟衰弱閉死　△一次愈

○掐水溝、少商、太谿崑崙，一哭即醒。

·97·

●袁必超二岁，原有心臟衰弱，一哭氣閉而死，面白唇青，呼吸与脉搏都已停止，經掐水溝、少商、太谿、崑崙一哭而愈。

8. 維他命缺乏病

脚 氣 △七次可愈

○針足三里、三陰交、絶骨（無热可灸），衝心性的加灸風市。

●徐從光，患濕性脚氣病三十天，兩脚知覺異常，膝以下有浮腫，久之面也微腫，心悸亢進，心窩不舒適，經按上法治療，四次而愈。

9. 外科疾病

結核性淋巴腺炎（瘰子） △五一二十次可愈

○針灸翳風、百勞、少海、天应。另法：病人直坐，用竹條量取病人尺澤至中指間的長，折断，然後将竹條從病人坐处向背上量尽处作記，從記处两边各離開一寸灸七壯。

●鍾玉衡男性，頸四週生四五核，大如手指，觸之能動，尚未化膿，經針灸翳風、百勞、少海、天应，五次而愈。

骨結核及結核性骨炎 △七一二十次愈

○針灸天應及附近經穴。

●鍾有声患右踝骨腫大，隱々痠痛，外現瘀色，行走頗感障碍。經針太谿、崑崙、三陰交等穴，灸天應，三次後痠痛消除，六次後踝骨復归原色，腫消，全愈。

炎 症 △一二次愈

○針委中、曲池、血海，热退灸天应。

·98·

●黄君志患上腹部炎症，紅、腫、痛、热，致不能睡，經針委中、曲池、血海，灸天应，二次全愈。

急性関節炎（鶴膝）　　△十—廿次可愈

○針環跳、委中、膝眼、陽陵泉、陰陵泉，热退酌灸各穴。

●姚君癸左膝患鶴膝風已三年，膝関節腫大，色甚紅，發熱，因病久，大腿收縮，起立時大腿短了三寸，經按上法治療，二次後痛除，五次後热退，九次後膝不紅，十四次後脚腱伸長全愈。

癰　疽　　△七八次愈

○未化膿針委中、曲池、血海，待热消散，就灸天应，已化膿者，用三稜針放出膿水，外敷药膏。

●李有山背部患一癰，初起經針委中、曲池、血海，灸天應，二次而愈。如会用新药，則以並用配尼西林与磺胺剂為最妥當。

疔　瘡　　△三—五次愈

○針身柱、合谷、灵台，灸間使穴後一寸十四壯，用野菊花（連莖葉）汁服，渣敷，药店菊花泡水亦可。

●歐小庭患左手食指生蛇头疔，已三日，劇痛非常，經曾天治為之針左商陽穴出血，又灸三壯而愈。

小腸氣（赫里亞）　　△十次左右可愈

○針曲泉、氣衝，灸大敦、独陰。量两口角長三次，成三角形，上角在臍，病左灸右下角。灸百会亦可止痛。関元旁開三寸青脈上灸七壯亦可愈。針天樞、三陰交，灸天应可痛止復原。

·99·

●黄財與患小腸疝氣病已七月，每月痛七八次，痛苦得很，這次夜晚二時復發，小腸墜入陰囊右方，如手掌大，經針曲泉氣衝，灸独陰、大敦，五六壯即止痛。

硬頸　　△一二次愈

○針合谷、曲池、風池、風府、啞門、委中。

●黃益庭忽患硬頸病，頸部腫脹，不能左右旋轉，不能伸屈，痛苦非常，經吃葯三日無效，後經按上法針灸，一次即獲全愈。

脊椎勁直　　△四十餘次可愈

○針胸椎各椎下及風池、風府、八髎、長強。

●林一患脊椎勁直病八年，脊骨部份常刺痛，頸椎到腰椎硬固不能屈，因之奔動不便，身体日瘦，經按上法針治四十次而愈。

手脚扭傷　　△一一四次愈

○針天應及附近穴灸天應。

●一九五四年我在洞庭湖治湖工地上用此法治好民工的脚手扭傷，不計其数，大多一二次就全癒了。

10. 消化器病

牙痛　　△一二次愈

○針合谷、頰車內関、内庭、下関。

●胡杏春女性，患牙齒痛病已有六七年之久，時愈時發，經針合谷、頰車雀啄術各五六分鐘，針灸一次即已全愈。

▲三叉神经痛的牙痛：針天容或頰車合谷。齲齒及齒項露出的的牙

痛引起偏头痛：翳風、曲鬢、头維、風池、太陽。齒槽膿漏，每在疲劳後，就觉患部發脹、微痛高热，注射青黴素或服磺胺後，体温降至正常，但齒齦紅腫、牙齒動摇、發作性疼痛，服藥無效，針太陽、头維、天容等穴後，諸症如掃。

急慢性咽炎或咽峡炎　　　　△一二次愈

○針合谷、中渚、委中、少商。

●鍾立患畏寒發热，咽痛不舒，咽痒而乾，常欲咳痰，咳嗽，頸項強硬，咽粘膜充血，經按上法針治，一次而愈。

▲風池、天柱、肩井、大椎、身柱、肩外俞、曲池、合谷、膈俞、肝俞。

牙関不能大開　　　　△一次愈

○針合谷、頰車、听会。

●黄有德，男性，五十三岁，患牙関不能大開已七日，三日不能吃飯，腹中飢餓，經按上法針治，立即全愈。

急性腭扁桃炎（鵝喉）　　　　△二三次愈

○針少商出血、針合谷、中渚、尺澤下一寸、委中。

●謝冠洲，男性，患扁桃腺炎，咽痛难嚥，左右扁桃腺体均腫脹如手指大，声帶鼻音，經按上法針治，一次痛止，二次全愈。

▲風池、天柱、人迎、天鼎、天窗、頰車、大杼、風門、肩外俞、肩井、肩中俞、合谷、曲池、翳風、中渚、関衝、三間、少商。

食管炎　　　　△一二次愈

○針合谷、太淵、内関、膈俞、灸中魁。

·101·

●梁司慎觉食滴赤腫，有热感，飲下硬物時，肋骨内刺痛，食管常有物滞留的感覚，経曾天治診斷，為食管炎，為之針合谷、太渊、内関三次，疼痛立止。

▲風池、天柱、肩外俞、肩井、肩中俞、身柱、肺俞、心俞、膈俞、天池、期門、日月、手三里、天突、鳩尾。

管狭窄及其他食管病　　△二至廿次愈

○針太渊、内関、中脘、天突。必要時針列缺、合谷、膈俞。

●蔡俠云女性，忽覚咽间生一小瘡，以手扣之，吐血二碗，初作硬物嚥下亦困难，只能飲液質之食物，三日後食管狭窄愈甚，雖流動食物亦不能嚥下，甚至胸骨下，時有刺痛，日夜不能入睡，経針太渊、内関，立即痛止能食，二次全愈。

▲天柱、風池、肩中俞、肩井、天髎、肝俞、胆俞、脾俞、三焦俞、腎俞、鳩尾、天突、手三里、合谷、商丘。

急性胃炎　　△二三次愈

○針内関、足三里、中脘、下脘。必要時加針上脘、建里、内庭。発热可灸。

●方锡幹的父親患急性胃炎，突然發生消化不良之症候，食慾缺乏，口渴，悪心，呕吐，噯氣嘈雜，胃部疼痛，感覚压重膨满，头微痛，但発热，経針内関、足三里、中脘，兼灸一二壮，立即止痛。

▲胆俞、肝俞、脾俞、胃俞、三焦俞、胃倉、関元俞、上脘、中脘、巨闕、不容、内関、足三里

性胃炎　　△慢性消化不良三五次愈

○針内関、足三里、中脘、下脘、建里，灸中工、下脘。

●陸棠因飯後走路太多，致胃部大受影响，而成慢性胃炎，常食慾不振，胃部痞满，噯氣嘈雜，食後悪心，胃部疼痛，胃窩膨满，腰痛。経按上法針灸一次而愈。　▲同上

·102·

胃溃瘍　　　　△十次左右可愈

○針内関、足三里、中脘、天枢、灸天應。

●李象明患胃溃瘍已五年，飯後一小時許，胃部非常劇痛，痛時曾嘔吐血液，大便也常見血，西医診断為胃溃瘍，經按上法針灸二次後，胃已不痛，針灸十次後，經X光透視，証明胃幽门部的溃瘍已收口全愈。

▲肝俞、胆俞、脾俞、胃俞、膈俞、三焦俞、大腸俞、腎俞、上脘、章門、巨闕、中脘、下脘、足三里、條口、内関、尺澤、支溝、神门、隐白。

胃癌　　　　△六——卅次可愈

○針内関、足三里、中脘、天應，灸天應。

●吳月秀患胃癌病已三月，其痛非常，痛時起一硬块，大便下血，経曾氏治按上法施治，六次後，疼痛減輕，續治十餘次，疼痛全無，癌腫全消。

▲肝俞、脾俞、胃俞、腎俞、三焦俞、大腸俞、内関、足三里、鳩尾、行间。

胃下垂症　　　　△廿次左右愈

○針内関、足三里、中脘、天枢、建里、灸中脘、建里、天枢。

●易先明患胃下垂病四年，胃部压重膨滿，坐一小時候胃部即感痛，即須睡下，走路不能快，快則劇痛，头常痛，易感疲倦，經X光透視，断為胃下垂，經按上法針灸三次後減少，行路甚久，不感疼痛，五次後疼痛全除，胸内不感障碍，十二次後，已獲全愈。

胃痙攣　　　　△二三次愈

○針内関、足三里、中脘、灸足三里、中脘。

●林又成患胃部發生痙攣劇痛，繼之惡心嘔吐，痙攣發作，每小時約二三十次，這次發作已三日三夜，未尝停止，声甚悲惨，初時曾嘔吐飲食

·103·

物，及一二條蛔虫，後継續呕吐黄水，杯水不能入口，三夜未睡，経按上法針灸，立時痛止，當晚再治一次而痊愈。

▲中脘、上脘、足三里、肝俞、胆俞、脾俞、胃俞、大腸俞、氣海俞、小腸俞、巨闕、章門、大敦、厲兑、竅陰。

胃痛陰囊腫大　　　　△二三次愈

○針灸中脘、下脘。

●余耀君患胃痛病二十餘天，胃痛時，痛引陰囊，致陰囊腫大如兒頭，待痛止，陰囊亦見消散，経針中脘、下脘，全無感覚，再灸四五壯，亦不感痛，乃又加灸八九壯，胃痛乃止，腫也随消。

神経性嘔吐　　　　△三五次愈

○針内関、足三里、天突、中脘、灸中魁。

●蔡炳文患神経性呕吐已数月，每逢食後，偶一用精神則惡心呕吐，初吐為胃内容物，繼則為粘液，黄水。経針内関、足三里，食後便不見惡心呕吐，再治一次，除針足三里、内関外，加針中脘、天突，灸中魁，各三壯而愈。

▲天柱、風池、三焦俞、腎俞、大腸俞、足三里、上巨虚、厲兑、合谷、内庭、间使、三陰交。乾吐不止有声无物者，針太渊、大陵、胆俞、尺澤，灸间使、隐白、章門、乳根。

胃蠕動不安　　　　△十五六次可愈

○針内関、足三里、中脘、下脘。

●曹恩蔚患胃蠕動不安病已十餘年，每早起床時，必覚胃内有物一團，扪之无物，常噯酸氣，消化不良，食後時滿悶难堪，経X光透視，見食物不到一秒鈡就到小腸，経按上法針治十餘次，胃口大開，再治十餘次全愈。

胃酸過多　　　　　　　　△三一五次愈

○針内関、足三里、中脘、下脘，灸中脘、下脘。

●周源義患胃酸过多病已多年，常噯酸氣，飢餓時則痛，吃東西後鰀解，經按上法治療五次，即獲全愈。

▲風池、大杼足三里、手三里、内関、外関、大腸俞、膈結、膈俞。

胃液缺乏　　　　　　　　△一二次愈

○針内関、足三里、中脘。

●伍有爱女性，患食後胃部有压重膨滿、穿刺樣疼痛，噯氣已二十年，每餐只可吃兩匙飯，且須湯水送下，因此面黄羸瘦，全無精神，經按上法治療，一次好，二次全愈。

▲肝俞、胆俞、脾俞、胃俞、三焦俞、巨阙、上脘、中脘、足三里、支溝。

胃神經衰弱 消化困难　　　　△十次左右可愈

○針内関、足三里、上脘、中脘、灸胃部。

●羅雅嫒、患消化不良病，已数年，食後觉胃部压重，噯氣嘈雜，恶心嘔吐，空腹時，又感疼痛樣的不快，全身倦怠，漸見暈眩，心窩苦悶，心悸亢進，精神抑鬱等，斷為神經性消化不良。經按上法針灸，諸症如掃。

▲天柱、風池、肝俞、胆俞、脾俞、胃俞、上脘、中脘、下脘、章门、京门、手三里、合谷、足三里、行間。

腸　炎（腹瀉）　　　　　△二三次愈

○針内関、足三里、天樞，灸天樞、足三里，必要時針灸氣海、関元、脾俞。

·105·

一

●梁新患腸鳴腹痛，腹瀉日十餘次，小便減少，小腹脹滿，全身倦怠，已有三日，經針足三里、天樞，各灸三壯，立即止痛，一次而愈。

△急性腸炎，針灸命門、胃俞、三焦俞、氣海俞、腎俞、大腸俞、関元俞、天樞、大橫、四滿、帶脉、足三里、三陰交、灸天樞、関元。

慢性腸炎，針足三里天樞上巨虚関元行间、外陵，其餘穴位与急性腸炎同。

便　秘　　　　　　　△六七次根治

○針天樞、関元、氣海、支溝、照海、大腸俞、灸天樞、関元、大敦、痞根。

●林亞二女性，患便祕病十餘年，常五一七日大便一次，大便時竭力努責，必致头暈眼花，大汗淋漓，雖常用下剤，也不能通便，因之腹部膨滿，全身营養障碍，經針照海、天樞、関元、灸天樞、関元、一連五次，大便如常，並会困难了。

△腎俞、氣海、大腸俞、小腸俞、天樞、太乙、外陵、関元、三陰交、足三里、支溝、承山。

腸出血　　　　　　　△三五次可愈

○灸命門、及命門旁开一寸、針灸長強、天樞。

●張如雲女性，患腸出血，腹部疝痛，大便流血已数月，血液純粹排泄，色鮮紅，液狀，經針内関，疝痛即止，灸命门及命门旁開一寸各七壯，次日血已減少十分之六，再治一次，即已全愈。

慢性闌尾炎　　　　　△三五次可愈

○針右足三里委中，如会大热，灸右大敦、独陰、天应、天樞，如属急性的，則应速送医院割治。

●陳鳴海患盲腸炎病，發热、腹痛、盲腸部脹滿，按之硬实压痛，經按上法治療，立即止痛，四次全愈。

·106·

▲足三里、肓俞、府舍、内关、曲池、氣海俞、大腸俞。

腸結核（腸痨）　　△廿餘次愈

○針灸天枢、氣海、関元、足三里、塩塡灸神阙、百会、長強亦可灸。

●陳木鳴患腸結核病已九月，日夜共有腹瀉三四次，糞便中混有血液及膿汁，腹部有自發痛及压痛，貧血、消瘦、経針足三里、天枢、氣海、関元並加灸治，施術五次，病即獲愈

▲腎俞、大腸俞、小腸俞、三陽交、膏肓、膈関、肺俞、長強、命门。

乙字状部炎及其周圍炎　　△十次左右可愈

○針足三里、天枢、水道、帰来、天應，会發热則可灸治，如痛延及左大腿，則環跳、風市、陰陵泉、陽陵泉、崑崙等皆可針。

●刘文生患乙字狀部腸炎甚久，右腸骨窩腫脹如盤，堅硬如石，高热如火，劇痛如燒，痛及左大腿，行動須人扶持，經按上法施治，痛立止，熱漸退而愈。

腸神経痛（腸疝痛）　　△十次左右可治愈

○針足三里、天枢、氣海、関元，灸天枢、氣海，量口寬三倍成三角形，上角置臍，病左灸右下角，病右灸左下角。

●刘卓生患腸神経痛已十年，痛時有氣脹大如拳头大，上下奔走，非常之痛，心悸亢進，脉搏不整，呼吸困难，顔面呈苦惱，每月二三次不等，發時按上法針灸，一次，已不再發。

▲三焦俞、腎俞、氣海俞、大腸俞、関元俞、天枢、行间、足三里。

痔　核　　△十餘次可好

·107·

○針長強、承山命门灸命门、長強、天应、如欲根治則应用枯痔療法。

●曾天治患内外痔約十年，肛门外有豌豆大外痔一粒，每逢大便，頗感痛苦，排便時且流血甚多，経按上法針灸，五六次而愈。

▲腎俞、氣海俞、大腸俞、小腸俞、命门、長強、百会、秩边、承扶、絶骨、三陰交、承山、崑崙、會陽、長強。

痔　瘻　　△二十次可好

○針長強、承山、命门，灸長強、命门、及命门旁一寸，倘瘻孔甚大，宜用生附子末，水和作餅，放孔内再灸，乾則换餅，到肉長平為止。如欲根除，須用药線療法。

●張秀英、女性、二十四岁，患痔瘻流膿数年，経曾天治按上法治療，二十次而好。

脱　肛　　△一一十次愈

○針承山、長強，灸長強、百会、神阙、垫盐灸。

●黄石培、男性、四十餘岁，患脱肛病数月，肛门脱出，不能用手術托回，経按上法治療，一二次未見效，八次後，肛门才縮入，十一次才全愈。

▲百會、三焦俞、腎俞、大腸俞、天枢、外陵、中注、長強、足三里、湧泉、腰俞。

11. 肝胆的病

肝硬變　　△二十次可愈

○針灸中脘、巨阙、天應全部。

●黄立與男性，患右季肋下有一硬块，有压痛，経医檢診為肝臟硬变，経按上法治療，廿次而愈。

▲腎俞、大腸俞、膀胱俞、八髎、胃俞、足三里、関元、巨阙、期门、経渠、肺俞。

·108·

黄胆　　△十次可愈

○针内関、中脘、足三里、腕骨、至陽、胆俞，灸中脘、至陽、脾俞。

●張任卅二岁，患黄胆病一星期，眼、面、身、手、脚、小便都黄，胃部膨满，食慾缺乏，全身倦怠，經按上法治療，二次而愈。

▲天柱、風池、肩中俞、肩井、肩外俞、肝俞、胆俞、脾俞、意舍、胃俞、三焦俞、腎俞、氣海俞、大腸俞、幽门、巨闕、足三里、鳩尾、合谷、中脘、内庭、委中、至陽，視原因配穴。

胆石　　△七八次可愈

○針内関、足三里、中脘、天应，灸天應。

●林陳氏，忽發胆石疝痛，於右季肋部、胆囊部、心窩部、右側肩胛、如灼如鑽，如刀刺，呼吸淺表，腹壁緊張盜汗，面色黄，经針内関、足三里、中脘、天应痛減少，再灸天应十数壮，劇痛即止，次日再治一次而愈。

▲三焦俞、腎俞、氣海俞、大腸俞、上脘、鳩尾、外関、足三里、右章门、京门。

腹膜的病

水腹（水臌）　　△十次左右可愈

○針三陰交、陰陵泉、足三里、復溜、水分、氣海、関元、腎俞，灸水分、氣海、腎俞，水道、陰交、関元，亦可灸治。

●張玉山患腹水病一年，曾经医院穿刺放水三次，不久又腫，雖每月注射葯水一二次，只能臨時消些，不能全愈，夜间轉側，須人帮助，小便少，胃口不開，經按上法針灸，当晚小便十餘次，睡觉轉側便不需人，胸际宽舒，行路両脚有力，腫脹随消，褲帶縮短寸餘，繼續治療，五次全愈。

·109·

▲三焦俞、腎俞、氣海俞、大腸俞、水分、腹結、関元、陰都、三陰交、足三里、懸鐘、八髎、内関、陰陵泉、太谿、曲泉、地機、天枢。

急慢性腹膜炎 —— 針灸只能作為輔助療法

▲膈俞、小腸俞、三陰交、行间、陰陵泉、等穴有顯著效果。其它取穴：肝俞、胆俞、脾俞、三焦俞、腎俞、氣海俞、大腸俞。

心臟性水腫　　　　△十次左右愈

○針足三里、三陰交、陰陵泉、絶骨、腎俞、内関、通里、神门、合谷、針灸心俞。

●范寿田，患心臟性全身水腫甚久，心跳、氣喘。經按上法針灸，十次而愈。

12 泌尿器病

急、慢性實質性腎臟炎　　△六—十次愈

○針三陰交、陰陵泉、足三里、関元、氣海、腎俞、脾俞、灸関元、腎、脾俞、氣海。

●鄭豪，患脚腫，但每次腫服四五次西葯後即消，此次与前不同，小便短而呈肉汁色，早上面微腫，下午消，两脚水腫，腹部亦微腫，服葯甚多无效，經用粗毫針針足三里、陰陵泉，三陰交、内庭、用旋捻術使針口擴大，拔針後，水從針口流出，次日仍然出水，再針関元、氣海、腎俞等穴，以恢復腎臟的機能，針灸計六次全愈。

▲三焦俞、腎俞、氣海俞、大腸俞、小腸俞、水道、八髎、天枢、腹結、三陰交、関元、陰交、太谿、曲泉、陰陵泉。

萎縮腎　　　　△五—十次愈

○針腎俞、三陰交、陰陵泉、関元、氣海、三焦俞、足三里、絶骨、面腫加針水溝、灸腎俞。

●赖敬龍，患每晚夜尿七八次，天冷更甚，約十餘次，已五六年之久，經針腎俞、関元、氣海、三陰交、陰陵泉，当晚小便只三次，續治二次而愈。

腎鬱血　▲命門、大腸俞、腎俞、氣海俞、水道、三陰交、委中。

腎盂炎　▲腎俞、命门、氣海俞、大腸俞、小腸俞、秩边、天枢、腹結、足三里、三陰交。

腎臟結石　▲三焦俞、腎俞、氣海俞、肓门、志室、大腸俞、小腸俞、関元俞、三陰交、陰陵泉、太谿。

尿毒症　▲命门、腎俞、膀胱俞、秩边、大敦、厲兑、三间、魚际、少商、少府。

膀胱炎　△五六次愈

○針三陰交、陰陵泉、関元、腎俞。灸関元、腎俞、氣海，必要時加針三焦俞、八髎。

●林吉祥，患膀胱炎病已四個月，覚膀胱部及会陰部刺痛，尿意頻数，通尿時，其痛如灼，不思飲食，煩渴，經按上法針灸後，疼痛減輕，再治五次而愈。

▲大腸俞、膀胱俞、腎俞、八髎、承扶、殷门、会陽、関元、大赫、大横、三陰交。

膀胱結石（砂淋）　△五六次愈

○針三陰交、陰陵泉、照海、氣海、関元、湧泉、腎俞、三焦俞、灸関元。

●莊樹弟患膀胱結石病，小便時痛，經按上法治療，並嘱買生車前草一斤，不断煎水当茶喝，結石即随小便而出。

▲氣海俞、大腸俞、小腸俞、膀胱俞、上髎、中髎、足三里、三陰交。

膀胱痙攣　△一——三次愈

○針三陰交、陰陵泉、関元、氣海、腎俞、三焦俞。

●李和生忽患小腹劇痛，尿意頻数，但排尿極微，而利尿甚困难，甚至不能放尿，疼痛波及生殖器，因甚辛苦，經針陰陵泉、三陰交、関元，都用雀啄術各三分鈡久，疼痛即止，小便亦通。

·111·

▲氣海俞、大腸俞、小腸俞、関元俞、八髎、膀胱俞、中枢、曲骨、腎俞、命门、陰陵泉。

膀胱麻痺　　　　　　　　△十餘次愈

○針三陰交、陰陵泉、氣海、関元、腎俞、天枢、足三里、灸関元、腎俞各五六壯。

●戴九如、女性，因患乳癌，经割治手術後，膀胱括約肌麻痺，致小便失禁，全無次数，不能起坐，不能穿褲子，一起立就流尿，經按上法針灸二次，已可穿褲子起行，無尿流出，因过年停久未治，病又復原，再經按上法針治，不灸，計十六次全愈。　▲同　上

小便不通　　　　　　　　△一次愈

○針陰陵泉、足三里、氣海、天枢。

●刘敬一因發热後，忽小便不通，經針陰陵泉、足三里、氣海、天枢，立即小便通暢。

遺　尿(夜尿)　　　　　　△二三次愈

○針灸腎俞、関元、命門、膀胱俞。

●張光華，患遺尿病十餘年，服药未見效，經按上法針灸三次全愈。

▲腎俞、氣海俞、大腸俞、膀胱俞、八髎、長強、會陽、関元、足三里、三陰交、関元俞、大敦、命门。

13. 生殖器病

遺　精　　　　　　　　△十一廿次愈

○針三陰交、陰陵泉、関元、氣海、中極、腎俞、志室、灸腎俞、関元、志室、餘穴亦可酌灸。

●王謙益、男性，患遺精病已八年，有夢或無夢遺精，每月約三次，精神極萎靡，心跳、失眠、手脚冰冷，头暈等症状，经針灸三陰交、腎俞、関元。次日乃針灸氣海、中極、志室，計針灸八次而愈。

·112·

▲关元、大赫、中极、天枢、曲骨、足三里、風池、天柱、大杼、肩外俞、大椎、身柱、膈俞、八髎、命门、三陰交。

攝護腺漏　　　　　△十一——十四次愈

○針氣海、關元、三陰交、陰陵泉、血海。

●王一良每逢大便努責時，尿道口有白色液体流出，不痛不痒，這是攝護腺液漏出也。經按上法治療十二次而愈。

滑　精　　　　　△七——十次愈

○針三陰交、陰陵泉、関元、氣海、腎俞，灸関元。

●金一定患滑精病多年，性慾極易衝動，偶見女色，即不知不覚如有物自上而下，随即洩精，痛苦萬分，經按上法針灸二十次而愈。

精液缺乏　　　　　△八——十次愈

○針三陰交、陰陵泉、関元、氣海、腎俞、三焦俞，灸腎俞、氣海、関元。

●秦若梅因結婚太早，生殖器發育不全，又以久年遺精，竟致陽萎，精液全無，經按上法針灸六次後，忽一晚遺精甚多，再治九次而愈。

早　洩　　　　　△十——廿次愈

○針三陰交、陰陵泉、歸来、関元、氣海、腎俞，灸関元、歸来、腎俞。

●李予生患遺精兼早洩，七八年，每性交必早洩，經按上法針灸後，遺精日漸減少，治療十餘次後，遺精早洩同愈。

陽　萎　　　　　△廿餘次愈

○針三陰交、陰陵泉、関元、氣海、腎俞，灸関元、腎俞。

●范漢斌、患陽萎不能人道病多年，經按上法針灸二十次後已愈。

·113·

▲取穴与遺精相同

縮陽脱陽　　　　　△一二次愈

○針長強、氣海、関元、三陰交、陰陵泉。灸長強関元。

●鄒某，患脱陽症，經曹天治為之施術二次，病果根治。（並另嘱買白胡椒末二錢冲燒酒服亦有效）

睾丸和副睾丸炎　　　　　△十次左右可愈

○針三陰交、陰陵泉、関元、氣衝、天应、灸天应、大敦、独陰、行间。(左病灸右右灸左)。

●李夢熊因宿娼梁得淋病，三週後右睾丸發劇烈疼痛，延及精管，放散於下腹部，荐骨部、大腿部，睾丸腫如鴨蛋大，呈硬殼狀的腫脹，行路艰难。經按上法針灸一次，疼痛立止，三次後，腫消大半，九次後，好了百分之九十五，不能完全復原，但行動一切，已会障碍。

另法：量口宽三次呈三角形，上角置臍，灸下二角处，亦可止痛。

▲腎俞、氣海俞、大腸俞、関元俞、八髎、中極、曲骨、血海、手足三里、三陰交、地機、通谷、束谷、氣衝、中極。

陰囊蜂窩織炎　　　　　△七八次愈

○灸大趾甲後正中三分、三至七壮，立可止痛，尿瘦則針長強，針灸歸来、氣衝，或灸大敦、独陰，針灸归来、氣衝、天应。

●徐友生患陰囊腫大，痛不可按，時冷時热，經針曲泉、中封、大敦、立即止痛次日腫消而愈。

陰囊濕疹（秀球風）　　　　　△五六次愈

○針三陰交、陰陵泉、関元、氣海、归来，灸関元、氣海、归来。另用生葱头七八個，

·114·

春煽，加食盐三匙，水煮出渣，乘热洗陰囊。

●周子元患陰囊濕疹，陰囊痒，搔之流水，以致晚上不能安眠，痛苦不堪，经按上法針灸三次而愈。

陰囊水腫

▲曲泉、中封、商丘、大敦、其它穴位同上。

14. 花柳病

淋　病（白濁）　　　　△十七八次愈

○針三陰交、陰陵泉、氣海、中極、関元、腎俞、八髎。灸関元、氣海、中極。

●張友三，患白濁，經按上法針灸，十四次而愈。如加注射青黴素及内服磺胺噻唑則收效更快。

▲大横、天枢、八髎、氣海俞、関元俞、膀胱俞、承扶、会陽、関元、大赫、三陰交。

横　痃（鼠蹊腺腫脹）　　　　△二三次愈

○針承山，用雄黄末拌艾绒灸天应十餘壯，又可針委中、三陰交、血海，並灸血海。

●黄　智患白濁性横痃七八天，經按上法針灸二三次，即治愈。

鼠蹊淋巴肉芽腫　　　　△五六次可愈

○針承山、血海、三陰交、天应，並以雄黄末艾绒灸天应六七壯，立即痛止，翌晨流血水不少，即消了腫，行路已好，再針灸一次全愈。

●林又新患鼠蹊淋巴肉芽腫病，漸々腫大如鸡蛋大，有自發痛及压痛，呈淡赤色，未破潰，行路不便，經按上法治療二次而愈。

15. 運動器病

急性関節風濕　　　　△十次左右根治

·115·

○股関節針委中、環跳，膝関節、陽陵泉、陰陵泉、委中、膝眼，跗関節、崑崙、太谿，肩関節、肩髃、肩井、大椎，肘関節、曲池、尺澤，腕関節、合谷、腕骨，可能發的関節，亦須針，不宜灸，慢性的治法同。

●李壽男性，二十二岁，患本病已七月，初由肩関節而及股関節，發病後，其餘関節潮紅疼痛，肌肉瘦削，經按上法治療，当日就好了三成，二次好了七成，三次全愈。

淋病性闗節炎　　△五—廿次可愈

○膝関節、針委中、膝眼、陽陵泉、陰陵泉、灸膝眼、腕関節、針合骨、腕骨。

●伍一元患淋病性膝関節炎，已有三月之久，左膝部劇痛，日夜不停，痛久左膝強直，步行跛跌，跗上及膝上微紅腫，痛時如鑽如刺不能耐，為之刺委中、陽陵泉、陰陵泉、膝眼等穴，痛少減，施術三次後，可穿鞋袜步行上楼梯，續治共二十次全愈。

急性及慢性肌肉風濕　　△十次左右可愈

○針病側風池、大椎、肩井、天应，用銅元蘸半热水，括天应現黑点，腫起為度。肩胛肌針灸肩髃、巨骨、中渚、天应(乱刺出惡血)。腰肌針腎俞、委中、天应，再灸天應。

●何有求患肩胛肌疼痛，穿衣做事，都感不便，經針肩髃、天应，又灸三壯，即已全愈。

肌肉風濕病(肌肉倭麻質斯)

▲頸部痛：天柱、風池、新設、肩井、天牖、天窗。腰部痛：命門、腰俞、志室、陽関、大腸俞、小腸俞、上髎、次髎、環跳。胸部痛：取胸部或上肢的孔穴。肩部痛：肩髃、肩貞、曲垣、臑会、肩髎、臑俞。背部痛：肩外俞、大杼、肺俞、心俞、膈俞、附分、膈関。

·116·

以上各部分，同時有四肢肌痛，可以同時取手三里、曲池、承扶、陽陵泉。

手脚腫痛刺痛痠痛麻痺攣縮強直等　　△日期不定

○針灸天應及其附近經穴。

●這幾種病太多，也太平常，隨時都会遇到，也很容易治療，实例也就不必一一列述了。

手脚冰冷

○手冰冷，針灸肩髃、曲池、合谷。脚冰冷，針灸腎俞、足三里、陽陵泉、風市、環跳、委中、崑崙、太谿。

手脚痙攣

○手抽筋針曲池、尺澤、少商、商陽、中衝、関衝、少衝、少澤、大陵，脚抽筋針承山、湧泉、委中、崐崙、太谿。

腓腸肌攣（小腿抽筋）　　△二三次愈

○針委中、承山、崐崙、太谿、環跳。

●顧雪樵患小腿抽筋病甚久，晚睡後，兩小腿抽筋，无法制止，經針承山、委中、環跳、灸承山，一次痊癒，二次除根。

▲承扶、環跳、髀関、委中、承筋、承山、会陽、三陰交、僕參、金门。

手麻痺胸劇痛　　△一二次愈

○針合谷、曲池、肩髃、肩井。

●陳維新的爱人，因被别人拿武器威嚇，受驚过甚，縮其被打的左手，即覺左肩上至胸内劇痛，左手麻痺得不能動彈，全无知覚，已有三日，經按上法治療，一次而愈。

下肢攣縮　　　　△二三次愈

○針環跳、陽関、腰俞、風市、委中、陽陵泉、陰陵泉、三陰交、絶骨、崑崙、太谿。

●朱静波因病致左腿筋腱孿縮，变為長短脚，走路時，筋腱牽制，極感痛苦，已四月之久，經按上法治療二次，筋腱便伸長了，走路也自如了。

16. 眼病

眼瞼下垂　　　　△十次左右愈

○針合谷、攢竹、絲竹空、魚腰、頭維、臨泣。

●林瑞芳因患頭部劇痛，連痛五個月久，以致左眼瞼神經麻痺，左眼瞼下垂，无力提起，經按上法治療四次，病竟全愈。

▲瞳子髎、懸厘、翳風、肩中俞、肩外俞、身柱、大椎、陽白、四白。

慢性淚囊炎　　　　△三一五次愈

○針合谷、頭維、臨泣、睛明、攢竹、大小骨空。

●徐雲患慢性淚囊炎已三年，有頑固的流淚，遇冷或風吹時更甚，早晨起床須用水洗才能開眼。經按上法治療四次，即已全愈。

急、慢性結膜炎　　　　△二三次愈

○針合谷、太陽、睛明、攢竹、絲竹空、头維、臨泣、瞳子髎。

●蔡初生、患急性結膜炎，時發時愈，眼有異物感，流淚、有眼脂，搔癢不堪，微痛，經按上法針治，只治一次，即獲全愈。

▲絲竹空、瞳子髎、陽白、睛明、四白、大陵、合谷、迎香、陽谿、地五会、頷厭、天柱、風池、大椎、身柱、肝俞、脾俞。

眼　痛　　　　　　　　　△一次愈

○針合谷、头維、睛明、瞳子髎、赤腫、太陽静脈出血。

●吳云太、患眼痛已二日，未見他覺症候，自覺刺痛，經按上法治療一次而愈。

神経麻痺性角膜炎（赤脉穿睛）

▲陽白、攢竹、睛明、絲竹空、瞳子髎、头維、臨泣、風池、百会、肝俞、後谿、翳風。

夜盲症

▲睛明、瞳子髎、攢竹、絲竹空、魚腰、四白、上星、陽白。配穴：膈俞、肝俞、胃俞、胆俞、三焦俞、腎俞、手足三里、三陰交。

膿漏眼（淋病性結膜炎）

▲頭維、陽白、天柱、風池、天牖、目窗。

砂　眼

▲同結膜炎取穴。

眼瞼緣炎

▲絲竹空、瞳子髎、頷厭、天柱、風池、大椎、身柱、曲池、足三里、胆俞、肝俞。

白内障

▲百会、絡却、天柱、曲池。

綠内障

▲風池、懸厘、天柱、陽白、天牖、目窗、四白。

17. 耳病

中耳炎　　　　　　　　　△二三次愈

·119·

〇針合谷、針灸听会、頰車翳風。

●甘建盤患左耳忽劇痛，繼流膿水，次日耳内有針刺劇痛，漸次達於头部、頸部，覚耳内膨隆，緊張，整日夜不能眠，且牙関收緊，耳上下腫脹，経按上法治療，一次而愈。

▲風池、耳门、听宫、翳風、天容、听会、肩井、肩中俞、肩外俞、頰車、合谷、曲池、足三里。内耳炎、神経性耳鳴与耳痛，取穴相同。

耳　鳴　　　　△十次左右可愈

〇針听会、听宫、翳風，重病加灸液门、風池。

●郭德鄰患耳内蝉鳴不停，已十餘年，尤以夜间人静，影响睡眠為苦悶，経按上法施治，即覚耳内減輕，再治五次而愈。

耳　聾　　　　△二十次左右可愈

〇針耳门、听宫、听会、翳風、中渚、外関、針灸腎俞。

●胡景彬、患耳聾耳鳴病，已二十年，経按上法治療，十八次後，耳鳴停止，可坐与小声談話。

聾　啞　　　　△初起二一三次可愈

〇合谷、曲池、百会、外関、啞门。

●吳應生男性、廿六岁，因受寒而聾啞，已三月，只針灸合谷、曲池、百会，重灸百会，当時大呌而愈。

18. 皮膚病

疥　瘡　　　　△二三次愈

·120·

○針灸曲池、血海，灸膈俞。

●范根患疥瘡已三月，經按上法治療，三次而愈。

▲曲池、支溝、陽谿、陽谷、大陵、合谷、後谿、委中、三里、陽輔、崑崙、行間、三陰交，灸血海、膈俞。

癬　　△十次左右可愈

○針委中、曲池、血海、灸天應。

●廖如飛、患癬已六月，頸上、肩胛上、肘上，都已感染，痒不可當，搔之流水，經按上法治療二次，已能止痒，十次而愈。

▲与疥瘡同樣取穴。

凍　傷　　△一二次愈

○灸天應、針天應附近穴位

●趙有力近三年來、每年冬季多生凍瘡，這次按上法灸治，三次全愈。

面部生瘡　　△一二次愈

○針合谷、曲池、血海、委中。

●錢大生、男性，二十岁，面上生許多小粒，有時会痒会痛，有時能擠出如米樣的白脂，生多了，有碍观瞻，這是青春期间，男性常有的生理作用，經按上法治療而愈。

脚濕疹　　△三五次根治

○針曲池、委中、血海，灸天應。

●周香生、患脚趾濕痕痒，患处發白，抓之流水，妨碍夜晚睡眠，廣東人稱為香港脚，經按上法治療，三次而愈。

·121·

手濕疹　　　　　　△三—五次愈

○針大陵、中渚、合谷、灸天應。

●呂明，患兩手指濕疹已四年，日夜痕痒，抓之流水，水到之處，継又發痒，经按上法治療五次而愈。

全身痕癢

○針合谷、曲池、環跳、足三里、血海、委中。灸血海、曲池。

●馮献從、女性，患全身痕痒病三月，用葯洗服，都未見效，经按上法治療二次而愈。

盗　汗　　　　　　△一、二次可愈

○針合谷。針灸陰郄、膏肓、肺俞、後谿。

●盧炳坤、二十六岁，患盗汗病已一月，屡治不愈，经按上法治療而愈。

蕁麻疹　　　　　　△一、二次愈

○針灸曲池、血海。

●吳友仁患手臂与腿，遇大風一吹，即起硬块，痕痒不堪，俗名風泡它，经按上法針灸，一次而愈。

疔　瘡

▲面上与口角，灸合谷。手背上，灸肩井、三里、委中、臨泣、行间、通里、少海、太衝。

癰　疽　▲針肩井、委中、曲池、身柱。

腋下腫瘍　▲陽輔、太衝。

遍身生瘡或隐疹　▲曲池、合谷、三里、絕骨、膝眼、肩髃、曲澤、環跳、湧泉。

19. 内分泌腺病

甲状腺腫　　　　△廿次左右可愈

○針合谷、曲池、列缺、及頸椎第五六椎各旁开一寸(共四穴)必要時加針風门、肺俞。

●曾習儀女性，三月以来，自覺頸部肥大，領扣見窄，經西医診斷為甲狀腺腫，俗稱大頸疱，久未治愈，恐眼球凸出，手指震顫，消化機能亢進，具後嘔吐下痢，身消瘦，月经障碍等，經按上法治療五次後，頸圍量已縮小四分之一英寸，續治二十次，便已全愈。

▲合谷、曲池、天突、肩中俞、肩外俞、肩井、風池、極泉。三里，头痛加針太陽。

凸眼性甲状腺腫(猴兒包)　　　　△卅次左右可愈

○針大椎、風门、肺俞、天突、膻中、尺澤、列缺、第五六頸椎两旁各开一寸，胆俞、脾俞、胃俞、三焦俞、腎俞、大腸俞、八髎、関元、氣海、三陰交、足三里。

●陳某女性，二十四岁，病初咳嗽上氣，呼吸困难，漸至心悸、震顫，月經不調，心煩，两眼球凸出，頸側喉際隆起，堅硬不痛，脉搏一百二十至，体温无变化，尿量正常，胃口稍差，精神还好，肢体雖瘦，而肌肉結实。經曾天治按上法治療，三日後，心悸減，上氣舒、脉搏緩，胃納好，七日後，諸症都已減輕，眼球已縮大半，頸圍小一寸，十二次後，眼球復原，頸圍又小半寸，咳嗽上氣全治，脉搏九十至，二十次後，諸症如掃，惟頸腫还未復原，以後每三日針一次，当可復原云。

▲天柱、風池、大杼、大椎、身柱、天突、水突、人迎、廉泉、中注、帶脉、外陵、瞳子髎、四白。

副甲状腺機能減退(手足搐搦)　△卅次左右可愈

○灸百会、大椎，針第五六頸椎两旁各开一寸，手搐大陵、中渚、曲池、肩髃、風府、風池，足搐環跳、陽陵泉、崑崙、委中、合谷、頰車、听会、大椎、天应，腹肌則針天枢、氣海、中脘。

●李希華患此病已四月，初手足搐搦，繼之全身搐搦，搐搦处皮色变紅，有時上下肢，有時面肌腹肌，左手不能隨意動，右手不能摩它，偶一觸動，即起一搐，尤以第四五指引起搐搦為多，指尖集合而伸展，腕前指骨関節及手関節輕度屈曲。經曾天治按上法治療，左手便灵敏，治療数次後，左手可以彈琴，可以拿飯碗吃飯，惟下午仍不甚活動，治療十二次後全愈。

20. 新陳代謝病

糖尿病（三消病）　　　　△二十次左右可愈

○針神門、内関、三焦俞、中脘、胃俞、腎俞、下脘、足三里、海泉、太淵、列缺、肺俞。

●黄日平患三消病二年，口渴、尿多、善食，但身体很瘦，經針中脘、下脘、足三里间用灸治，五次後，渴減少，續治十二次，並用驗方五棓子一斤、正雲茯苓四两，龍骨二两，共為細末，以水為丸，大如菉豆，每服七十丸，每日三次鹽水吞下，服了一料而愈。

▲脾俞、腎俞、関元、腸俞、関元俞、膀胱俞、中膂俞、八髎、足三里、三陰交、水泉、承扶、陰郄。

尿崩症　　　　△七八次可愈

○針三陰交、陰陵泉、関元、氣海、腎俞、三焦俞。

●蔡岑輝患尿崩病已數月，小便甚多，色清澄，夜尿十多次，初感煩渴，頗感苦悶，經曾天治按上法施治，次日尿量即減少，夜间小便只五六次，消渴亦減，又治三次而愈。

▲風池、風府、天柱、大椎、身柱、命门、腎俞、膀胱俞、三陰交、関元、中極。

痛風

▲氣海俞、膀胱俞、関元、三陰交、足三里、天应附近周圍配穴。

·124·

附 錄

一 針灸與神經的關係

（北京中醫學會針灸專門委員會第一次學術講演紀錄
天津軍醫大學生理學教授劉民英）

針灸的初步理論——針灸在我國有很久的歷史，但是缺乏實際理論，所以西醫界不大相信，我們應該給與理論的支持，在國際上可以有地位。一般对於針灸醫學看的方法和角度不同，所以在思想上也有不同的看法，現在大胆的說明理論上的見解。

一、支配皮膚知覺的神經

針或灸都是通過神經消滅病因達到治療的目的，神經是一個橋梁作用，現在一般病人对自律神經尚研究得差不多，對大腦半球尚没有正確的解釋，大腦半球的作用和自律神經的關係不同問題，是大腦如何直接的聯系自律神經。内脏疾病也是由於神經问題，一切药物，只要能調節神經就可以好了，所以焦點就在神經問題。

針灸首先要接觸的就是皮膚，必須通過皮膚才可以達到肌肉，以往我們知道皮膚是由腦脊髓知覚神經支配，据最近的研究，皮膚除腦脊髓神經支配外與交感神經也有関係，交感神經也有一定的纖維数量，針灸以後，交感神經發生興奮，傳導於腦脊髓神經，如何証明針刺皮膚是由交感神經傳導呢？在交感神經興奮的時候，可以發見一系列的症候群。

(1)瞳孔散大：交感神經興奮，產生出類似副腎素的化學物質，起了一定的作用，副腎素點在眼上，可使瞳孔擴大。

(2)苦臉現象：（抵抗）是刺激後感覺到疼痛，馬上現出苦臉來，這是交感神经的與奮。

(3)内臓停止：（呼吸短時間的停止）血壓增高，心跳加快，肝血失糖，腸胃停止蠕動，脾脏收縮等現象。如脾脏腫大：注射副腎素可以縮小。蘇聯醫學家Ɛokoɡ用動物作实驗，把狗的脾脏移於皮下，如果刺激狗的皮膚時，很容易看到脾脏縮小。

皮膚内有交感神经的纖維分佈，用動物的实驗，是可以証明的。

上肢——先切断頸部迷走神经和減壓神经，再用針或電流刺激，仍然出現症候群，摘除交感神经節，其反應症候群的現象，可減低到百分之八十。上膊神经切除後，再刺激即無反應。這是説明上肢神经，一方面靠腦脊髓神经，一方面靠交感神经。如果将腦脊髓叢完全切除（第四頸神经——第一胸神经）刺激則不發生反應，這是説明了上肢是由上頸神经所管轄，主要的腦脊髓神经，次要的是交感神经，交感神经纖維少，腦脊髓神经纖維多。

下肢——（第四腰神经——第四荐骨神经）如若切除骨盆神经，刺激下肢時，一樣的發現症候群。如果将第三腰椎神经至第四荐骨神经完全摘除，則反應較低，如果完全摘除荐骨神经，則感覚消失。

總結：交感神经與奮，不一定刺激皮膚才起反應，腦中樞神經也可以支配，在外科手術上看，如在外傷減消截肢疼痛，若切除其上肢交感神经，則疼痛全無。所以支配皮肤神经知覺，交感神經是要起决定的作用的。

二．支配骨骼肌知覺的神経

針刺通過了皮肤，進而達到骨骼肌（横紋肌）刺到以後，有時發生酸或脹，証明是向心性神経傳導作用，也有交感神経的支配向腦中傳導，所以有痛觉。現在我们用動物作実験，来証明交感神経在横紋肌的支配和分佈。将兔子或狗的臉上撥開，露出臉上的「咬肌」「外翼状肌」作実験，通過電流刺激後，都能現出疼痛的症候群。把迷走神経和耳神経節切断，再刺激以上的三種肌肉，反應和前面一樣，這正是說明了顏面神経和迷走神経，耳神経節不發生痛觉的傳導。如果把三叉神経切断，再刺激以上的三種肌肉，便有很少的症候群出現。如果把上下頜神経完全切断，即疼觉全無。因為三叉神経是腦神経，所以他对肌肉的痛覺有相當重要的関係。這個実験又充分的証明了肌肉感覺是三叉神経，对於迷走神経是不發生任何関係的。

三．知覺神経的傳導

知覚性神経，向中枢的傳導的神経幹，主要的是腦神経，次要的是交感神経，交感神経是借着腦神経脊髓神経的纖維向上傳導，向下所碰着有腦脊髓纖維，也有交感神経纖維，又因為腦脊髓的纖維多，所以碰到的機會也多。最近蘇聯科學界研究神経問題，脊髓神経是在旁邊，腦脊髓纖維在中間，知覺神経受到刺激，便由後根傳入脊髓，沿着側索上升到視丘，但是其次也有的向對側的索向上升，直到達視丘，這樣的一個動作，主要的作用是在側索，我們可以用切除的方法來証明。

·127·

四、知覺性神経的中樞

針刺反射都要通過中樞、視丘、四疊体反射到内脏，知覺到視丘交換細胞，再到大腦皮質，如果将知觉的最高中樞大腦切除，痛覚的反射同樣的可以發生。如此証明知覺中樞除了大腦以外，下級中樞也有管理知觉的能力。再将「視丘」「四疊体」「下視丘的灰白隆起部」次第切除，仍然有反射，再切除乳嘴体，則反射減低，如果将大腦脚間部除去時，則痛覚完全没有了。如此便可以証明了，痛覚是以乳嘴体和大腦脚間部，是知觉的低級中樞，而腦脊髓神経中樞，主要的在脚間部，次要的是乳嘴体。大腦与視丘不同，大腦有分析能力，視丘只有知覺能力，不能分析，是粗糙的中樞。

五、體表與内脏的反射

體表與内脏有互應作用，在人体是統一体，是内外協調的。假如刺激内臟，體表可以有反應，相反的刺激体表，内臟也有反應，二者是有絶对協調的作用。腦神経系統和自律神経系統是互相配合的，有着密切的联系，究竟二者的聯系在什麼地方？我們不可不詳細的加以研究。如疼痛有中樞纖維性、末梢性，都是神經性的，針灸不只是限於神經性的疾患，有很好的治療方法，並且對於原虫性的疾患，如瘧疾、黑熱病有百分之九十五的效能，這説明了原虫性的本質虽然是原虫，但這不僅々是原虫問題，還有部份的神经问题存在，神經也是有作用的。又如維他命缺乏症，夜盲症、角膜乾燥症，針灸治療均有特效，所以我们应該認為以上各症，不過是維他命缺乏的原因之一，神经是能起很大作用的，與神經失常有很大的關係。

在臨床上看，体表可以影响内脏，内脏也可以影响体表，如狭心症能够影响手内侧特别疼痛，胃潰瘍可以影响兩脇發冷或發麻，這都是知覺神經的反射，盲腸炎，腹肌緊張、胆囊炎、右側肌肉緊張等，都可以影响外部肌肉疼痛。以上種種是証明了体表與内脏有一定的反射作用，内脏有疾病可以使体表發生症候。反之、用針灸療法，就是採取体表的刺激，以達到内脏的反射，所以說針灸都是利用反射的條件的。又如刺激合谷穴，可以使腸蠕動，便是中樞迷走神經運動性的反射作用，由此我們可以証明針灸是一種反射作用，是毫無疑義的，西医利用反射作用，也是這種道理，如肺炎用芥子泥，肝病用冰袋，肚子痛用溫袋，斑毛發泡之類，都能在皮肤受到刺激後，使内脏引起反射作用。

刺激交感神經，而迷走神經也同時興奮的原因安在？這首先應該知道神經的本身有絕緣的現象。如狭心病，是心臟神經在脊髓發生了擴散現象，波及体表到尺神經，内臟的迷走神經是在脚間部，腦脊髓神經亦在此，針灸直接影响内臟，是由脚間部、迷走神經興奮的原因，是由神經緊張擴散而波及迷走神經的原因，因為迷走神經和交感神經的焦點在脚間視丘部，所以刺激交感神經，迷走神經也同樣的興奮，根據這种道理來說明，刺激交感神經而迷走神經能興奮，穴位是無價值可說，（迷走神經反射弧在腦）若使内臟的交感神經興奮，穴位是有價值的。

·129·

我們知道痛的焦點在視丘大腦，交感神經可以抵抗痛，大腦不接受，同時發生的兩個興奮，這一點在動物試驗上，可以証明，使動物同時感受兩個刺激時，他只能防止一處，這說明了如果牙痛，在最初得的時候很劇烈，用針灸治療不一定有效，但感到刺激另一個比較牙痛刺激強，所以可以止痛。蘇聯巴甫洛夫命名為外刺激制止，即保護性制止。例如坐火車感到軋軋的声音，時間長了就可以使你有入睡的狀態，即命名為保護性機制，（制止狀態）在大腦細胞休息止痛，係大腦皮質作用，所以與穴位是無関的，牙痛刺三叉神經可以止痛，所以與穴位是有関的，這是一個看來互相矛盾的。

(1)穴位的價值——在神經纖維上的濃度不同，每個穴位刺激後的疼痛，也因着神經纖維的濃度而有相當関係，因為神經纖維的多少不同，所以濃度少就可以用輕的刺激，濃度多就用重的刺激，在刺激時很不容易刺激到神經幹，就像「合谷穴」的神經，有的就稀，有的就濃，刺激的時候有的就不同，也要因人而異的。由此看來，穴位是不能够做典型的，只不過可以做參攷來用。這一次在學習的生討會上曾經談到穴位的问題，結果只提出了全身十二個刺激點，就可以應用，其他的只可作為輔助。

神經纖維和靜脉的分佈，在生理的構造上是有着一定的関係，形態類似，判斷靜脉的分佈是可以參攷神經的分佈，那末定穴位的方法，如果以表皮靜脉為準的話，還比較科學些。

(2)速進針與慢進針有何不同？

速進針和慢進針有何不同，對神經是有着不同的反射的，速進針時在反射没有達到大腦(即在視丘時)就有了反射，以應不見得大，如果刺激強就痛的厲害，甚而容易發生休克。慢進針的刺激是直接到大腦内的，在大腦出現制止狀態，壓制了低級中樞的反射，所以比較安全些，在一般來説，慢進針是好一些。

六、針灸對内臟疾患不同的作用

針灸的功用，是在於刺激神經的，例如刺腹瀉之可以使之不瀉，便秘刺之可使不秘。這種道理在解釋上是非常困難的。可是對這個問題在用動物試驗上証明，在貓的第三眼瞼的擴大，平時是由交感神經支配的，刺激牠的交感神經，就可以使之擴大，如果強大的刺激後，牠的眼瞼反而縮小，相反的發現了迷走神經的作用，所以很不容易解釋的道理，這個是激發與調整神經的機能所致，在同一穴位上就有不同的作用，這便是説明了我國針灸特有價值，是值得我們來共同詳加研究的，繼而使之發揚光大的。

——七、八兩節因時間關係未講——

二、中國針術與内分泌　　日本宋國賓博士

假使把中國的舊醫學，從新整理一下，我以為針術是最值得研究的。

針術與湯葯皆是中國最古老的東西，而針術尤古，後來因為湯葯的發達，針術遂漸々不為人們所注意了。考其原因，無非因為針術不重空談，而重實行，不近玄學，而近科學。非熟於經穴，精於手術，

·131·

不能收效，避實就虛，畏难求易，是人們的常情，因此針術的医學，遂無形的不大為医家所採用了，近百年来，科學的新医學输入到中國，中國的針術却慢慢地抬起頭來了，不但中國的新医學家注意到牠，就是外國的醫家也相當重視牠，同時对於牠的治療原理，多少带有一種神秘的观念，其實牠的原理是一點不神秘的，本篇所述的就是這一點。

内分泌的作用，稍懂一點医學的人，想必都可以曉得的罷。内分泌者，是一種不由管道而直接由脏器分泌出来以滲入血液或淋巴系的物質，内分泌对於其他的器官含有兩種作用：

(一)興奮他方活動　　(二)制止他方活動

但是這二種作用，並不是由内分泌直接引起，而是由分泌液刺激二種神經——交感神經，與反交感神經(亦稱副交感神經)所引起的，此二種神經受内分泌的刺激对於血管即發一種張縮的作用——此二種作用因器官而異，交感神經可收縮血管，亦可擴張血管，反交感神經亦然。不過在普通情形之下，交感神經收縮的作用為多罷了。——血管張則器官充血，而工作加緊，血管縮則器官貧血而工作減少，所謂興奮作用者，就是使器官充血之謂。所謂制止作用者，就是使器官貧血之謂，正常人的生理現象，即維持於此二種神經的作用平衡支配之下，而此二種神經工作之支配，則悉听命於内分泌腺，假使某種内分泌腺因病而受虧損現象時，則其所管轄下之神經，即失其充分刺激之作用，而对某種器官發生病態了。或某種内分泌腺过度充分時，則上述之二種神经中，即有一種受其直接的影响而過度緊張，使生理上的平衡消失，多數的疾病即發生於此種不平衡狀態之下。總之，交感神經或反交感神經的作用，支配於内分泌之下，而任何内臟，則又支配於交感神經或反交感神經之下，茲以圖表解之如下：

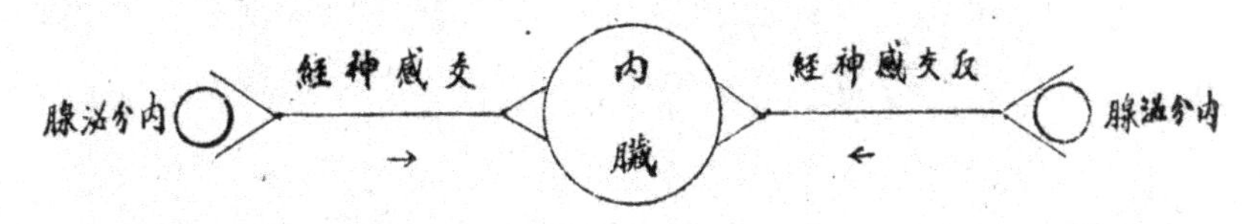

所謂任何内臟皆支配於上述二種神經之下者，可舉二例以明之：

(一)心臟　心臟的跳動每分鐘為七十次，因為心臟在交感神經與反交感神經管理之下，而保持這正常態度，交感神經之作用在促進心臟之活動，反交感神經——即迷走神經——之作用，在停止心臟之活動。此二種神經之作用平等，故心臟之跳動不急不徐，假使交感神經過度興奮，則心臟呈過速現象，反之而迷走神經過度興奮，則心臟呈過緩現象。

(二)瞳孔　瞳孔的擴張與收縮，亦完全為交感神經與反交感神經所支配，交感神經之作用在擴張，反交感神經——即第三對腦神經——之作用在收縮，假使這二種神經有一失其平衡，則瞳孔即呈擴張或收縮的不正常狀態了。

因為交感神經和反交感神經雖有管轄内臟之權，而又支配於内分泌管轄之下，於是普通科學治療，遂有内分泌臟器療法了，臟器療法者，即補充内分泌腺不足之一種療法也。

·133·

中國的針術就等於雕器療法，牠的作用，更與內分泌的作用無異，它利用針的刺入，來刺激交感神經，或反交感神經，使之發生制止和興奮二種作用，例如某內臟機能衰弱的病人，因為內分泌虧損不夠刺激某部份之神經，使之發生興奮作用，這時如果用針來刺激一下某一穴道上的交感神經，或反交感神經，則可發生血管擴張和機能旺盛的現象，又如發炎現象，為血管擴張，血液壅塞，這時如果用針來刺激一下某一穴道下的反交感神經，可使該處血管起收縮的現象，而炎自消。或是刺戟另一穴道的交感神經，或反交感神經，使身体的他部發生充血，而使炎部血向他部轉移。總之，針術的作用「興奮」和「制止」二種，而這二種作用皆是由刺激交感或反交感神經所引起的，這與內分泌的作用，可謂完全相同，而與治療雕器相等，不過其作用比較的迅速而已。

假使以解剖的部位，來解釋針術的作用，是永遠說不通的，即如針中脘（劍突與臍眼之間）可治霍亂，針曲池（在肘外輔骨之陷中）合谷（在食指拇指凹骨間陷中）可治咽峽炎，拿解剖的部位來說，那里能講得通呢。因此一般的醫家對針術的治療原理，就不免懷疑起來了，其實他的作用，若以內分泌作用解釋之，又何神秘之有呢？

·134·

(一) 手陽明大腸經之圖

凡二十穴
左右共四十穴

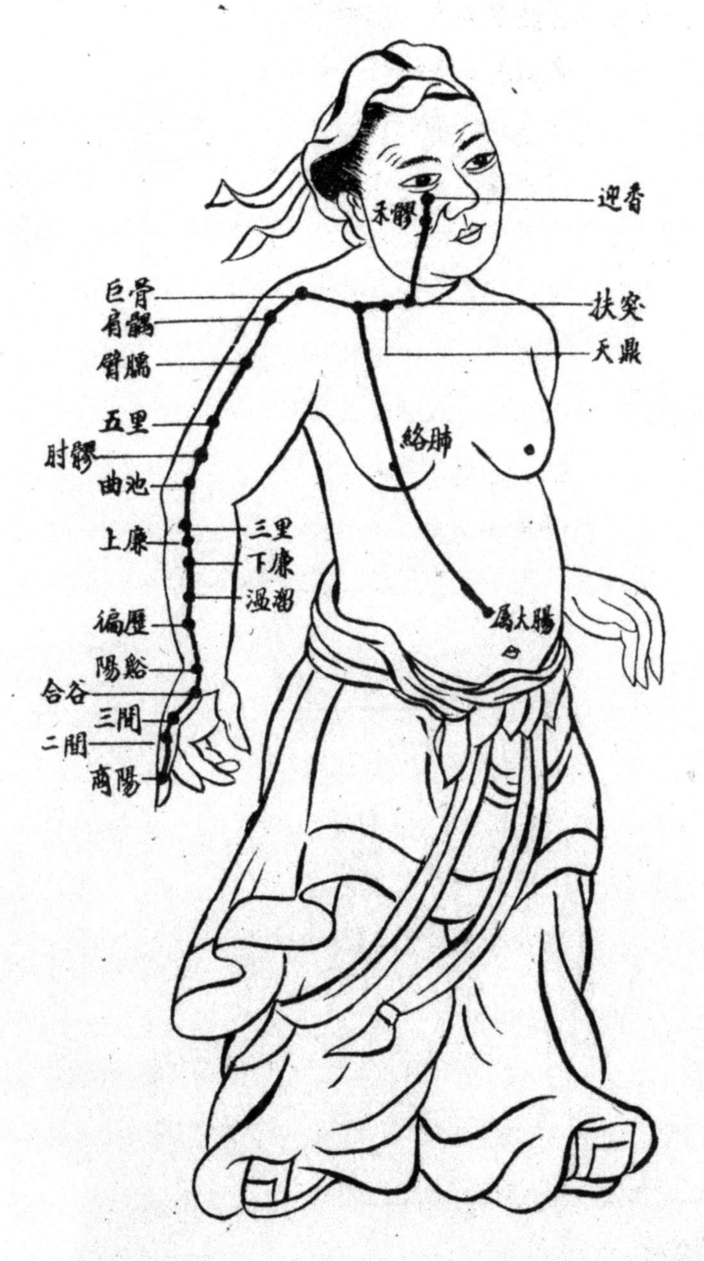

(二)手太陽小腸經之圖　凡一十九穴 左右共二十八穴

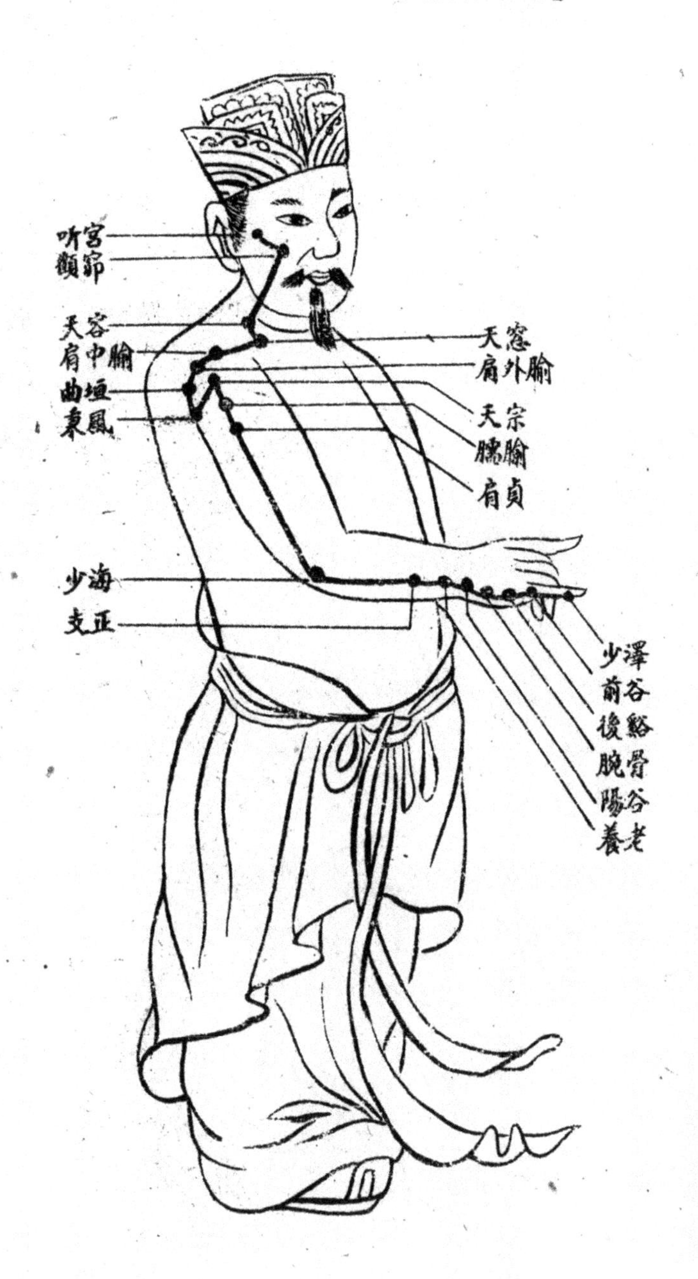

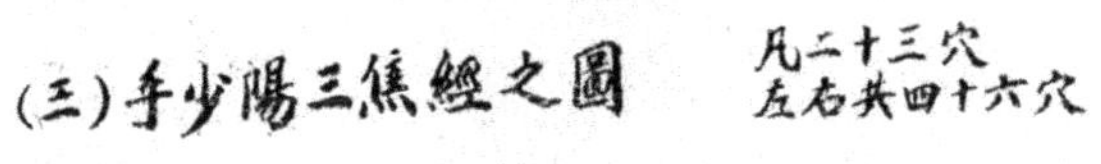
(三)手少陽三焦經之圖
凡二十三穴
左右共四十六穴

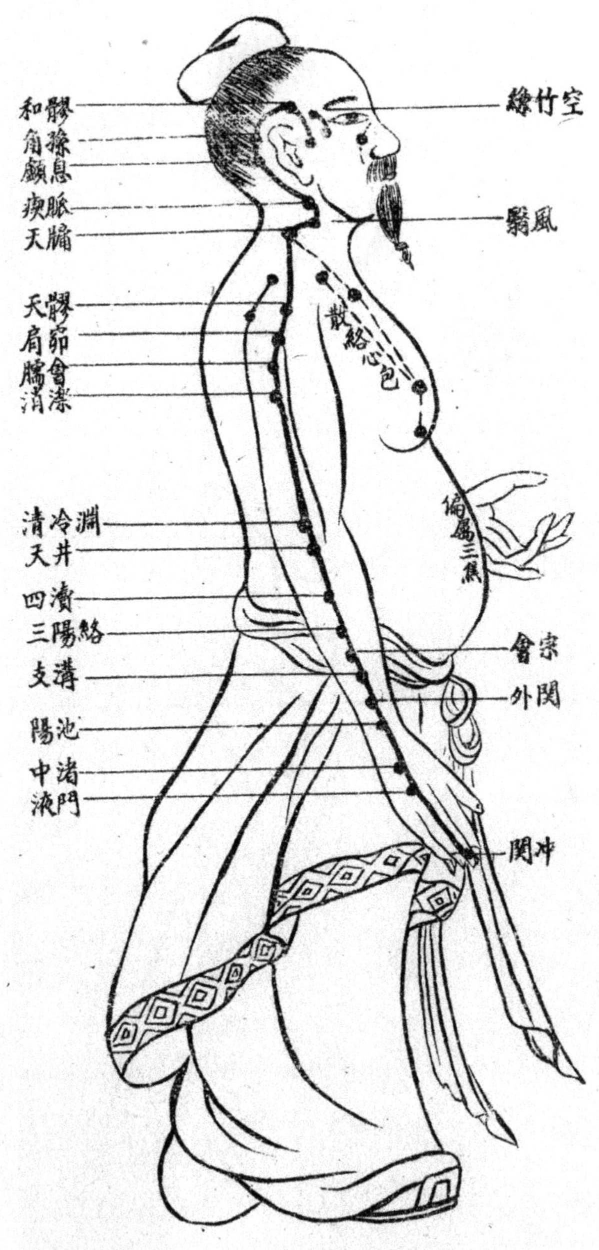
和髎
角孫
顱息
瘈脈
天牖
天髎
肩髎
臑會
消濼
清冷淵
天井
四瀆
三陽絡
支溝
陽池
中渚
液門
絲竹空
翳風
散絡心包
偏屬三焦
會宗
外関
関冲

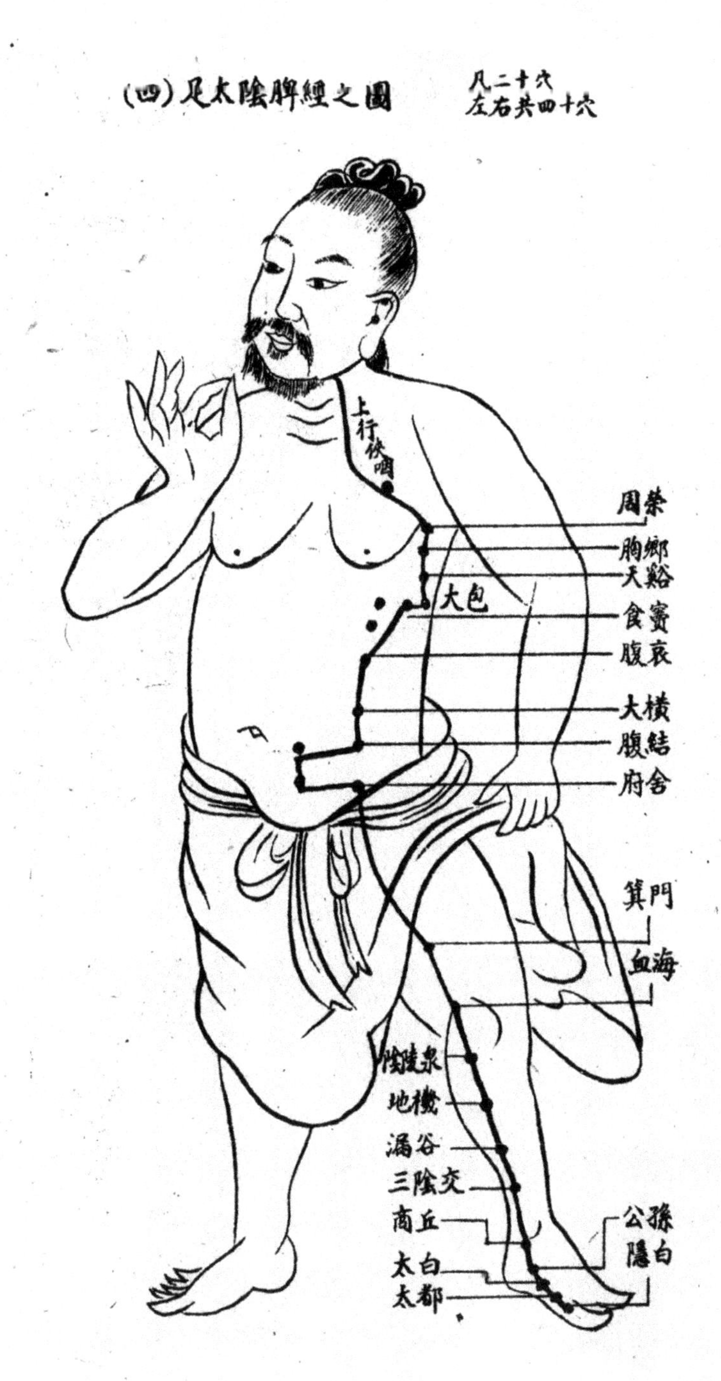

(四)足太陰脾經之圖
凡二十穴
左右共四十穴
上行俠咽
周榮
胸鄉
天谿
大包
食竇
腹哀
大橫
腹結
府舍
箕門
血海
陰陵泉
地機
漏谷
三陰交
商丘
太白
太都
公孫
隱白

(五)足少陰腎經之圖

凡二十七穴
左右共五十四穴

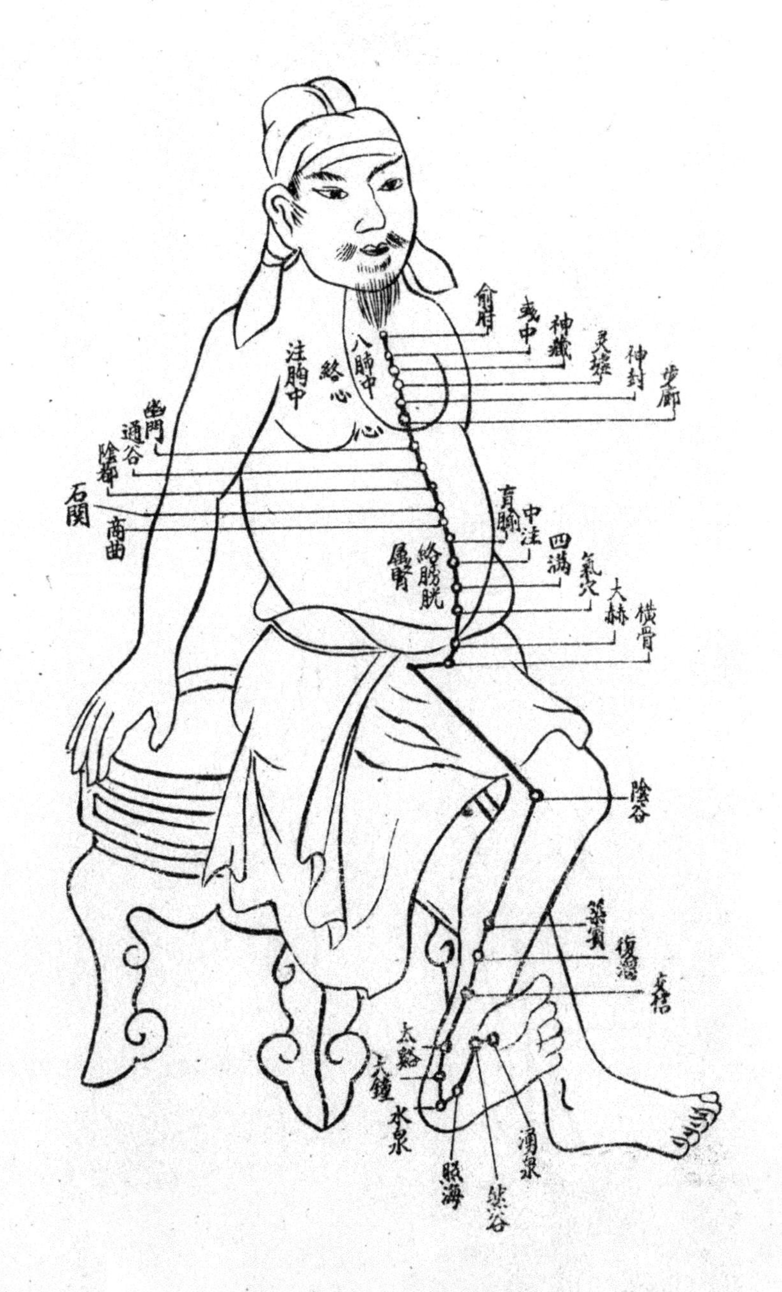

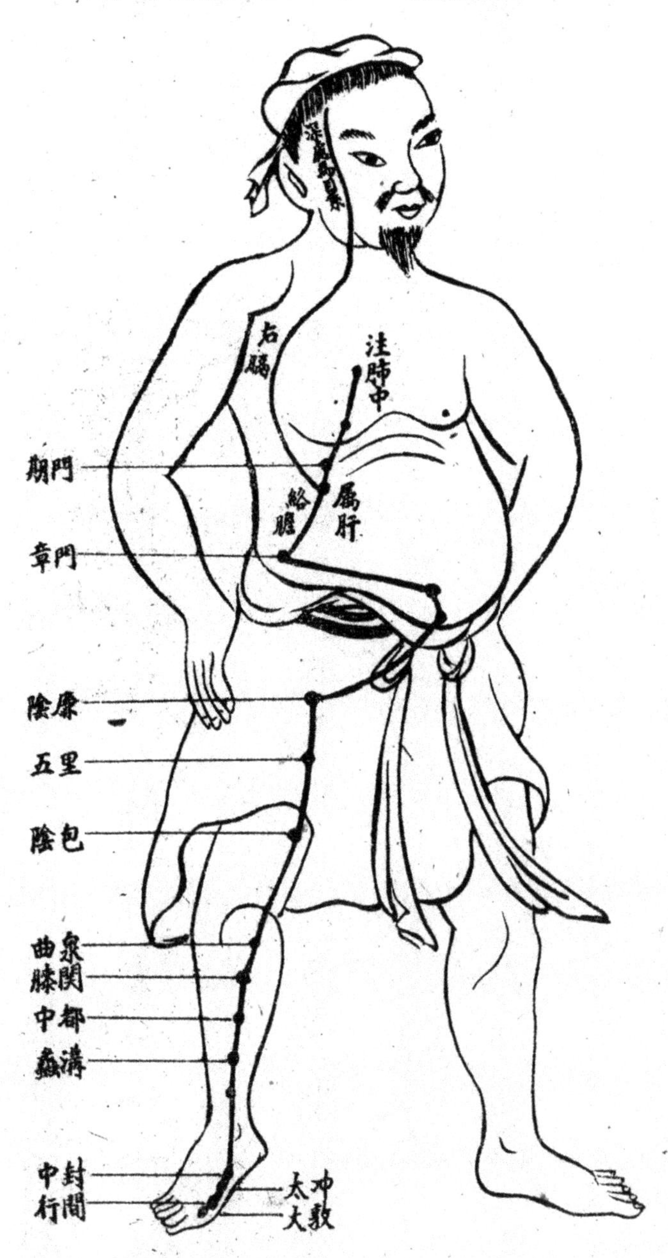
(六)足厥陰肝經之圖
凡一十三穴
左右共二十六穴
右脇
注肺中
期門
屬肝
絡膽
章門
陰廉
五里
陰包
曲泉
膝關
中都
蠡溝
中封
行間
太冲
大敦

(七)手太陰肺經之圖 凡一十一穴 左右共二十二穴

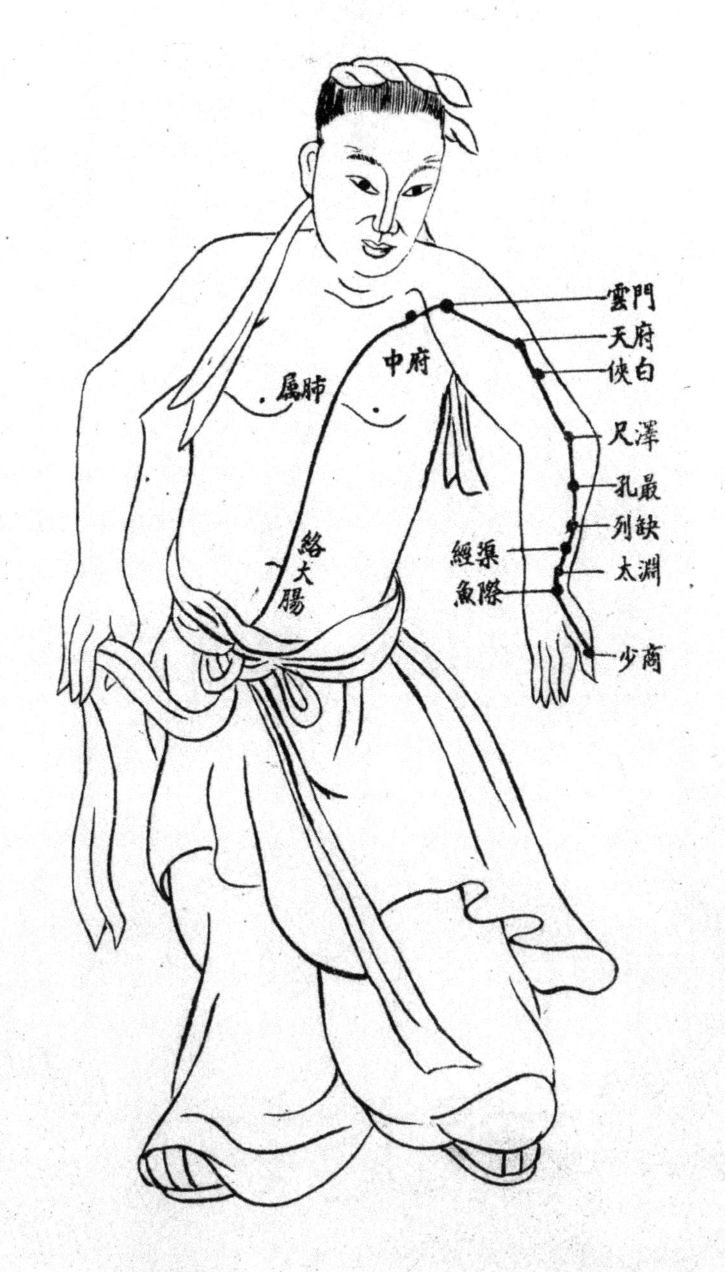

(八)手少陰心經之圖

凡九穴
左右共一十八穴

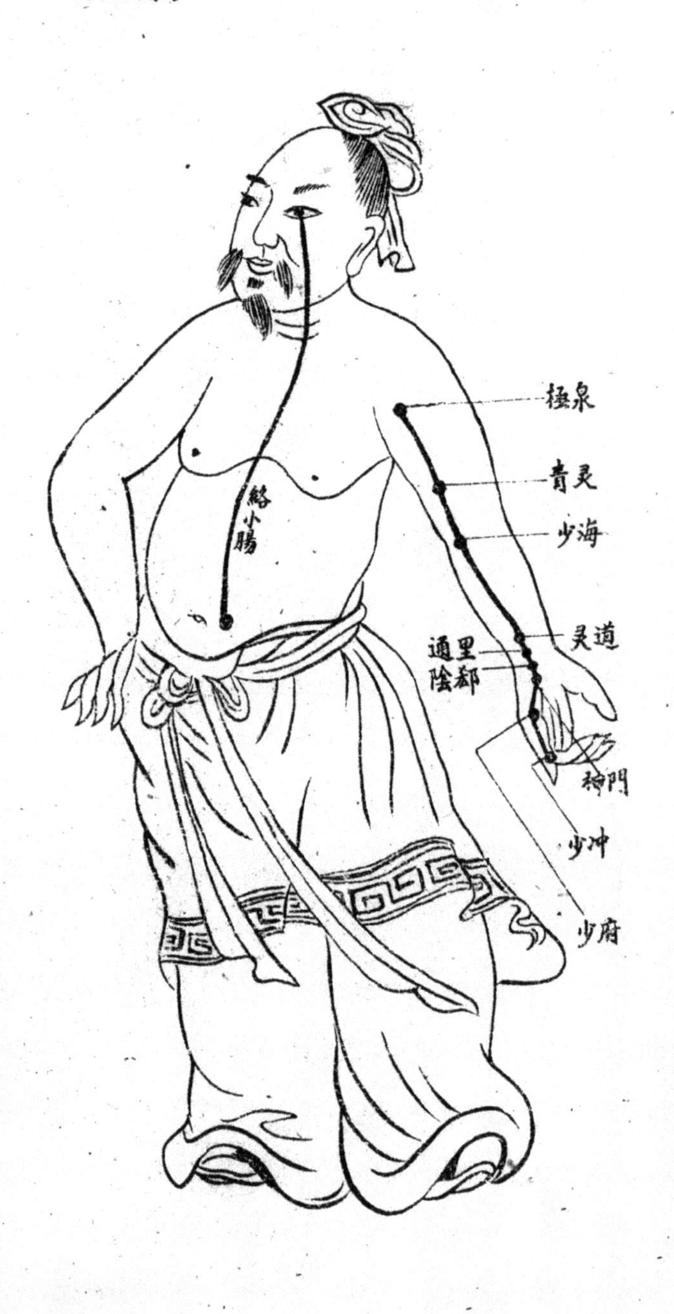

(九)手厥陰心包經之圖一左右共一十八穴 九九穴

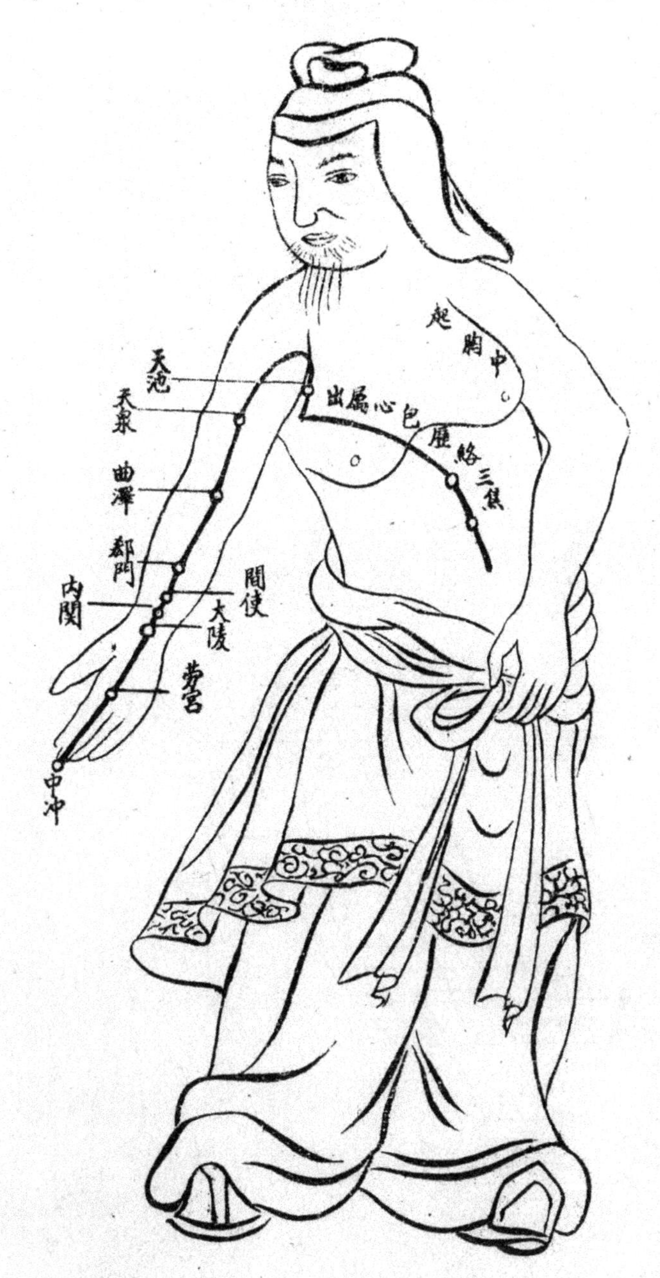

(十) 足陽明胃經之圖

凡四十五穴
左右共九十穴

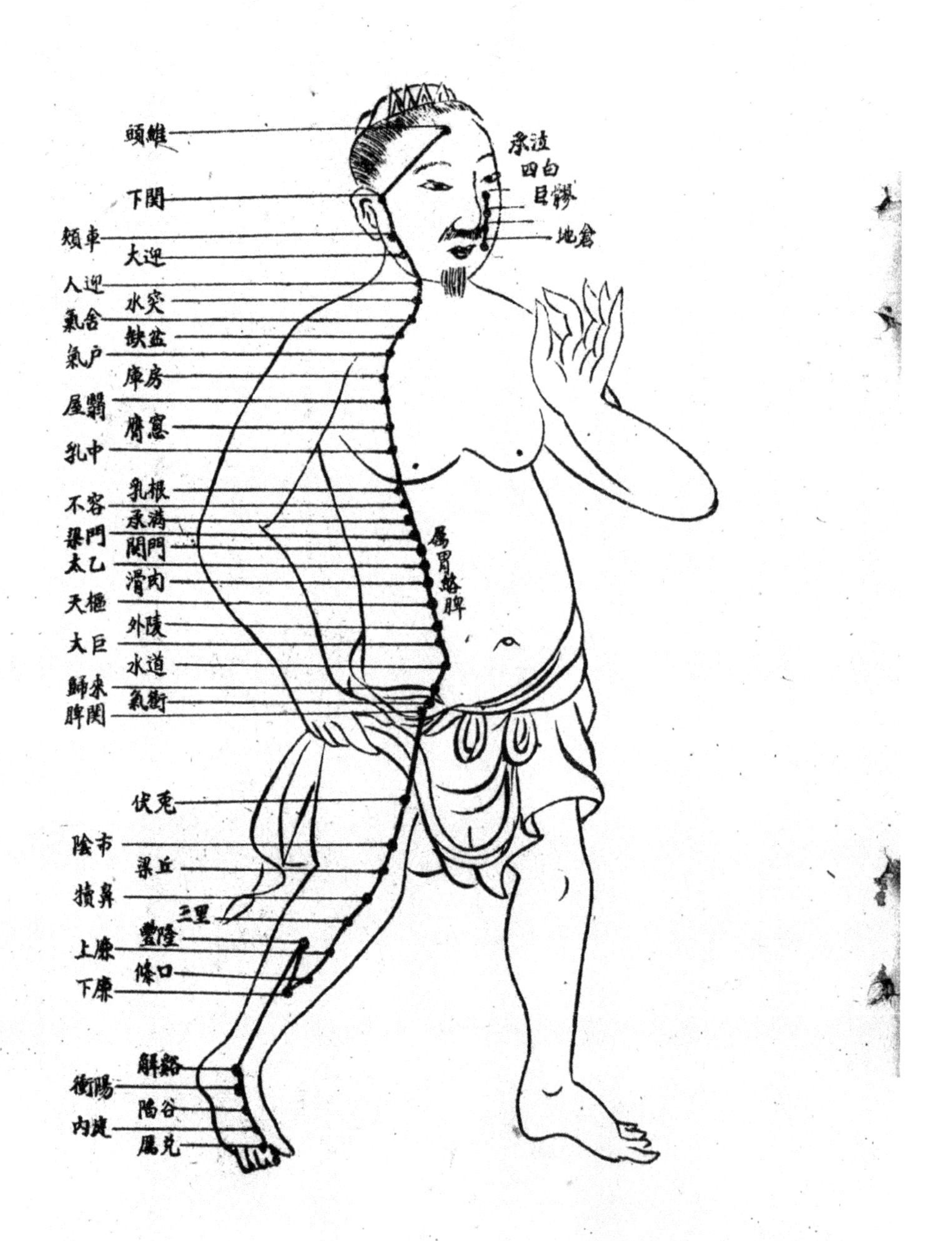

(十一)足太陽膀胱經之圖 凡六十三穴 左右共一百二十六穴

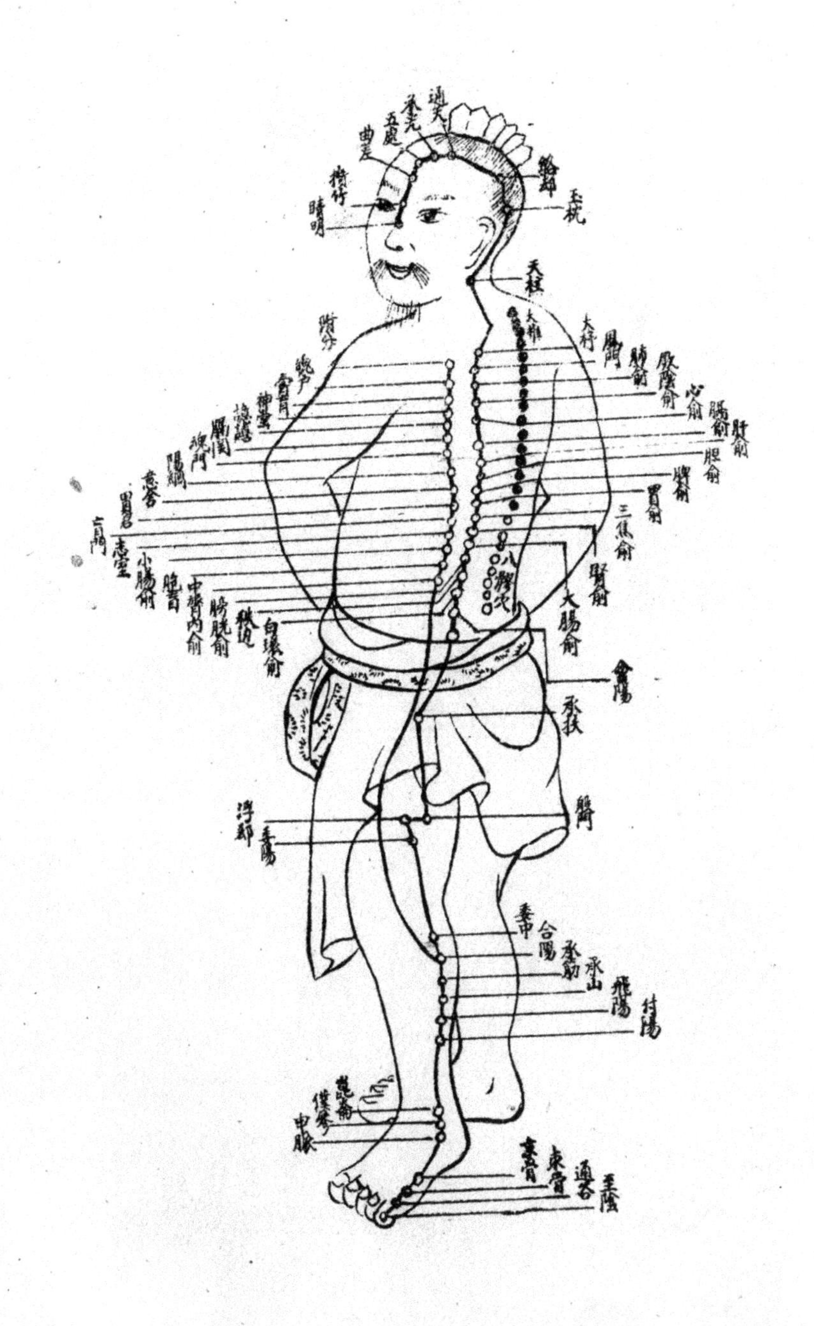

(十二)足少陽膽經之圖　凡四十三穴 左右共八十六穴

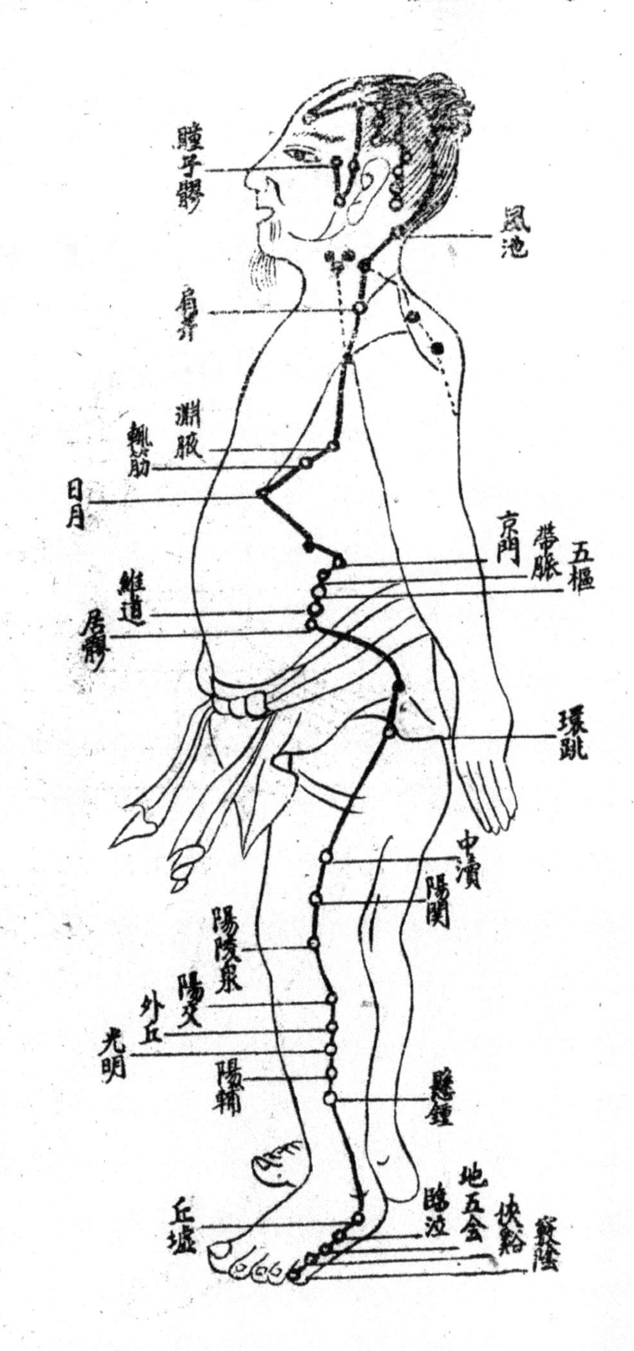

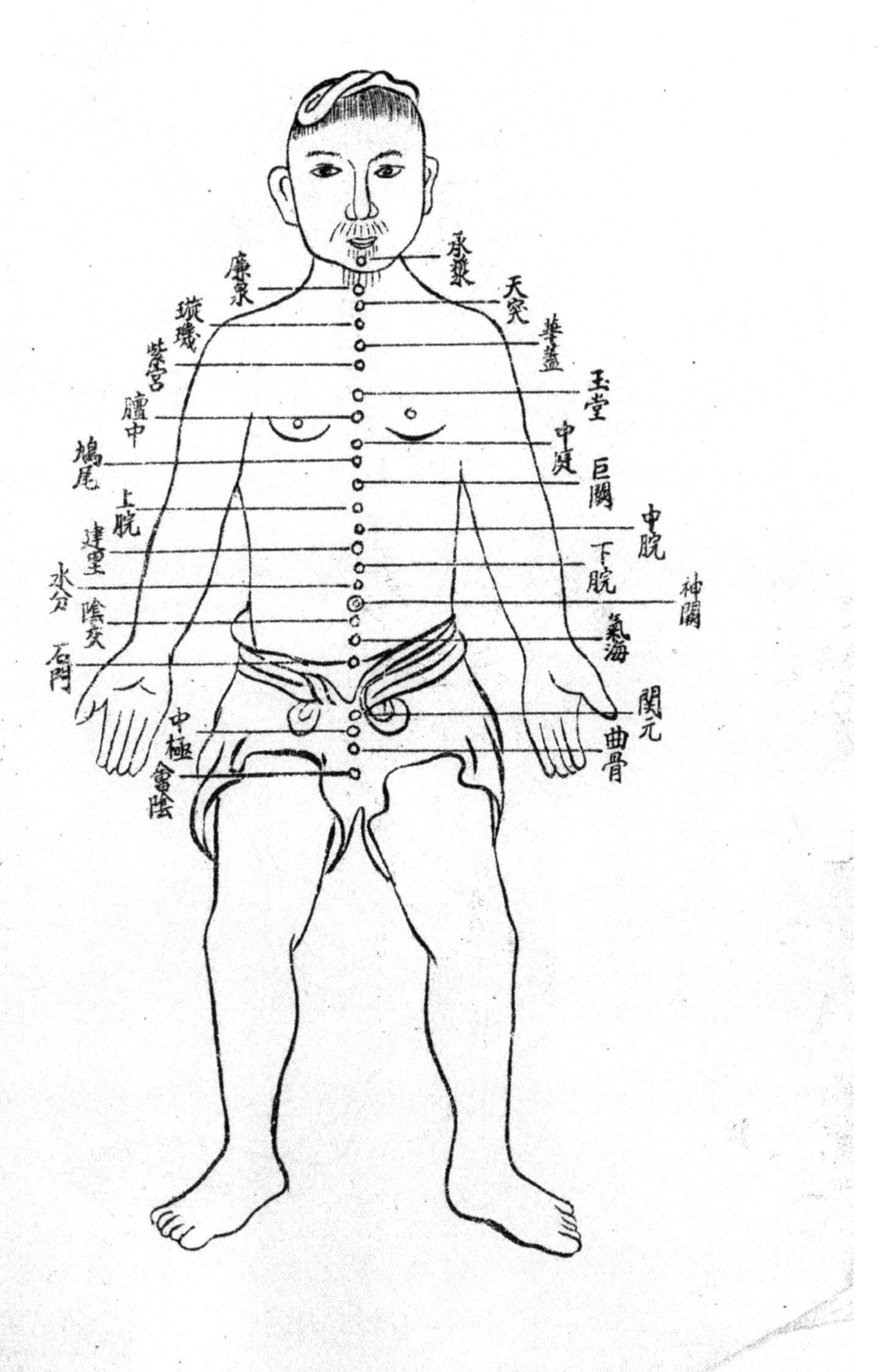

(十三)任脈之圖
已上本經中單行
穴計二十四穴
承漿
廉泉
天突
璇璣
華蓋
紫宮
玉堂
膻中
中庭
鳩尾
巨闕
上脘
中脘
建里
下脘
水分
神闕
陰交
氣海
石門
關元
中極
曲骨
會陰

(十四)督脈之圖

已上本般中單行
穴計二十七穴

针灸问答（谭志光）（卷上）

提　要

一、作者小传

谭志光，字容园，湖南长沙人，师从于上海刘云阶。谭志光为我国近代著名的针灸学家、医学教育家。20世纪20年代，谭志光有感于中国针灸学近乎失传，于是以《灵枢》《素问》为宗，搜集诸贤著述，参以其30余年临证经验编撰成《针灸问答》一书。后又在当时医界张季恒等诸先生的支持下，经省政府备案，创设湖南针灸讲习所，并以《针灸问答》为讲义，传授针灸之术，先后举办针灸讲习班十多期，培养学生、弟子多人，如吉亮勋、汉轩甫、成阜吾等。此举开近代中医针灸教育之先河。

二、版本说明

《针灸问答》系湖南针灸讲习所针灸讲义。由版权页可见，该书初版于民国十二年（1923），再版于民国十八年（1929）。考《中国中医古籍总目》，该书存1923年版（残），藏于湖南省图书馆，1923年稿本亦存世，藏于中国中医科学院图书馆。本次采用的底本为民国十二年（1923）初版、民国十八年（1929）再版的湖南针灸讲习所铅印本。

三、内容与特色

该书以问答形式、歌注体裁阐述了针灸学的基本知识，并附图14幅。该书分上、下两卷，内容包括脏腑经络解说、十二经穴、十五络穴、奇经八脉及其腧穴、经外奇穴、制备针灸法、行针法、用灸法、补泻法、针灸歌赋等，还阐述了禁忌针灸日期，针的分类、制备针灸的方法和材料，是一部内容完整的针灸专著。

现将该书特色介绍如下。

（一）解答经络问题，宗古参今

在阐述每一经脉腧穴之后，谭志光以《黄帝内经》为本，证以诸家之说，中西合参，以问答形式，对人体十二经脉及奇经八脉进行了详细的解说。该书以歌诀与注释相结合的方式对人体全身穴位的定位、取法、主治、操作等进行了总结，对于初学者而言，内容简洁，便于记忆。

（二）针灸并用，重视毫针

谭志光认为：针之所不能为者，则灸法施之。用针虽捷，不如灸稳。他很重视毫针刺法，曾专程赴沪访问针师刘云阶辈，得其真传，只用毫针、三棱针两种。在该书中，谭志光对毫针的制作、行针方法、补泻手法、晕针与折针的处置等进行了详细阐述。关于用针之补泻法，博约不同，各具其理，如《黄帝内经》补泻法、《难经》补泻法、《神应经》补泻法等，皆连篇累牍，令人望洋兴叹。故谭志光于《针灸问答》一书中，于行针补泻之法，尽发其凡，总结成歌诀，以便于后辈研究学习。

（三）总结穴名，详列歌赋

该书分别罗列出穴同名异、名同穴异、穴名同异的穴位，其中一穴二名者有86个，一穴三名者有25个，一穴四名者有8个，一穴五名者有2个，一穴六名者有2个，名同穴异者有6个。文后一章罗列出近百种歌赋，从经典的《玉龙歌》《肘后歌》，到《天星秘诀歌》《推定六十甲子日时穴开图例》等。这是对穴位名称的一次大总结，便于学者研究应用。

综上所述，该书对于取寸之部位、寻穴之上下、手法之浅深、补泻之同异、各家之成规、医案之效验等皆详尽论述，内容之详备，体例之新颖，是民国时期鲜有的针灸佳作。正如熊希龄于该书后跋中所称：“今观所著《针灸问答》，根据轩岐，探源华扁，鸿篇巨制，继往开来。”唐成之认为该书较之汪机的《针灸问对》更加详明。程宝书在《针灸大辞典》中称“针灸问答”式教学开近代中医针灸教育模式之先河。

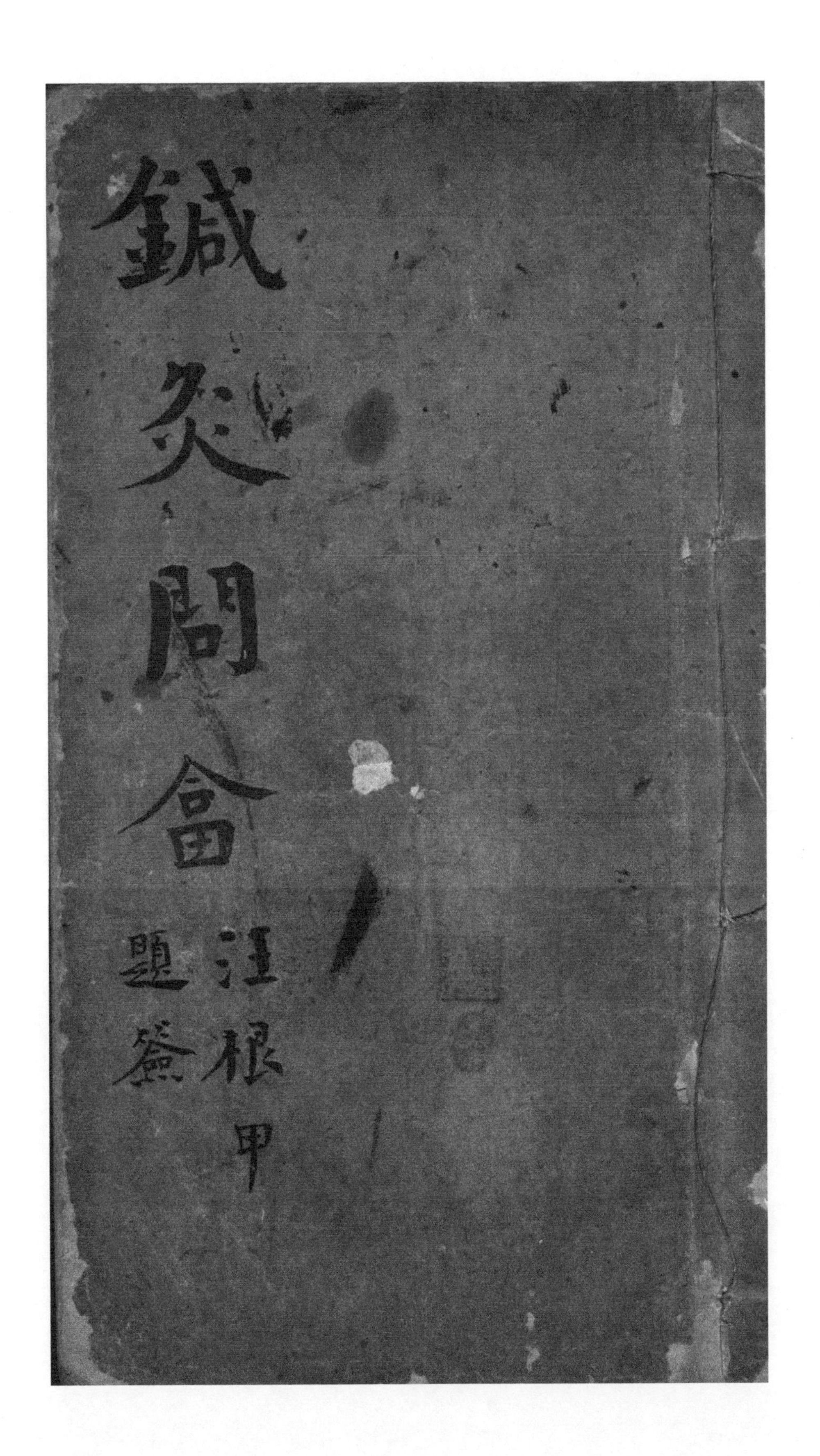
鍼灸問答
汪根甲
題簽

長沙譚志光著

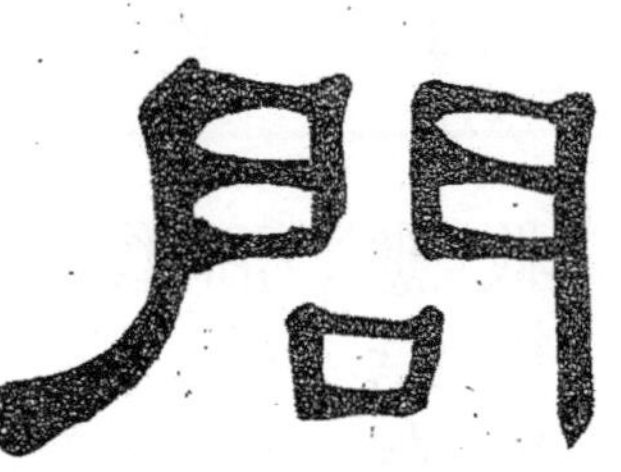

中華民國十二年六月初版
中華民國十八年六月再版

醫學叢書五種嗣出

第一種 長沙祕法……內分 傷寒正經診治 / 金匱雜症診治

第二種 寒溫辨疑……內分 傷寒入門 / 溫病條辨

第三種 湯液輯要……內分 應急單方 / 救危要法

第四種 兒科祕訣……內分 推拿代藥 / 急救燈火

第五種 女科祕訣……內分 經帶須知 / 胎產必讀

鍼灸問答卷上目錄

序
贈序一
贈序二
自序一
自序二
贈跋
凡例
第一章　十二經名歌註
第二章　十二經循行部位歌註
第三章　手太陰肺經穴歌註
第四章　肺經解說

第五章　手陽明大腸經穴歌註
第六章　大腸經解說
第七章　足陽明胃經穴歌註
第八章　胃經解說
第九章　足太陰脾經穴歌
第十章　脾經解說
第十一章　手少陰心經穴歌註
第十二章　心經解說
第十三章　手太陽小腸經穴歌註
第十四章　小腸經解說
第十五章　足太陽膀胱經穴歌註
第十六章　膀胱經解說

第十七章　足少陰腎經穴歌註
第十八章　腎經解說
第十九章　手厥陰心包絡經穴歌註
第二十章　心包絡解說
第二十一章　手少陽三焦經穴歌註
第二十二章　三焦經解說
第二十三章　足少陽膽經穴歌註
第二十四章　膽經解說
第二十五章　足厥陰肝經穴歌註
第二十六章　肝經解說（附十四經穴圖）

鍼灸問答卷下目錄

第二十七章　十五絡名歌註

第二十八章　十五絡穴别走主治歌註
第二十九章　奇經八脈說及八脈起止穴名歌
第三十章　督脈經穴名目主治歌
第三十一章　任脈經穴名目主治歌
第三十二章　衝脉經穴
第三十三章　帶脉經穴
第三十四章　陽蹻經穴
第三十五章　陰蹻經穴
第三十六章　陽維經穴
第三十七章　陰維經穴
第三十八章　奇經八脈解說
第三十九章　經外奇穴名目主治歌

第四十章　井滎俞原經合圖說
第四十一章　肺經穴總歌
第四十二章　大腸經穴總歌
第四十三章　胃經穴總歌
第四十四章　脾經穴總歌
第四十五章　心經穴總歌
第四十六章　小腸經穴總歌
第四十七章　膀胱經穴總歌
第四十八章　腎經穴總歌
第四十九章　心包絡經穴總歌
第五十章　三焦經穴總歌
第五十一章　膽經穴總歌

第五十二章　肝經穴總歌
第五十三章　十五絡脈穴總歌
第五十四章　督脈經穴總歌
第五十五章　任脈經穴總歌
第五十六章　衝脈經穴總歌
第五十七章　帶脈經穴總歌
第五十八章　陽蹻經穴總歌
第五十九章　陰蹻經穴總歌
第六十章　陽維經穴總歌
第六十一章　陰維經穴總歌
第六十二章　奇經八脈總歌
第六十三章　經外奇穴總歌

第六十四章　井滎俞原經合總歌
第六十五章　穴同名異名同穴異攷
第六十六章　穴名同異總歌
第六十七章　尋穴取寸歌
第六十八章　禁鍼灸穴道歌
第六十九章　禁鍼灸日期歌
第七十章　製備鍼灸法
第七十一章　行鍼法
第七十二章　用灸法
第七十三章　補瀉法
第七十四章　編輯古今鍼灸歌賦

鍼灸問答贈序一

昔史遷列傳首載夷齊巢由以未經聖論而不立傳可見古今之攀龍附驥者由來尙已嘗憶吾師劉釆九山長掌教城南書院時嘗告余曰院中弟子三千人惟齋長譚子志光對世局別有懷抱時値有淸末葉人心陷溺政治腐敗急待改革譚子有徐錫麟陳天華之苦志而不效其所爲蓋欲留以有待隱忍以圖成也且其志不在小落落寡合獨注目於吾弟之品學心術焉是誠惟英雄能識英雄矣噫釆師距今雖廿有餘載然言猶在耳其人世變化竟爲譚學長所先知其眞相契以心相交以神相期以遠大矣余初猶未悉譚學長之務實也及深窺其爲人專以立德立言爲已任恪守澹臺氏之遺規卽對待黨人亦純以禮讓調和爲主義蓋實見夫一日之名不可爭萬世之名不可不爭隱於醫而富於箸述歟今果本仁心發爲仁術箸鍼灸問答行世救人余觀其根柢靈素淵源漢唐擇精語詳洵足並駕扁倉追踪元化矣其必請余一言者殆以夫子之論夷齊屬望我乎余固不暇論其書之若何美善

也特綜覈其生平實行率筆而爲之序

硯宗愚弟延闓謹識

鍼灸問答贈序二

鍼師譚容園者余卅年老友也稔悉其仍世靑衿再傳醫業故壯歲即不斤斤於科舉一途早以岐黃見知於吳淸卿中丞劉宷九山長林次煌太史張松雨觀察諸名公先後出任政務學務醫務各重職入民國潛隱於醫益肆力於針灸邇年因醫界張季恒諸先生見其箸有長沙祕法寒溫辨疑脈道析微湯液輯要針灸問答等書待梓遂極端贊成先以鍼灸問世維持絕學爰公請省政府備案創設湖南針灸講習所廣度金鍼即以此書爲講義余非精醫道者曷克弁言惟對於中西鍼灸稍有涉獵蓋此藝本中人發明外人初未有窺我祕奧者迺相沿既久數千載之眞傳我則失之而反爲外人所得外人復加以精擘於是青出於藍轉不免相形而見絀醫叟譚容園憂之特著是書以餉我國人士其中根柢靈素淵源漢唐且與東西各國善鍼術者（如日本之和介氏丹波氏金持重弘氏長崎澤田氏杉山和一氏及泰西諸鍼科之皮隆氏普朗氏業斯氏喜爾氏）動多吻合誠現世紀繼往開來之課

書也閱者幸勿與無統系之舊本等量齊觀焉此則走之厚望已是爲序

硯愚弟汪根甲謹識

鍼灸問答自序一

粵稽軒岐問難鍼道開端扁華嶇興鍼經繼武洎夫漢晉機論傷寒與甲乙名經唐室孫王千金與外臺輯要他若宋王維德鑄銅人以爲圖元滑伯仁闡明堂而立說以及陳會之經名神應梅孤之卷號聚英繼洲之玄機秘要靳賢之鍼灸大成凡關於經絡孔穴穴道奇正取穴分寸取寸部位病症主治補瀉異同暨方宜禁忌諸篇非不反覆尋求據爲典要無如刼被祖龍內經已無完帙加以年湮代遠簡蠹篇蟫補缺訂殘不無僞託顛倒舛錯指不勝僂此劉向謂靈素爲諸韓公子所箸而程子亦謂其出戰國之末也烏虖古籍遺亡後賢安仰故今人專究醫方單心脈訣砭焫之傳概置弗論間有一二從事於茲者世又以管蠡目之反不得與專門內科者齒而此一二人亦自安於術小藝卑目營耳食卽問以經穴之起止脈絡之向背茫乎不知其畔岸也浩乎不知其津涯也漫然試之率爾行之取生人百年自有之命決驗於俄頃呼吸之間幸中則矜爲己功不效則不任受過無怪乎疫癘日盛夭扎日

多、而陰陽乖戾之氣、且寖尋交戰未有已也、愚維病源所起、本於臟腑、臟腑之脈、出於四肢、循環腹背、無所不至、往來出沒、難以測量、將欲指取其穴、非圖莫由、心探其要、非經勿得、然匪精於繪圖改錯、孰能與於此哉、爰不揣檮昧、裒集古今中外諸書、編爲鍼灸問答、逐穴撰成歌訣、以便記誦、俾學者披圖知穴、按經用鍼、胸次了然、手下有準、敢曰目無餘子、抑惟倡明絕學焉耳、

民國十二年夏月長沙譚志光容園甫自序於湖南鍼灸講習所

鍼灸問答自序二

古之所謂三不朽者太上立德其次立功其次立言余賦性愚魯行愧閔顏遑云立德手無斧柯一籌莫展遑云立功至於立言何敢讓耶然經史子集列名四庫全書者充棟汗牛無庸贅述余夙尚方技爰將醫學心得成書數種勉盡小道濟人之義俾兒輩晝夜誦習儲爲應世資客見之曰先生是以醫道立言鳴世者也醫爲仁術卽立德也良醫良相同稱卽立功也豈不與奇行耀人殊勳蓋世者同一不朽乎惟鍼灸問答之作所爲醫醫壽世者固已法周義盡矣獨惜版圖有限採購維艱人皆以未得先覩爲憾曷不犧牲版權付諸坊肆任其流通中外以公同好其功果較爲圓滿乎余曰君言是矣然余猶有說焉張仲景醫聖也歷代名醫孰登南陽之堂廡孰作長沙之衙官孰爲師門之走卒故語云三代以下尠完人仲景而後少完醫以此論之凡肱不經三折口不飲上池而亦高談醫理妄著醫書此欺世盜名之尤余不取也余忝爲仲師走卒將命以應答賓客針灸問答一書卽傳達之日記冊留備

他日省覽迺弟子職也君毋誤認爲主人翁也易曰作者之謂聖述者之謂明余之明未克述且不敢當作云乎哉客曰先生有倡明絕學普濟羣生之苦志務望採納芻語俾廣流傳負立言教人之任則斯世斯民之幸也余應之曰唯唯客既退遂扶病而續序之

民國十七年夏月長沙譚志光續序於湖南鍼灸講習所

鍼灸問答贈跋

余初不識譚先生爲何如人也一見於長沙之湘報館再見於湘省之南學會維時往來酧酢者若康南海若梁新會若譚瀏陽諸君子僉謂容園譚志光先生者乃長邑名儒精研醫學者也余方以不談醫道而忽略之迨遲之又久至民國五年復相會於船山學社時則有若廖君匇唐任君壽國彭君少湘林君特生諸善士坐起而喧嘩曰譚容園先生者素以鍼灸之學啓振醫林拯救人命者也余始驚其專心慈善而嘆服之今觀所箸鍼灸問答根據軒岐探源華扁鴻篇鉅製繼往開來殊令人爲譚先生惜又轉爲譚先生幸也惜者何惜此書之不逢盛世不得宣傳國史榮膺褒獎也幸者何幸此書之倡明絕學猶得昭示來兹流傳中外也余雖不精是科亦樂得綴數言以書其後

時在民國十六年夏月秉三弟熊希齡謹跋

鍼灸問答凡例

一是書名鍼灸問答意欲學者便於記悟於讀書時自問自答不獨事以攷證而益明理以參覩而愈顯且如與人高譚雄辯亦學應對之一法也

二是書凡人身十二經穴十五絡穴奇經八脈經外奇穴無不備載關於行鍼用灸逐穴詳明如言幾分幾壯卽鍼灸可以互用如言分不言壯卽知此穴禁灸言壯不言分卽知此穴禁鍼如不言分壯卽知鍼灸並禁

三是書凡考問某經之穴必載某經之圖使圖說昭然庶臨症取穴無毫釐千里之失

四是書輯自各種鍼經及新譯諸書間有搜集先人遺藁與時賢討論者皆容園三十年經驗確有證據爲他書所未詳者除篇末所錄歌賦注明編輯外其餘或撰成歌訣或纂輯古文概歸撰箸因取材既廣不復註明出於何人何書非掠美也只圖搜羅宏富便於學子誦習耳

五是書所列穴道雖根據靈素內經然內經中亦有未及精詳以致各鍼經相沿傳訛者（如手陽明大腸經商陽一穴各針經多從食指內側此乃相沿傳訛也蓋陽經起於外陰經根於內如太陰少商厥陰中衝少陰少衝此三陰經穴皆出手指內側者少陽關衝太陽少澤此係陽經皆起手指外側者何獨陽明不然耶）拙著則詳加改正以期理由充足非敢擅易古經也實因不敢苟同以誤後學古人有靈當引余為知己余亦願作古聖功臣焉耳

六是書對於鍼灸之預備取寸之部位尋穴之上下手法之淺深補瀉之同異各家之成規醫案之效驗無不縷析條分瞭如指掌誠壽世之慈航醫家之寶筏也識者鑒之

鍼灸問答卷上

長沙譚志光容園甫著

男　敦文子彬甫　
受業吉亮勛漢軒甫　參訂
男　敦華國孝
受業成阜吾　繕校

第一章　十二經名歌註

問　何謂十二經

答　太陽小腸足膀胱。陽明大腸足胃鄉。少陽三焦足膽配。太陰手肺足脾當。少陰手心足爲腎。厥陰包絡足肝方。註手太陽卽小腸經、手少陽卽三焦經、手陽明卽大腸經也、足太陽卽膀胱經、足少陽卽膽經、足陽明卽胃經也、手太陰卽肺經、手少陰卽心經、手厥陰卽心包絡也、足太陰卽脾經、足少陰卽腎經、足厥陰

即肝經也、

第二章　十二經循行部位歌註

問　手足三陰三陽經循行部位呢、

答　手之三陰胸內手。手之三陽手外頭。足之三陽頭外足。足之三陰足內求。註 手之三陰胸內手者、謂手太陰肺經、從胸乳上中府穴、循行臑內、下行手臂內之上行、至手大指內側之端少商穴也、手厥陰心包絡經、從腋下乳外天池穴、循行臑內、下行肘臂內之中行、至手中指內側之端、中衝穴也、手少陰心經、從腋下筋間極泉穴、循行臑外、下行手臂內之下行、至手小指內側之端、少衝穴也、手之三陽手外頭者、謂手陽明大腸經、從手食指外側之端商陽穴、上行手臂外之上行、至頭鼻孔兩旁迎香穴也、手少陽三焦經、從手名指外側之端關衝穴、上行手臂外之中行、至頭耳前動脈耳門穴也、手太陽小腸經、從手小指外側之端少澤穴、上行手臂外之下行、至頭耳中珠子聽宮穴也、足之三陽頭外足者謂足陽明胃經從頭維穴起循頸至乳下行腹外股膝跗之前行至足二指外側之端厲兌穴也足少陽膽經從頭目外眥瞳髎穴循行繞耳顱顳下行脇跨膝跗之中行至足四指外側之端竅陰穴也足太陽膀胱經從頭目內眥睛明穴循行額顱項背外行臀膕腨踝之後行至足小指外側之端至陰穴也足之三陰足內求者謂足厥陰肝經從足大指三毛際橫紋內側大敦穴循行前行上行內踝腨膝之中行內行陰器腹脇之外行至乳下期門穴也足太陰脾經從足大指內側之端隱白穴循行內踝膝裡之中行上行股內之上行循腹上胸至季肋太包穴也足少陰腎經從足心湧泉穴循行內踝足跟內之後行上腹至胸俞府穴也

問 頭前正面呢

答 頭督唇任五中行眥內足太顴手陽眥外足少繞耳手鼻旁手明唇足方註頭之正面分五行其中行上唇以上屬督脈下唇以下屬任脈其第二行目內眥

旁、上屬足太陽膀胱經睛明穴、鼻旁下屬手陽明大腸經迎香穴、其第三行自頭維穴至唇旁地倉穴、屬足陽明胃經、其第四行面顴骨外旁顴髎穴屬手太陽小腸經、頭側上屬足少陽膽經瞳髎等穴、其第五行繞耳前後屬手少陽三焦經角孫等穴也、

問　頭後項頸呢

答　頭後五行督中行、惟二足太餘少陽、頸前任中二足明、三手四行手太陽、五手少陽六是足、七足太陽督中行、註 頭後分五行、其中行屬督脈、惟兩旁第二行屬足太陽膀胱經、其餘第三行承靈等穴、四行完骨等穴、五行天衝等穴皆屬足少陽膽經、前後項頸分七行、頸前中行屬任脈、二行屬足陽明胃經、人迎水突等穴、三行屬手陽明大腸經、扶突天鼎穴、四行屬手太陽小腸經、天窗天容穴、五行屬手少陽三焦經、天牖穴、六行屬足少陽膽經風池穴、七行屬足太陽膀胱經、天柱穴、項後中行屬督脈經也、

問　胸腹脊背呢

答　胸腹二行足少陰三足陽明四太陰五足厥陰六是膽脊背二三膀胱經註胸腹之中行屬任脈其兩旁第二行屬足少陰腎經兪府等穴其第三行屬足陽明胃經氣戶等穴其第四行屬足太陰脾經周榮等穴乳下肋上第五行屬足厥陰肝經期門等穴脇後第六行屬足少陽膽經淵腋輒筋京門帶脈等穴脊外兩旁二行三行俱屬足太陽膀胱經大杼附分等穴脊之中行屬督脉經也

第三章　手太陰肺經穴歌註

問　肺經左右共二十二穴係何名在何處主治何病

答　太陰肺兮出中府雲門之下寸六許鍼灸五壯和三分主治胸腹腫脹滿註中府穴在雲門穴下一寸六分乳上三肋間動脈應手陷中去胸中行各六寸乃肺之募穴按募猶結募也言經氣聚結於此鍼三分灸五壯主治腹脹肢腫氣喘胸滿等症

問　雲門穴呢

答　雲門氣戶旁二寸。巨骨之下舉臂取。灸可五壯鍼禁深。主治咳喘癭氣滿。註雲門穴在巨骨穴下俠氣戶旁二寸氣戶在俞府旁二寸俞府在璇璣旁二寸去胸中行各六寸舉臂取之鍼三分灸五壯主治傷寒四肢熱不已咳逆喘不得息胸脇短氣氣上冲心胸滿脇徹背痛癭氣等症

問　天府穴呢

答　天府腋下三寸求肘腕五寸上側取四分禁灸何病治暴痺衄血中風侶註天府穴在腋下三寸臂內上側去肘腕上五寸動脈中用鼻尖點墨到處是穴四分禁灸主治暴痺口鼻衄血中風邪飛尸惡症寒熱瘧目眩暈癭氣等症

問　俠白穴呢

答　俠白與天府爲鄰肘端五寸動脈中五壯三分主何病乾嘔煩悶心氣疼註俠白穴在天府穴外側去肘端五寸三分五壯主治心痛氣短乾嘔逆煩滿等症

問　尺澤穴呢

答　尺澤肘中約紋上肺合水穴鍼五分主治肩疼臑肘痛肢腫脊強小兒驚註尺澤穴在肘中約紋上動脈中屈肘橫紋筋骨罅陷中乃肺之合水穴也五分禁灸主治肩背痛汗出中風小便數善嚏悲哭寒熱風痺臑肘攣手臂不舉喉痺上氣咳嘔唾濁肢腹腫心胃疼肺膨脹心煩悶腰脊強痛小兒慢驚等症

問　孔最穴呢

答　孔最腕上七寸舉一分五壯側取之主治熱病汗不出肘臂厥痛咽腫奇註孔最穴在腕上七寸側取一分五壯主治汗不出咳逆肘臂厥痛屈伸難手不及頭指不能握吐血失音咽腫頭痛等症

問　列缺穴呢

答　列缺腕側寸五分叉爲肺絡走陽明二分七壯主何治偏風癱痛此穴尋註列缺穴在腕側上寸半以兩手交叉食指盡處是穴二分七壯主治偏風半身不

遂口噤不開、寒熱瘧、咳嗽縱唇口、痼驚妄見、面肢癰腫、胸背寒慄、尸厥等症、

問　經渠穴呢、

答　經渠寸口動脈中。肺經金穴二分鍼。主治胸背兼喉痺。咳逆喘促與心疼。註經渠穴在寸口動脈應手陷中、肺經金穴也、二分禁灸、主治寒熱瘧、胸背拘急胸滿喉痺喘促心疼嘔吐等症、

問　太淵穴呢、

答　太淵掌後橫紋頭。肺俞土穴脈病求。三壯二分主何治。胸痺氣逆眼目瘳。註太淵穴在掌後內側橫紋頭動脈中、肺俞土穴也、肺虛補之、難經云、脈會太淵、乃八會之一、脈病治此、二分三壯、主治胸痺氣逆、噦嘔飲水咳嗽煩悶不得眠、肺脹膨、臂內廉痛、目生白翳、眼赤痛、缺盆引臂痛、寒喘脈濇等症、

問　魚際穴呢、

答　魚際大指本節後。亦云滎火散脈裡。二分禁灸何病治。肺胃氣膨當取此。註魚

際穴在大指本節後內側白肉際陷中又云散脈裏肺之滎火穴也二分禁灸主治酒病惡風寒虛熱舌上黃身熱頭痛汗不出腹痛食不下肘攣肢滿喉中乾燥寒慄鼓頷咳引尻痛溺出嘔血心痺乳癰等症

問　少商穴呢

答　少商大指看內側去爪韭葉尋甲角肺井木穴鍼三分三稜出血瀉臟熱 註 少商穴在兩手大指內側去爪甲角如韭葉乃肺之井木穴也三分禁灸主治頷腫喉痺煩心善噦咳瘧振寒鼓頷喉腫等症按唐刺史成君綽忽頷腫大如升喉中閉塞水粒不下者三日甄權以稜鍼刺之微出血立愈

第四章　肺經解說

問　肺經解說

答　舊說云肺八葉非也西醫云五葉右三左二披離下垂後附脊骨前連胸膛肺中有管竅通於膈膜而下達氣海肺質輕鬆外有膜沫濡潤以助呼吸西醫云

肺覆而盖。前兩葉包心。在後。有峽及肺根。此根即氣管。肺脈連綱等、包裹肺衣而成。每葉外有衣薄而通明。包肺四面。肺有縮力。每葉藏氣管。氣管之末爲氣泡。肺脈至氣泡而散。功用主呼吸也。此說於肺衣氣泡頗爲詳明。宋元後不知肺之功用。全在衣與泡也。按人身血肉。塊然陰之質也。有是質、即有宰是質者。秉陰精之至靈。此之謂魄。肝主血。本陰也而藏陽魂。肺主氣。本陽也而藏陰魄。陰生於陽也。實指其物。即肺中清華潤澤之氣。西醫所謂肺中亦有膜沫是也。惟其有此沫。則散爲膏液。降爲精血。陰質由是而成矣。魂主動。魄主靜。百合病。恍惚不寧。魄受擾也。魔魘中惡。魄氣被掩也。人死爲鬼。魄氣所變也。凡魂魄皆無形有氣。變化莫測。西醫剖割不見。遂置弗論。夫談醫而不及魂魄。安知生死之說哉。又肺爲乾金。體高而大。如天之無不覆。氣達於外。以衛周身。如天之無不包。故合於皮毛。凡是外感。無不治肺也。西法用數百倍顯微鏡照見毛形如樹。其下有坑。坑内有許多蟲。或進或出。其實皆氣之出入也。蓋肺主氣。肺中盡是氣孔○鼻者直出之孔○毛者橫出之孔○鼻氣大○故人皆知之○毛孔之氣小○故人不知○實則鼻氣一出○則毛孔之氣俱出○鼻氣一入○則毛孔之氣俱入○西國人不知皮毛與肺相連○皆是從毛竅相通也○在天爲燥○在地爲金○在體爲皮毛○在色爲白○在音爲商○在聲爲哭○在變動爲咳○在竅爲鼻○在味爲辛○在志爲憂○在液爲涕○其榮爲毛○其臭爲腥○其數九○其穀稻○其畜狗○其蟲甲○其果梨○其菜韭○

第五章　手陽明大腸經穴歌註

問　大腸經、左右共四十穴○係何名、在何處、主治何病、

答　手陽明分屬大腸○食指外側號商陽○又爲大腸金井穴○一分三壯爪角間（註）商陽穴、一名絕陽、在手大指次指外側、去爪甲角如韭葉、大腸井金穴也、一分三壯、主治胸中氣滿、喘咳肢腫、熱病耳聾、寒熱痎瘧、口乾頤頷腫、齒痛惡寒、肩臂緊急引缺盆痛、目青盲、灸三壯、左取右、右取左、如食頃立愈、

問　二問穴呢、

答　本節前取二間定○一名間谷穴水滎○三壯三分實則瀉○主治喉痺頷腫使○註二間穴、一名間谷、在手食指本節前外側陷中、大腸滎水穴、三壯三分、主治喉痺頷腫、肩背痛、振寒、鼻鼽衄、齒痛、目黃、口乾、口喎、飲食不通、傷寒、水結等症、

問　三間穴呢、

答　三間食指節後尋○又爲少谷俞木名○三壯三分看○主治咽梗喉痺牙眼疼○註三間穴、一名少谷、在食指本節後、外側陷中、大腸俞木穴也、三壯三分、主治喉痺咽梗、下齒齲痛、胸腹滿、腸鳴洞泄、寒熱瘧、唇焦口乾、氣喘目眥急痛、吐舌、戾頸、善驚、多唾、急食不通、傷寒氣熱等症、

問　合谷穴呢、

答　岐骨陷中尋合谷○又爲原穴分壯三○主治頭面諸般症○姙娠之婦補墮胎○註合谷穴、一名虎口、在手大指次指岐骨間陷中、大腸原穴也、三分三壯、主治傷寒大渴、脈浮在表、發熱惡寒、頭痛脊強、無汗、寒熱瘧、鼻衄不止、目生白翳、頭痛下

齒齲、耳聾喉痺、面腫唇吻不收、口噤不開、風疹痂疥、偏正頭痛、腰脊引痛、小兒乳蛾、惟姙娠婦禁鍼、（按宋太子出苑、逢姙婦診之曰女胎、徐文伯曰、係一男一女、太子性急、欲剖而視之、文伯止之、爲瀉三陰交、補合谷、胎應針而下、果如文伯之言、後世遂以三陰交合谷爲姙婦禁）

問　陽谿穴呢、

答　陽谿腕中上側詳。穴名經火鍼灸三。主治狂言如見鬼、頭目喉耳肘臂痪。註　陽谿穴一名中魁、在腕中上側、兩筋間陷中、大腸經火穴也、三壯二分、主治狂言、喜笑見鬼、熱病心煩、目風赤爛有翳、厥逆頭痛、胸滿不得息、寒熱瘧疾、寒嗽嘔沫喉痺、耳鳴耳聾、驚掣肘臂不舉痂疥等症、

問　偏歷穴呢、

答　腕後三寸是偏歷。又爲別絡走太陰。三壯三分主何病。肩肘腕痛頭病侵。註　偏歷穴、在陽谿後腕外側、去腕三寸、大腸絡脈別走太陰、三壯三分、主治肩膊手

腕疼痛、眦目睆眊、齒痛鼻衄寒熱瘧、癲疾、咽乾喉痺、耳鳴汗不出、小便數、實則齒齲、耳聾瀉之、虛則齒寒、痛痺補之、

問　溫溜穴呢、

答　溫溜穴居五五分。又有逆注池頭稱。三壯三分主何治。腸膈喉舌肢腫疼。註溫溜穴、兼名逆注池頭、乃一穴三名、其穴在偏歷後去腕五寸半、三壯三分主治腸鳴腹痛、傷寒噦逆、寒熱頭痛、喜笑狂言見鬼、吐涎沫、四肢腫、口痛喉痺等症、

問　下廉穴呢、

答　下廉上廉下一寸。三壯三分主治看。飧泄癆瘵小腹脹。熱風冷痺面無顏。註下廉穴、在肘輔骨下、去上廉一寸、曲池下四寸、輔銳肉分外斜、三分三壯、主治飧泄癆瘵、小腹滿、小便黃、便血狂言、熱風冷痺、小腸氣短、面無顏色、痃癖、腹若刀刺、腹脇痛滿、狂走俠臍痛、食不化、喘息難行、唇乾涎出乳癰等症、

問　上廉穴呢、

答　上廉三里下一寸陽明之會穴外斜三壯五分主何治半身不遂手足痲註上廉穴在三里穴下一寸曲池下三寸陽明之會外斜五分三壯主治小便難黃赤腸鳴胸痛偏風半身不遂骨髓冷手足不仁喘息腦風頭痛等症

問　手三里呢

答　池下二寸尋三里按之肉起銳肉端一壯三分主何治霍亂齒頰手足殃註手三里在曲池穴下二寸按之肉起銳肉之端三分一壯主治霍亂遺矢失音齒痛頰頷腫瘰癧手臂不仁肘攣不伸中風口喎手足不隨等症

問　曲池穴呢

答　屈肘曲中曲池穴以手拱胸取之得七分三壯補瀉明主治肘疼偏風捷註曲池穴在肘外輔骨屈肘橫紋頭以手拱胸得之大腸合土穴也七分三壯主治繞踝風手臂紅腫肘中痛偏風半身不遂風癮疹喉痺難言胸中煩滿臂膊疼痛筋緩捉物不得挽弓不開風痺肘細無力傷寒餘熱不盡皮膚乾燥瘈瘲癲

疾、寒體痛、癢如蟲嚙、皮脫作瘡痂疥、婦人經脈不通等症、

問　肘髎穴呢、

答　肘髎大骨外廉陷。三壯三分仔細尋。主治風勞肘節痺。臂痛攣急難屈伸。註肘髎穴在肘大骨外廉陷中、三分三壯、主治風勞嗜臥肘節風痺臂痛不舉屈伸攣急麻木不仁等症、

問　手五里呢、

答　五里肘上三寸容。行向裏邊大脈中。十壯禁鍼主何病。風勞臂痛瘰癧叢。註五里穴在肘上三寸、行向裡大脈中央、十壯禁鍼、主治風勞驚恐吐血咳嗽肘臂痛、四肢不仁、心下脹滿、上氣身黃、時有微熱、瘰癧目眡痎瘧等症、

問　臂臑穴呢、

答　臂臑髃下一寸取。兩筋兩骨罅陷中。手之太陽陽明會。三壯三分主臂疼。註臂臑穴在肩髃下一寸、兩筋兩骨罅陷中、舉臂取之、手之太陽陽明之會、三壯三

分主治寒熱臂痛不得舉瘰癧頸項拘急等症

問　肩髃穴呢

答　肩髃肩端兩骨隙舉臂有空取之的陽明陽蹻會於斯七壯六分風痺失 註 肩髃穴一名中肩井一名偏肩在膊骨頭肩端上兩骨罅間陷中宛宛中舉臂取之有空手陽明陽蹻之會七壯六分主治中風手足不隨偏風風癱風痿半身不遂肩中熱頭不可回顧肩臂疼痛臂無力手不能及頭攣急風熱癮疹顏色枯焦風勞泄精傷寒熱不已四肢熱諸癭氣等症按唐魯州刺史庫狄嶔風痺不能挽弓甄權鍼肩髃鍼進可射

問　巨骨穴呢

答　巨骨肩端叉骨罅陽明陽蹻交會場五壯半寸瀉無補主治驚癇肩臂殃 註 巨骨穴在肩尖端上行兩叉骨罅間陷中手陽明陽蹻之會五壯半寸主治驚癇吐血臂膊痛胸有瘀血肩臂不得屈伸等症

問 天鼎穴呢、

答 天鼎缺盆之上藏直扶突下寸四量三壯禁鍼主何治暴瘖喉痺飲食難 註天鼎穴在頸缺盆上、直扶突下、一寸四分、三壯禁鍼、主治暴瘖氣梗、喉痺噎膈、不得息、飲食不下、喉中鳴等症、

問 扶突穴呢、

答 扶突曲頰下一寸人迎之後用意尋三壯三分主何治咳嗽氣喘水鷄聲 註扶突穴在頸當曲頰下一寸、人迎後大筋宛宛中仰取三壯三分主治咳嗽多唾、喉中如水鷄聲、暴瘖氣喘等症、

問 禾髎穴呢、

答 禾髎水溝旁五分三分禁灸主治明尸厥口噤鼻瘜肉不聞香臭鼽衄生 註禾髎穴在鼻孔下、俠水溝傍各五分、三分禁灸、主治尸厥口不開、鼻瘡瘜肉、不聞香臭、鼽衄不止等症、

問　迎香穴呢、

答　鼻孔兩旁各五分。左右二穴迎香名。三分禁灸主何治。鼽衄鼻塞口喎疼。註迎香穴在鼻孔兩旁各五分、三分禁灸、主治鼻塞不聞香臭、偏風口喎、面癢浮腫風動狀如蟲行、唇腫喘息不利、鼻喎多涕、鼽衄生瘡等症、

第六章　大腸經解說

問　大腸經解說、

答　肺爲辛金。大腸爲庚金。肺藏魄、而大腸肛門卽爲魄門。肺與大腸交通之路。全在肺系膜油之中。由膜油以下達大腸。而大腸全體皆是油膜包裹。雖大腸與肺一上一下。極其懸遠。而其氣從膜油中自相貫注。故傳導之府。又爲傳導肺氣使不逆也。凡大腸之病。多從肺來。故大腸燥結、須潤肺。大腸痢症。發於秋金。亦是肺遺熱於大腸。而大腸病亦能上逆而返潰於肺。故傷寒論云。下痢便膿血者。喉不痺。不便膿血者、喉痺。宜瀉大腸。此之謂也。宋元後。圖大腸者。摺疊一

闌。不能分出上中下三迴。惟西醫言大腸頭、接小腸下闌門。由右腹出而上行。爲上迴。橫繞至胃下。過左脅爲中迴。由左腹而下行爲下迴。至膀乃轉爲直腸。凡瀉痢腹鳴。可試其迴轉之路。仲景云腹中轉氣者。尚有燥屎。仲景下一轉字。已繪出大腸之形。而宋元後。醫不之察。反不如西醫之踏實。小腸上與胃接爲幽門。全體皆與油膜相連。甜肉汁膽汁。皆從油膜中入小腸也。

第七章　足陽明胃經穴歌註

問　胃經左右。共九十穴。係何名。在何處。主治何病。

答　頭維本神寸五尋。庭旁四寸五分論。陽明少陽足經會。三分禁灸主頭疼。註 頭維穴、在本神旁寸半、去神庭四寸五分、足陽明少陽之會、三分禁灸、主治頭痛如破、目痛如脫、目風淚出、視物不明等症、

問　下關穴呢、

答　下關耳前動脈處。陽明少陽足經會。三分三壯主何災。聤耳偏風口喎治。註 下

關穴在耳前動脈下廉合口有空開口則閉側臥閉口取之足陽明少陽之會三分三壯主治聤耳有膿汁出偏風口喎牙車脫牙齦腫以三稜鍼出血立愈

問　頰車穴呢

答　頰車耳下八分鍼機關曲牙兩別名四分三壯炷如麥主治口眼頷頰疼註頰車穴在耳下八分曲頰端近前陷中側臥閉口取之四分三壯主治中風牙關不開口噤不語失音牙車疼頷頰腫牙難嚼物頸強不得回顧口眼喎斜等症

問　承泣穴呢

答　承泣目下七分治陽明陽蹻任脈會三壯禁鍼眼病探瞳癢目瞤兼冷淚註承泣穴在目下七分直瞳子陷中足陽明陽蹻任脈之會三壯禁鍼主治目冷淚出上視瞳子癢遠視䀮䀮目瞤動口眼喎斜不能言眼赤痛耳鳴耳聾等症

問　四白穴呢

答　四白一寸不可深直對瞳子目下尋三分三壯主何治口眼喎斜頭部行註四

白穴在目下一寸。直對瞳子、令病人正視取之、三分三壯、主治頭痛、目眩、目痛、目癢生翳、口眼喎僻不能言、（又按以上二穴總以不鍼灸爲妥）

問 巨髎穴呢、

答 巨髎孔旁八分定。手足陽明陽蹻會。三分三壯何病殃。唇頰喎僻面目累。註巨髎穴俠鼻孔兩旁八分、直瞳子下、平水溝、手足陽明陽蹻脈之會、三分三壯、主治瘈瘲唇頰腫痛、口喎僻、目障翳覆瞳子、面風鼻腫、脚氣等症

問 地倉穴呢、

答 地倉俠吻四分臨。陽明陽蹻手足行。七壯三分得氣瀉。主治偏風與失音。註地倉穴、俠口吻旁四分、外延下有動脈、手足陽明陽蹻脈之會、三分七壯、主治偏風口喎、目不得閉、脚腫、失音不語、飲水不收、水漿漏落、眼瞤不止、瞳子癢、病右治左、病左治右、宜頻鍼灸、以取盡風氣、口眼正爲度、

問 大迎穴呢、

答　大迎頰前寸三分動脈應手骨陷中三壯三分何病治脣吻牙頰面目尋 註 大迎穴在曲頰前一寸三分骨陷中有動脈三分三壯主治風痓口噤不開脣吻瞤動頰腫牙疼寒熱頭痛瘰癧口喎齒齲數欠氣舌強不能言風痓面腫目痛不得閉等症

問　人迎穴呢

答　人迎別名爲五會結喉兩旁寸五分四分禁灸主何病霍亂喉腫瘰癧尋 註 人迎穴在頸大脈應手處俠結喉兩旁一寸五分四分禁灸主治吐逆霍亂胸中滿喘呼不得息咽喉癰腫瘰癧等症

問　水突穴呢

答　水突在頸大筋下直居氣上下於人三壯三分主何病咳逆上氣咽喉癰 註 水突穴一名水門在頸大筋前直人迎下氣舍上三分三壯主治咳逆上氣咽喉癰腫呼吸短氣喘不得臥等症

問 氣舍穴呢、

答 氣舍迎下俠天突○三壯三分何病屬○咳逆上氣頸項強○喉痺哽噎氣喘促○註氣舍穴、在頸直人迎下、俠天突陷中、三壯三分、主治咳逆上氣、頸項不得回顧、喉痺哽噎、嗌腫不消、癭瘤等症、

問 缺盆穴呢、

答 缺盆橫骨陷中親○此穴用鍼不可深○主治息奔胸滿喘○水腫喉痺瘰癧尋○註缺盆穴、在頸橫骨陷中、去中行四寸、鍼不可深、主治息奔胸滿、喘急水腫、瘰癧喉痺、汗出寒熱、缺盆中腫、外潰、胸中熱滿、傷寒胸熱不已等症、

問 氣戶穴呢、

答 氣戶俞府旁二寸○至乳六寸四分程○三壯三分主何病○咳逆胸脇支滿尋○註氣戶穴、在俞府穴兩旁各二寸、去胸中行各四寸、三壯三分、主治咳逆上氣、胸背痛、口不知味、胸脇肢滿等症、

問　庫房穴呢、

答　庫房氣戶下寸六○五壯三分主何災○咳逆上氣胸脇滿○吐唾膿血濁沫眩○註庫房穴在氣戶下一寸六分陷中去胸中行各四寸、五壯三分主治胸脇滿脹咳、逆上氣、唾膿血濁沫等症、

問　屋翳穴呢、

答　屋翳庫房下寸六○四分五壯何病施○主治咳逆唾濁沫○膿血痰飲腫痛醫○註屋翳穴在庫房下一寸六分○去胸中行各四寸○四分五壯、主治咳逆上氣、唾膿血濁沫、身體腫、皮膚痛、不可近衣、瘈瘲不仁等症、

問　膺窗穴呢、

答　膺窗屋翳下寸六○四分五壯氣短促○唇腫腸鳴注泄頻○乳癰寒熱臥不得○註膺窗穴在屋翳下一寸六分、陷中去胸中行各四寸、四分五壯、主治胸滿短氣、唇腫腸鳴、注泄乳癰、寒熱臥不安等症、

問　乳中穴呢、

答　兩乳中心名乳中。去胸四寸五分得。只宜揉散禁灸鍼。主治吹乳與結核。註乳中穴在兩乳頭、禁鍼灸、宜揉散、主治吹乳、結核等症、

問　乳根穴呢、

答　乳根穴在乳之下。一寸六分仰面尋。五壯三分主何病。胸鬲滿悶並轉筋。註乳根穴在乳中之下。一寸六分、陷中去胸中行各四寸半、五壯三分、主治胸鬲滿悶、食噎、乳痛、乳癰、霍亂轉筋、四肢厥、等症、

問　不容穴呢、

答　不容幽門旁寸半。去胸中行各三寸。三分三壯何病醫。腹滿痃癖疝瘕症。註不容穴在幽門旁一寸五分、去胸中行各三寸、三壯三分、主治腹滿痃癖、吐血、肩脇痛、口乾、心痛、胸背相引痛、喘咳、不嗜食、腹虛鳴、嘔吐、疝瘕等症、

問　承滿穴呢、

答　承滿不容下一寸。三壯三分腸胃門。上氣喘逆食不下。唾血濁沫腹脹論。註承滿穴在不容下一寸、三壯三分、主治腸鳴腹脹、咳逆飲食不下、唾血濁沫等症、

問　梁門穴呢、

答　梁門承滿下一寸。五壯三分主何病。脇下積氣食不思。大腸滑泄完穀症。註梁門穴在承滿下一寸。五壯三分。主治積氣不思飲食。大腸滑泄、完穀不化等症、

問　關門穴呢、

答　關門梁門下一寸。五壯三分何病醫。主治積病腸鳴痛。泄痢不食寒溺遺。註關門穴在梁門下一寸、去胸中行各三寸、五壯三分、主治善滿積氣、腸鳴卒痛、泄利不欲食、腹中氣走、俠臍急痛、身腫痰瘧、振寒、遺溺等症、

問　太乙穴呢、

答　太乙關門下一寸。去胸中行三寸施。五壯八分治癲疾。狂走心煩吐舌醫。註太乙穴在關門下一寸、去胸中行三寸、五壯八分、主治癲疾狂走心煩吐舌等症、

問　滑肉門呢、

答　滑肉太乙下一寸。五壯五分醫何病。主治欬逆和癲狂。吐舌舌强諸般症。註滑肉門、在太乙下一寸、去胸中行各三寸、五壯五分、主治癲狂、吐舌嘔逆等症、

問　天樞穴呢、

答　天樞二寸俠臍旁。穴去肓俞一寸、當。百壯五分看主治。奔豚泄瀉痛鳴腸。註天樞穴、俠臍中兩旁、各開二寸、百壯五分、主治奔豚泄瀉脹疝、赤白痢、水痢不止。食不下、水腫脹、腹腸鳴、上氣久積冷氣繞臍切痛、煩滿嘔吐、霍亂瘧疾寒熱狂言、傷寒飲水過多、腹脹氣喘、婦女癥瘕血結成塊、漏下赤白、月事不時等症、

問　外陵穴呢、

答　外陵樞下一寸取、去腹中行二寸裏、三分五壯鍼灸施、主治心疼臍腹疾、註外陵穴在天樞下一寸、去腹中行二寸、五壯三分、主治腹痛心懸下引臍痛等症、

問　太巨穴呢、

答　太巨外陵下一寸。三分五壯鍼灸宜。主治腹脹小便澁。㿉疝偏墜驚悸。施。註太巨穴在天樞下二寸、五壯三分、主治小腹脹滿、煩渴小便難、㿉疝偏墮、四肢不收、驚悸不眠等症、

問　水道穴呢、

答　水道天樞下五寸。五壯三分主治宜。腰背強急小腹脹。二便不利效甚奇。註水道穴在天樞下五寸、太巨下三寸、五壯三分、主治腰背強急膀胱有寒、三焦結熱、婦人小腹脹滿、痛引陰中、胞中瘕、子門寒、二便不通等症、

問　歸來穴呢

答　歸來樞下七寸當。去水(道)二寸並(去)中行。(二寸)主治奔豚縮陰症。五分五壯七疝探。註歸來穴在天樞下七寸、水道下二寸、去中行各二寸、五壯五分、主治小腹奔豚、陰縮入腹、引莖中痛、七疝、婦人血臟積冷等症、

問　氣衝穴呢

答　氣衝來下外一寸○急脈氣衝內五分七壯禁鍼衝脈起○主治㿗疝腰腹膨○註氣衝穴在歸來下一寸、向外一寸、去中行各三寸、動脈應手宛宛中、衝脈所起七壯炷如大麥禁鍼、主治腹滿不得臥、㿗疝腹熱、身熱腹痛、陰痿莖痛兩丸牽痛、小腹奔豚逆氣上攻心腹脹痛上搶心痛、不得息腰痛不得俯仰等症、

（按急脈乃肝經之奇零穴也、因肝脈連陰器故此穴載於歸來之下、氣衝之間張介賓類經亦取此義）

問　髀關穴呢、

答　髀關伏兔後交中六分○禁灸施治同○腰痛足麻筋絡急○牽腹喉痺痿不仁○註髀關穴在伏兔後交紋中六分、禁灸、主治腰痛足麻木、膝寒不仁痿痺、股內筋絡急、不能屈伸、小腹引喉痺等症、

問　伏兔穴呢、

答　伏兔市上三寸取○膝上六寸鍼用三○主治膝冷肢攣急○癮疹腹脹頭脚良○註伏

兎穴在膝上六寸起肉處、正跪坐取之、其肉起如兎之狀、因以此名、三分禁灸、主治膝冷不得溫、風勞痺逆、狂邪手攣身癮疹、腹脹脚氣婦人帶下等症、

問　陰市穴呢、

答　陰市膝上三寸許、兎下陷中拜取之、禁灸三分主何病、腰脚冷痺寒疝宜　註　陰市穴在膝上三寸、伏兎下陷中、拜而取之、三分禁灸、主治腰脚冷如冰、膝寒痿痺不仁、卒寒疝、小腹脹痛、脚以上至伏兎寒等症、

問　梁邱穴呢、

答　梁邱膝上二寸量○三壯三分主治看○膝脚腰疼兼冷痺○乳腫足痛屈伸難○　註　梁邱穴在膝上二寸、兩筋間、三壯三分、主治膝脚腰痛、冷痺不仁、足寒乳腫等症、

問　犢鼻穴呢、

答　犢鼻膝臏骨下尋○骨解大筋陷中針○三壯三分主何病○膝疼難起刺灸行○　註　犢鼻穴在膝臏下胻骨上、骨解大筋陷中、三壯三分、主治膝中痛、難跪起等症、

（按膝臏腫潰、不可治、若犢鼻堅硬、勿便攻、先熨微刺可也）

問　三里穴呢、

答、三里膝眼下三寸。胻骨外廉大筋內。極重按之跗脈停。三壯一寸合土出。註三里穴在膝眼下三寸、胻骨外廉大筋內宛宛中、兩筋分肉間、舉足取之、極重按之、則足跗上動脈止矣、胃合土穴也、三壯一寸、主治胃中寒、心腹脹滿、腸鳴、臟氣虛憊、眞氣不足、腹痛食不下、大便不通、心悶不已、卒心痛、腹有逆氣上攻、腰痛不得俯仰、小腸氣、水氣、蠱毒、鬼擊、痃癖、四肢滿、膝胻痠痛、目不明、產婦血暈、秦承祖云、諸病皆治、華陀云、主五勞羸瘦、七傷虛乏、胸中瘀血、乳癰、千金翼云、主傷寒熱不已、熱病汗不出、喜嘔、口苦、口噤、鼓頷、腫痛不得回顧、胃氣不足、久泄痢、食不化、脇下肢滿、不能久立、膝痿、脚氣、外臺祕要云、人年三十以上、若不灸三里、令人氣上沖目、李東垣曰、飲食失節、勞役形質、陰火乘於坤土之中、以致穀氣、榮氣、清氣、胃氣、元氣、不得上升、滋於六腑之陽氣、是五陽之氣、先絕於外、外者、天也、下流入於坤土陰火之中、皆由喜怒悲憂恐、五賊所傷、而後胃氣不行、繼之飲食勞役不節、則元氣乃傷、當於三里穴中、推而揚之、以伸元氣、

問　上廉穴呢、

答　上廉里下三寸。地兩筋骨罅舉足取。三壯三分何病。醫主治腳氣腰腿疾。註上廉穴、一名上巨虛、又名上巨、在三里穴下三寸、兩筋骨罅中、舉足取之、三分三壯、甄權以年爲壯、主治臟氣不足、偏風腳氣、腰腿手足不仁、腳脛痠痛、屈伸難、不能久立、腳膝腫、骨髓冷痛等症、

問　條口穴呢、

答　條口上廉下一寸。禁灸三分主何治。足痲腳冷膝脛寒。胻腫轉筋難舉步。註條口穴、在上廉下一寸、舉足取之、三分禁灸、主治足痲木、風氣、腳不熱、不能久立、膝腫脛寒、胻腫轉筋、足緩不收等症、

問　下廉穴呢、

答　下廉條下一寸裏兩筋骨罅蹲地取三壯八分何病腎脚痿喉痺小腸氣註下廉穴在條口下一寸兩筋骨罅中三壯八分主治小腸氣不足偏風腿痿濕痺喉痺唇乾涎出言語非常婦人乳癰足跗不收跟痛等症

問　豐隆穴呢

答　豐隆下廉外一寸上踝八寸分明記陽明絡別走太陰主治腿腹風痰疾註豐隆穴在下廉外一寸直上外踝八寸足陽明絡別走太陰三壯三分主治厥逆大小便難脚膝痠屈伸難胸痛如刺腹若刀切風痰頭痛喉痺不能言等症

問　解谿穴呢

答　解谿衝陽後寸半足腕之上針三分胃經火穴勿着艾膝胻腫痛並轉筋註解谿穴在衝陽上寸半足腕上陷中足大指次指直上宛宛中胃經火穴也三分禁灸主治風面浮腫顏黑厥氣上衝腹脹下重瘈瘲膝股胻腫轉筋目眩頭痛癲疾悲泣霍亂頭風面目赤眉攢疼不可忍等症

問　衝陽穴呢、

答　衝陽陷谷上二寸。骨間動脈原穴尋。三壯炷微禁鍼刺。主治跗腫腹脹疼。註衝陽穴在陷谷上二寸、解谿下寸半、三壯禁鍼、主治偏風口眼喎、跗腫齒齲腹堅大不嗜食、登高而歌、棄衣而走、足緩不收身前痛等症、

問　陷谷穴呢、

答　陷谷內庭後二寸。胃兪木穴鍼灸三。主治面與目浮腫。腸鳴腹痛此穴詳。註陷谷穴在足大指次指外間、本節後陷中、去內庭二寸、胃兪木穴也、三壯三分、主治面目浮腫、腸鳴腹痛等症、

問　內庭穴呢、

答　內庭大次指外間。胃滎水穴鍼灸三。主治厥逆腹脹滿。口喎齒齲痢傷寒。註內庭穴在足大指次指外間陷中、胃滎水穴、三壯三分、主治四肢厥逆、腹脹滿、數欠、氣惡聞人聲、咽中引痛、口喎上齒齲、瘧不嗜食、皮膚痛、鼻衄不止、傷寒逆冷、

赤白痢等症。

問 厲兌穴呢。

答 厲兌大次指外間。去爪韭葉井金探。一壯一分。主何病。尸厥水腫狂疾。參註厲兌穴在足大指次指外側。去爪甲角如韭葉。胃井金穴也。一壯一分。主治尸厥口噤。氣絕狀如中惡。心腹脹滿。水腫熱病汗不出。寒瘧不嗜食。面腫足胻寒。喉痺上齒齲。多驚狂。登高棄衣。黃疸鼽衄。膝臏腫。循胸膺乳腹伏兎胻外廉。足跗皆痛。消穀善肌等症。

第八章 胃經解說

問 胃經解說呢。

答 脾合胃。胃者。五穀之府。脾居胃外。以膜相連。西醫云。近胃處有甜肉一條。甜肉汁入胃。則飲食自化。內經云。甘生脾。是甜肉即脾也。無庸另立名目。脾主化穀。胃主納穀。胃者。脾之府也。胃爲陽土。脾爲陰土。納穀少者。胃陽虛。納穀多而不化者脾陰虛如膈食病糞如羊屎即是脾陰虛無濡潤之氣故燥結不化知脾陰胃陽方能知健脾胃之法李東垣重脾胃而藥方皆取溫燥是但知顧陽而不知顧陰也西醫言胃津化物甜肉汁化物膽汁化物則但主陰汁立論而又不明胃爲陽主納穀之理皆偏也按胃之上口接食管曰賁門胃之下口接小腸曰幽門後面與肝膜相連前面與膈膜相連下面與脾相曲抱脾中一物曰甜肉王清任謂爲總提即胰子也胰子能去油西醫但言甜肉質化穀而不知其化油也脾又生脂膏所以利水穀在胃中又賴脾土之濕升布津液以濡之然後腐變故胃但稱五穀之府不言化五穀以見胃主納脾主化一燥一濕互爲工用也

第九章　足太陰脾經穴歌註

問　脾經左右共四十二穴係何名在何處主治何病

答　拇指內側隱白位脾井木穴鍼灸三主治胸腹喘滿嘔泄衄尸厥婦孺殃註隱

白穴在足大指端內側、去爪甲角如韭葉、脾井木穴也、三壯三分、主治腹鳴喘滿、不得安臥、嘔吐食不下、胸中熱、暴泄、衄血、尸厥不識人、足寒、婦人月事過時、小兒客忤慢驚風等症、

問　太都穴呢、

答　太都節前陷中據○赤白肉際骨縫尋○三壯三分滎火穴○主治腰腿心胃疼○註　太都穴在足大指本節前內側陷中骨縫赤白肉間、脾滎火穴也、三壯三分、主治熱病、汗不出、不得臥、身重骨疼、手足逆冷、腹滿善嘔、煩悶目眩、腰痛繞踝風、心胃疼腹脹胸滿、蚘厥小兒客忤等症、

問　太白穴呢、

答　太白核骨下陷中○俞土之穴三灸鍼○主治腰腹心胃痛○胻痠筋轉胸滿疼○註　太白穴在足大指內側核骨下陷中、脾俞土穴、三壯三分、主治身熱煩滿、腹脹食不化、泄瀉腹血腰痛、大便難、氣逆霍亂、腹中切痛、腸鳴腹脹、胻痠轉筋、身寒骨

痛心胃疼胸滿脈緩等症

問　公孫穴呢

答　公孫節後一寸取足太陰絡走陽明三壯四分主何病厥氣上逆霍亂尋○註公孫穴在足大指本節後一寸足太陰絡別走陽明三壯四分主治寒瘧不食痼氣好太息多寒熱汗出病至則嘔嘔已乃衰頭面腫起煩心狂言膽虛厥氣上逆霍亂實則腸中切痛瀉之虛則鼓脹補之

問　商邱穴呢

答　商邱內踝下微前穴在中封照海間經金鍼灸三分壯主治脾虛婦孺痊○註商邱穴在足內踝骨下微前陷中前有中封後有照海其穴居中脾經金穴也三壯三分主治腹脹腸鳴不便脾虛令人不樂身寒善太息心悲骨痺氣逆痔疾寒熱好嘔陰股內痛氣癰狐疝小腹引痛脾積痞氣黃疸舌強腹脹寒瘧泄瀉體重節痛怠惰嗜臥婦人絕子小兒慢驚等症

問　三陰交呢、

答　內踝三寸三陰交○三壯三分主治饒脾胃虛弱○心腹脹○姙娠關係手法超○　註三陰交穴在足內踝上三寸、骨下陷中、三分三壯、姙婦禁鍼、主治脾胃虛弱、心腹脹滿、脾痛身重、四肢不舉、腸鳴食不化、痃癖腹寒、膝內廉痛、小便閉、陰莖痛、足痿難行、臍虛食後吐水、夢遺失精、霍亂逆冷、呵欠口張、小兒客忤、婦人羸弱癥瘕、漏血不止、姙娠胎動、橫生、產後惡漏不行、去血過多、崩暈、經脈寒閉、瀉之立通、虛耗不行者、補之則通、

問　漏谷穴呢、

答　漏谷內踝上六寸○胻骨下陷三分○進主治心腸腹部○殃痃癖氣冷足膝病○　註漏谷穴在足內踝上六寸、胻骨下陷中、三分禁灸、主治腸鳴氣逆、腹脹滿急、痃癖氣冷、膝痺足癱等症、

問　地機穴呢、

答　膝下五寸爲地機。內側輔骨下陷中。三分三壯。醫何病。腰腹股膝皆可攻。註 地機穴、在膝下五寸、膝內側輔骨下陷中、伸足取之、三分三壯、主治腰痛不可俛仰、溏泄、腹脇脹、水腫腹堅、小便不利、女子癥瘕、按之如湯沃、股內至膝等症、

問　陰陵泉呢。

答　陰陵內側膝輔際。脾合水穴橫紋裏。五分禁灸。何病醫。主治腹脇便不利。註 陰陵泉、在膝下內側、輔骨下陷中、伸足取之、卽膝橫紋頭下、脾合水穴也、五分禁灸、主治腹中寒、不嗜食、脇下滿、水脹腹堅、喘逆不得臥、腰痛不可俛仰、霍亂疝瘕、小便不利、氣淋寒熱不節、陰痛、胸中熱、暴泄飧泄等症、

問　血海穴呢。

答　血海分明膝臏上。內廉肉際二寸半。五分三壯。何病醫。主治氣逆腹脹患。註 血海穴、在膝臏上二寸半、三壯五分、主治氣逆腹脹、女子漏下、月事不調等症、

問　箕門穴呢、

答 箕門血海上六寸。魚腹之上越筋際。三壯禁鍼何病醫。主治五淋鼠鼷疾。註 箕門穴、在血海上六寸越筋間、三壯禁鍼、主治五淋小便不利、鼠鼷腫痛等症、

問 衝門穴呢、

答 衝門府舍下一寸。四寸三分大横近。五壯三分何疾醫。主治積聚子冲病。註 衝門穴、一名慈宮、在府舍下一寸、大横下四寸三分、去腹中行各四寸半、横骨兩端動脈中、五壯三分、主治腹寒氣滿、腹中積聚、陰疝、姙娠子冲心、等症、

問 府舍穴呢、

答 府舍腹結下二寸。五壯七分醫何病。主治疝瘕脇搶心。腹滿積聚霍亂症。註 府舍穴、在腹結下二寸、大横下三寸、三分、去腹中行各四寸半、五壯七分、主治疝瘕循脇、上下搶心、腹滿積聚霍亂等症、

問 腹結穴呢、

答 腹結横下寸三分。一名腸窟主治論。咳逆腹寒繞臍痛。搶心逆氣泄痢頻。註 腹

結穴在大橫下一寸三分、去腹中行各四寸半、五壯七分、主治咳逆繞臍痛腹寒泄利、搶心氣逆等症、

問　大橫穴呢、

答　大橫哀下三寸五。五壯七分何病主。大風逆氣寒善悲。四肢不仁洞痢許。註　大橫穴在腹哀下三寸五分、俠臍上五分、去腹中行四寸半、五壯七分、主治大風逆氣多寒善悲、四肢不仁、多汗洞痢、等症、

問　腹哀穴呢、

答　腹哀日月下寸五。去腹中行四寸半。三分禁灸何病醫。主治便膿腹痛患。註　腹哀穴在日月下一寸五分、去腹中行各四寸半、三分禁灸、主治寒中食不化、大便膿血、腹中痛等症、

問　食竇穴呢、

答　食竇天谿下寸六。去胸中行各六寸。五壯四分何疾醫。主治胸脇支滿痛。註　食

竇穴在天谿下一寸六分中府穴下六寸四分平乳根開寸半去胸中行各六寸舉臂取之五壯四分主治胸脇支滿膈間雷鳴等症

問　天谿穴呢

答　天谿胸鄉下一寸六〇五壯四分仰面取〇主治胸滿喉逆聲〇婦人乳腫瘡癰疾〇註天谿穴在胸鄉下一寸六分乳中外寸半去胸中行各六寸五壯四分主治胸中滿痛咳逆上氣喉中作聲婦人乳腫瘡癰等症

問　胸鄉穴呢

答　胸鄉周榮下一寸六〇四分五壯仰取之〇主治胸滿引背痛〇支滿不臥轉側遲〇註胸鄉穴在周榮下一寸六分仰取五壯四分〇主治胸脇支滿〇引胸背痛不得臥轉側難等症

問　周榮穴呢

答　周榮中府下寸六〇四分禁灸何病醫〇主治胸滿難俯仰〇咳唾穢膿諸病祛〇註周

榮穴在中府下一寸六分去胸中行各六寸仰取四分禁灸主治胸脇滿不得俯仰咳唾穢膿等症

問　太包穴呢

答　太包淵腋下三寸脾經大絡統陰陽三壯三分何病取主治胸脇喘痛難　註　太包穴在淵腋下三寸腋下六寸爲脾經大絡總統陰陽諸絡三壯三分主治胸脇中痛喘氣等症

第十章　脾經解說

問　脾經解說呢

答　脾居中脘圍曲向胃西醫云傍胃又有甜肉生出甜汁從連網入小腸上口以化胃中之物脾內有血管下通於肝按脾居油膜之上與各臟相通其血氣往來之道路全在油膜中也中國醫書無甜肉之說然甘味屬脾乃一定之理西醫另言甜肉不知甜肉卽脾也西醫又云脾中之血壅熱氣以蒸化水穀蓋血

即心火所生。壅熱氣以化穀者。火生土之義也。至於脾土、制水之說。西醫不知。言水入口。散出於胃。走連網中。不知連網上之膏。即脾之膏滑也。王清任言脾中有管。名玲瓏管。水從胃透入此管。遂下走雞冠油中。又按脾與胃相連處。有膜一條。其中有管。自然無疑。脾質凝血而成。西醫云脾中有血管。迴血聚於脾中者極多。豈知血是心火所生。火生土。故統血多。食入則脾擁動熱氣以化之。西醫又言。有甜肉汁化穀。按甜肉汁即胰子也。生於油上。凡膏油皆脾所生之物。膏能化水。胰子能化油。脾稱濕土。正指胰子與膏也。有此滑潤。故腸中通利而化物。宋元後。圖脾居於右。西醫圖脾居於左。然淮南子已有脾左肝右之說。但脾之應脈。實在右手。蓋其功用歸於右也。在天為濕。在地為土。在體為肉。在色為黃。在音為宮。在聲為歌。在變動為噦。在竅為口。在味為甘。在志為思。在液為涎。其榮為唇。其臭香。其數五。其穀稷。其畜牛。其蟲倮（按倮蚯蚓之類、秉土之精、）其果棗。其菜葵。（按冬葵子、秉土性所生、）

第十一章　手少陰心經穴歌註

問　心經左右、共十八穴、係何名、在何處、主治何病、

答　少陰心起極泉中。腋下三寸脈入胸。七壯三分主何病。臂肘厥逆心氣疼。註　極泉穴、在臂內腋下三寸、筋間動脈、入胸、七壯三分、主治臂肘厥寒、四肢不收、心痛、乾嘔、煩渴、目黃、脇痛、悲愁不樂等症、

問　青靈穴呢、

答　青靈肘上三寸起。禁鍼五壯舉臂取。主治頭痛與目黃。肩臂振寒不能舉。註　青靈穴、在肘上三寸、舉臂取之、五壯禁鍼、主治目黃頭痛、振寒肩臂不舉等症、

問　少海穴呢、

答　少海肘內節後求。肘端五分屈向頭。心合水穴三分壯。主治頭目肘腋瘳。註　少海穴、在肘內廉節後、大骨後、去肘端五分、屈肘向頭取之、心合水穴也、三壯三分、主治寒熱齒齲痛、目眩發狂、嘔吐涎沫、項不得回顧、肘攣腋脇下痛、四肢不

舉、齒寒腦風氣逆、噫噦瘰癧、心痛手顫健忘等症、

問　靈道穴呢、

答　靈道掌後寸五分○心經金穴三灸鍼○主治乾嘔悲恐症○瘈瘲肘攣與暴瘖○註 靈道穴、在掌後下廉一寸半、心經金穴、三壯三分、主治心痛乾嘔悲恐相牽、瘈瘲肘攣暴瘖不能言等症、

問　通里穴呢、

答　通里腕後一寸間○心脈之絡鍼灸三○主治肢痛和懊惱○熱病不樂此穴詳○註 通里穴、在腕後下廉一寸、陷中、心脈之絡、三壯三分、主治目眩頭痛、熱病先不樂、數日懊惱等症、

問　陰郄穴呢、

答　陰郄掌後去五分○三分三壯主治明○衄吐洒淅兼厥逆○心、煩霍亂胸滿疼○註 陰郄穴、在掌後動脈中、去掌五分、三壯三分、主治鼻衄吐血、洒淅畏寒、厥逆心痛、

問　霍亂胸中滿等症、

答　神門穴呢、

神門掌後銳骨尋轉手骨開得穴眞七壯三分心兪土主治驚悸與呻吟註神門穴在掌後銳骨端陷中、轉手骨開、心兪土穴、七壯三分、主治瘧疾心煩、欲得冷飲、惡寒則欲處溫中、咽乾不嗜食、心痛數噫、恐悸少氣、手臂寒、面赤喜笑、掌中熱而數欠、頻呻吟面熱無汗、頭風暴瘖、目痛心悸、肘臂疼痛、苦嘔喉痺、少氣遺溺婦人血症、

問　少府穴呢、

答　少府小指本節後直節勞宮骨縫中二分七壯心滎火主治煩滿肘腋疼註少府穴在小指本節後、骨縫陷中、直接勞宮、心滎火穴也、七壯二分、主治煩滿少氣、悲恐畏人、掌中熱、臂痛肘腋攣急、胸中痛、手不伸、痎瘧久不愈、振寒陰痛、偏墮、小便不利等症、

問　少衝穴呢、

答　少衝小指內側取。去爪甲角韭葉擬。心井木穴一壯分。主治熱病煩滿痰。註少衝穴在手小指內側、去爪甲角如韭葉心井木穴、一壯、一分主治熱病煩滿、嗌乾目黃、臑臂內痛、胸痛痰氣、悲驚寒熱、肘痛不伸等症、

第十二章　心經解說

問　心經解說呢、

答　心形上闊下尖。周圍夾膜。即包絡也。其上有肺罩之。空懸胸中。其下有膈膜遮截。膈爲膻、包絡爲膻中。心爲君主。西醫云、有腦氣筋貫之。有左右房。以生血迴血。又按心之脈絡、從包絡中發出。以達於週身。故包絡爲臣使之官。西醫言心內分左右四房。皆有管竅。爲生血迴血之用。血受炭氣則紫。回行至心右上房。有一總管、接迴血入心中。落右下房。又一總管。運血出而過肺。被肺氣吹去紫色。遂變純赤。還入心之左上房、落左下房。又有一總管。運血出行。遍於週身。迴

轉於心。此即內經榮衛交會於手太陰肺、及心主血脈之說也。又按心藏神。人所以有知覺。神主之也。神是何物。渾言之、則兩精相搏謂之神。空言之、則變化不測謂之神。此皆泛言高論。未能實指之也。吾且爲之實指曰。神乃生於腎中之精氣。而上歸於心。合爲離卦中含坎水之象。惟其陰精內含陽精。外護心臟之火。所以光明朗潤而能燭物。蓋神即心火。得腎陰濟之。而心中湛然。神明出焉。故曰。心藏神。心血不足、則神煩。心火不足則神怯。風痰入心則神昏。西醫知心爲生血迴血之臟。而謂心不主知覺。主知覺者是腦髓筋。又言腦後筋只主運動。腦前筋主知覺。又言腦筋有通於心者。彼不知髓實心之所用而非髓能知覺也。蓋髓爲腎水之精。得心火照之而光見。故生知覺矣。古人思字从囟从心。即以心火照腦髓之義。髓如月魄。心如日光。相照爲明。此神之所以爲用也。西醫云。心有運血管、迴血管。外則散達週身。內則入於心中。心中有上下四房。以存血。心體跳動不休。而週身血管應之而動。是爲動脈。此說極是。脈經云。脈爲血、府。即是之謂。醫林改錯謂脈是氣管、非血管。言氣乃能動。血不能動。夫果是氣管。則隨氣呼吸。一呼止當動一至。一吸只當動一至。何以一呼動二至。一吸動二至。顯與氣息相錯哉。是脈非氣管。其應心而動無疑矣。故云心之合脈也。西醫言脈不足爲診。具足見西醫之粗淺也。脈診兩手。始於內經。詳於難經。事確理眞。非西醫器具測量所能爲也。在天爲熱。在地爲火。在體爲脈。在色爲赤。在音爲徵。在聲爲笑。在變動爲憂。在竅爲舌。在味爲苦。在志爲喜。其液爲汗。其榮爲色。其臭爲焦。其數七。其穀麥。其畜馬。其蟲羽。其果杏。其菜薤。

第十三章　手太陽小腸經穴歌註

問　小腸經、左右共三十八穴。係何名。在何處。主治何病、

答　手小外側起少澤。井金之穴三壯一。主治瘧疾喉舌強。瘈瘲唾涎頸項急。註　少澤穴、在手小指外側、去爪甲角一分陷中。小腸井金穴也。三壯一分。主治瘧疾寒熱、汗不出、喉痺舌強口乾心煩、臂痛瘈瘲、咳嗽口中唾涎、頸項急、不得回顧、

目生翳頭痛等症、

問 前谷穴呢、

答 前谷外側節前索。小腸滎水壯分一。主治熱病痎瘧癲。頸頰喉鼻臂乳疾。註前谷穴、在手小指外側本節前陷中、小腸滎水穴也、一壯一分、主治熱病痎瘧癲疾耳鳴、項腫喉痺、引耳後、鼻塞不利、咳嗽吐衄、臂痛婦人產後無乳、等症、

問 後谿穴呢、

答 節後陷中是後谿。俞木之穴握拳取。一分一壯何病醫。癲瘧項強臂肘急。註後谿穴、在手小指外側、本節後陷中、握拳取之、小腸俞木穴也、一分一壯、主治瘧疾目赤生翳、鼻衄耳聾、胸滿項強、癲疾臂肘攣急等症、

問 腕骨穴呢、

答 腕骨陷前看外側。小腸原穴分壯三。黃疸頸項耳目疾。脇肘五指頭痛殃。註腕骨穴、在手外側腕前起骨下陷中、小腸原穴也、三分三壯、主治熱病汗不出、脇

下痛不得息、頸頷腫、寒熱耳鳴、目冷淚生翳、狂惕偏枯、肘不得屈伸、痎瘧頭痛、煩悶驚風、瘈瘲五指掣頭痛等症、

問　陽谷穴呢、

答　腕中骨下陽谷討○小腸經火分壯三○主治癲狂頸項腫○耳目齒舌小兒瘈○註陽谷穴、在手外側腕中銳骨下陷中、小腸經火穴也、三壯三分、主治癲疾狂走、熱病汗不出脇痛頸項腫、寒熱耳聾耳鳴、齒齲痛、臂外側痛、吐舌戾頸妄言、左右顧目眩、小兒瘈瘲、舌強不語等症、

問　養老穴呢、

答　踝後上陷名養老○手太陽郄分壯三○主治肩臂手諸疾○目視不明此穴參○註養老穴、在手踝骨後上陷中、三壯三分、主治肩臂痠疼、肩欲折、臂如拔、手不能自上下、目視不明等症、

問　支正穴呢、

答　支正腕後量五寸。手太陽絡分壯三。主治癲狂虛勞疾。肘臂手指諸病詳。註　支正穴在手腕後五寸、手太陽絡、三壯三分、主治風虛驚恐悲愁癲狂五勞四肢虛弱、肘臂攣、難屈伸、手不握、十指盡痛、熱病先腰頸痠等症、

問　小海穴呢、

答　小海肘端去五分。屈手向頭取之眞。小腸合土三分壯。主治頸項肘臂疼。註　小海穴在肘之大骨外、去肘端五分陷中、屈手向頭取之、小腸合土穴也、三壯三分、主治頸項肩臑肘臂外廉痛、寒熱齒齦腫、風眩頸項痛、瘍腫振寒肘腋痛腫、小腹痛、癇發羊鳴、戾頸瘈瘲狂走頷腫、肩似拔、臑似折、耳聾目黃頰腫等症、

問　肩貞穴呢、

答　肩貞胛下兩骨解。髃後陷中分壯五。主治寒熱耳聾鳴。缺盆肩肢痺不舉。註　肩貞穴在曲胛下兩骨解間、肩髃後陷中、五壯五分、主治傷寒寒熱耳鳴耳聾缺盆肩中熱痛風痺手足麻木不舉等症、

問　臑兪穴呢

答　臑兪肩胛下廉陷。三壯八分主治。臂痠無力肩中痛。此穴鍼之立便安。註臑兪穴在肩胛下廉大骨下陷中、舉臂取之、三壯八分、主治臂痠無力肩痛等症、

問　天宗穴呢、

答　天宗大骨下陷中。三壯五分主治。同肩臂痠疼肘廉痛。頰頷氣腫此穴尋。註天宗穴在秉風後大骨下、三壯五分、主治肩臂痠疼、肘外後廉痛、頰頷腫等症、

問　秉風穴呢、

答　秉風髎後舉有空。手三陽足少陽四脈通。五壯五分何病治。肩疼不舉此穴從。註秉風穴在天髎後、舉臂有空、乃手太陽陽明手足少陽四脈之會、五壯五分、主治肩痛不舉、等症、

問　曲垣穴呢、

答　曲垣肩中曲胛裡。三壯三分主治。同肩痺熱氣注肩胛。拘急痛尋此穴中。註曲

問　垣穴在肩中央曲胛陷中三壯三分主治肩痺熱痛氣注胛肩拘急痛悶等症

問　肩外俞呢

答　外俞肩胛上廉陷去脊三寸主何病六分三壯治同前肩胛寒痛肘周痺註肩外俞在肩胛上廉二椎下去脊各開三寸陷中三壯六分主治肩胛痛等症

問　肩中俞呢

答　肩中二寸大椎旁三壯三分何病安主治唾血氣上逆寒熱目疾此穴良註肩中俞在肩胛內廉大椎下去脊各開二寸陷中三壯三分主治咳嗽上氣唾血寒熱目視不明等症

問　天窗穴呢

答　天窗頰下動脈詳扶突穴後大筋間三壯三分主何病痔瘻頸肩頰齒殃註天窗穴在頸大筋間曲頰下扶突後動脈應手陷中三壯三分主治痔瘻頭痛肩痛引項耳聾頰腫喉中痛暴瘖齒噤中風等症

問　天容穴呢、

答　天容耳下曲頰後○三壯三分主何病○咽喉頸項胸部殃○嘔逆吐沫口齒噤○註天容穴、在耳下曲頰後、三壯三分、主治喉痺寒熱、咽中如梗、癭頸項癰、胸痛滿不得息、嘔逆吐沫、齒噤耳聾等症、

問　顴髎穴呢、

答　顴髎頄下銳骨隙○二分禁灸何病醫○主治口喎面目赤○眼瞤齒痛此穴奇○註顴髎穴、在面頄骨下廉陷中、二分禁灸、主治口喎面赤、目黃眼瞤、動齒痛等症、

問　聽宮穴呢、

答　聽宮耳珠大如菽○手足少陽手太陽○三脈交會一分刺○主治聾鳴聤耳殃○註聽宮穴、在耳中珠子、大如赤小豆、手足少陽手太陽三脈之會、一分禁灸、主治失音癲疾、心腹脹、聤耳耳聾、如物塡塞無聞等症、

第十四章　小腸經解說

問 小腸經解說呢、

答 小腸上接於胃。凡胃所納之物。皆受盛於小腸之中。西醫云。小腸通體皆是油膜相連。其油膜中皆有微絲血管。與小腸通膽之苦汁。從微絲血管。注入腸中。以化食物。脾之甜肉汁。亦注於小腸化物。而物所化之精汁。卽從膜中、出小腸而達各臟。故曰化物出焉。王淸任、醫林改錯。以附小腸者、爲鷄冠油。更名氣府。謂爲元氣所存。主化飲食。而不知內經明言小腸者。受盛之官。化物出焉。已實指小腸之氣化矣。其附小腸之油膜。卽中焦也。屬之於脾。小腸又係心之府。其相通之路。則從油膜中之絲管。上膈達心包絡、以達於心。心遺熱於小腸。則化物不出。爲痢爲淋。脾陰不足。則中焦不能受盛。膈食便結。三焦相火不足。不能薰化水穀。則爲溏泄。西醫又有小腸發炎之症。卽中國之瀉痢腸癰。中國近說。水入小腸。然後從闌門下。飛渡入膀胱。西醫斥其非也。水從胃已散出走連網中。然則小腸中所受盛者。只是食、物。乃陰質也。飲主化氣。食主化血。食物在小

腸皆化爲液以出於連網遂上奉心而生血所以小腸爲心之府乃心所取材處也

第十五章　足太陽膀胱經穴歌註

問　膀胱經左右共百三十四穴係何名在何處主治何病

答　睛明內眥去一分太陽陽明兩蹻通一分五氂主何病頭痛目眩眥赤疼註睛明穴在目內眥頭一分宛宛中手足太陽足陽明陰陽蹻五脈之會鍼分半主治目遠視不明惡風淚出憎寒頭痛目眩內眥赤痛眥癢淫膚白翳攀睛努肉雀目生瘴等症

問　攢竹穴呢

答　眉頭陷中攢竹名三壯二分主治同目眩瞳癢兼赤痛面瞤尸厥癲邪攻註攢竹穴在眉頭陷中三壯二分主治視物不明淚出目眩瞳子癢目中赤痛臉瞤動不得臥尸厥癲邪等症

問　眉冲穴呢？

答　眉冲曲差神庭間。三分禁灸主何殃。五癇頭疼兼鼻塞。此穴鍼之即便安。註　眉冲穴在直眉頭上、入髮際五分、神庭曲差之間、三分主治五癇頭痛鼻塞等症、

問　曲差穴呢？

答　曲差寸半神庭畔。二分三壯主何患。目眩鼽衄鼻生瘡。頭項痛痺心煩亂。註　曲差穴在神庭旁一寸五分入髮際五分、二分三壯、主治目眩鼽衄、鼻塞鼻瘡、心煩滿、汗不出、頭痛等症、

問　五處穴呢？

答　五處曲差後五分。三壯三分何病鍼。主治脊強兼反折。瘈瘲癲疾頭目顰。註　五處穴在曲差後五分、三分三壯、主治脊強反折、瘈瘲癲疾、頭風目眩不明等症、

問　承光穴呢？

答　承光五處後寸半。三分禁灸主何患。風眩頭痛嘔吐煩。鼻塞口喎目生翳。註　承

光穴在五處後寸半三分禁灸主治風眩頭痛嘔吐心煩鼻塞不聞香臭目瞤鼻多清涕目生白翳等症

問　通天穴呢？

答　通天承光後寸半三分三壯何病醫主治頸項難轉側癭氣鼻瘡尸厥宜（註）通天穴在承光後寸半三分三壯主治頸項轉側難癭氣鼻衄鼻瘡偃仆等症

問　絡郄穴呢？

答　絡郄通天後寸五三分三壯何病主頭旋耳鳴瘈瘲狂腹脹青盲目無睹（註）絡郄穴在通天後寸半三壯三分主治頭旋耳鳴狂走瘈瘲恍惚不樂腹脹青盲內障等症

問　玉枕穴呢？

答　玉枕絡郄後寸半入髮二寸枕骨畔主治目疾鍼灸三頭風痛兼鼻塞患（註）玉枕穴在絡郄後寸半起肉枕骨上入後髮際二寸三壯三分主治目痛如脫不

能遠視頭風痛不可忍鼻塞等症

問　天柱穴呢

答　天柱俠項後髮際大筋外廉陷中是七壯五分何病醫主治項強難回顧註天柱穴在俠項後髮際大筋外廉陷中七壯五分主治肩背痛目瞑頭旋腦痛頭風鼻塞腦重如脫項如拔項強不可回顧等症

問　大杼穴呢？

答　大杼一椎旁寸半正坐取之醫何患主治膝腿腰脊疼胸痺頭疼與痎瘧註大杼穴在項後第一椎下兩旁相去脊各寸五分陷中正坐取之七壯五分主治膝痛不可屈伸傷寒汗不出腰脊痛胸中鬱熱頭風振寒痎瘧等症

問　風門穴呢？

答　風門二椎旁寸五五壯三分何病取主治發背諸癰疽頭項胸中風寒疾註風門穴在二椎下兩旁相去脊各寸半三分五壯主治發背癰疽身熱上氣喘氣

咳逆、胸背痛、風勞嘔吐、多嚏、鼻鼽淸涕、傷寒頭項強、目瞑、胸中熱、臥不安等症、

問　肺俞穴呢？

答　肺俞三椎旁寸半。三壯三分主何患。癭氣黃疸癆瘵傷。傳尸骨蒸風痰嗽。註肺俞穴、在三椎下兩旁、去脊各寸半、三壯三分、主治癰氣黃疸、癆瘵腰脊強痛、傳尸骨蒸、肺痿咳嗽、肉痛皮癢、狂走欲自殺等症、

問　厥陰俞呢？

答　厥陰四椎旁寸半。七壯三分醫何病。主治咳逆與牙疼。胸滿嘔吐兼煩悶。註厥陰俞在四椎下兩旁、相去脊各寸半、七壯三分、主治咳逆牙疼、心痛胸滿嘔吐煩悶等症、

問　心俞穴呢？

答　心俞五椎之下論。三分禁灸主何因。醫治偏風身不遂。心氣恍惚小兒癎。註心俞穴、在五椎下兩旁、相去脊各寸半、三分禁灸、主治偏風半身不遂、心氣亂、心

中風偃臥不得傾側汗出狂走譫語悲泣心悶吐血黃疸鼻衄目瞤嘔吐不下食小兒心氣不足數歲不語等症

問　督俞穴呢

答　督俞六椎旁寸五　三壯禁鍼何病取　善治寒熱心腹疼　雷鳴氣逆此穴主　註督俞穴在第六椎下兩旁去脊各寸半三壯主治寒熱心疼腹痛雷鳴氣逆等症

問　膈俞穴呢

答　膈俞七椎旁寸半　三壯三分醫何患　主治嘔吐心胃寒　胸痛腫脹脇腹滿　註膈俞穴在七椎下兩旁去脊各寸半三壯三分主治心痛吐食翻胃骨蒸四肢怠惰嗜臥痃癖咳嗽嘔吐鬲胃寒痰飲食不下身痛腫脹脇腹滿自汗盜汗等症

問　肝俞穴呢

答　肝俞九椎旁寸五　三壯三分何病主　咳血黃疸怒目睛　疝氣轉筋積聚痞　註肝俞穴在九椎下兩旁相去脊各寸五三壯三分主治多怒黃疸鼻痠目眩氣短

咳血、目上視、咳逆、口乾、寒疝、脛、筋急相引、轉筋入腹、積聚痞痛等症、

問　膽俞穴呢？

答　膽俞十椎旁寸半。三壯五分主何病。頭痛脘脹口舌乾。骨蒸勞熱食不進。註膽俞穴在十椎下兩旁、相去脊各寸半、三壯五分、主治頭痛汗不出、脘下腫脹、口苦舌乾、咽痛、乾嘔、骨蒸勞熱、食不下、目黃等症、（按四花穴卽當取膈胆二俞）

問　脾俞穴呢？

答　十一椎下脾俞舉。兩旁去脊各寸五。三壯五分何病醫。腹背肘脇痰濕取。註脾俞穴在十一椎下兩旁、相去脊各寸半、三壯五分、主治腹脹、引肘背痛、多食身瘦、痃癖積聚、脇下滿、泄利痰瘧寒熱、水腫、氣腫、黃疸、善欠、不嗜食等症、

問　胃俞穴呢？

答　十二椎下胃俞取。三壯三分何病主。霍亂胃寒胸脇支。脊痛筋攣兒客忤。註胃俞穴在十二椎下兩旁、相去脊各寸半、三壯三分、主治霍亂、胃寒、腹脹而鳴、翻

胃嘔吐不嗜食或多食羸瘦目不明腹痛胸脇支滿脊痛筋攣小兒忤等症

問 三焦俞呢

答 三焦十三椎兩旁三壯五分主何方臟腑積聚腰脊强泄利腹脹頭目難註三焦俞在十三椎下兩旁去脊各開寸半三壯五分主治臟腑積聚脹滿羸瘦不能飲食傷寒頭痛腰脊强不得俯仰水穀不化泄利腹脹腸鳴目眩頭痛等症

問 腎俞穴呢

答 腎俞十四椎旁尋前與臍平三壯分主治虛勞羸瘦症水臟久冷小便頻註腎俞穴在十四椎下兩旁去脊寸半前與臍平三壯三分主治虛勞羸瘦耳聾腎虛水臟久冷心腹脹急兩脇滿引小腹痛小便淋溺血夢遺腎中風勞傷等症

問 氣海俞呢

答 氣海十五椎兩旁去脊各開寸半揉三壯三分身伏取腰疼痔漏此穴良註氣海俞在十五椎下兩旁去脊各開寸半伏取三壯三分主治腰痛痔漏等症

問　大腸兪呢？

答　大腸十六椎兩旁。伏而取之。分壯三。主治背強腰腹脹。繞臍切痛二便難。註大腸兪在十六椎下兩旁、去脊各開寸半、三壯三分、主治脊強不得俯仰、腰痛腹中氣脹、繞臍切痛、多食身瘦、腸鳴、二便不利、洞泄、食不化、小腹絞痛等症、

問　關元兪呢？

答　關元十七椎兩旁。伏而取之分壯三。主治風勞二便疾。婦人瘕聚此穴探。註關元兪在十七椎下兩旁、相去脊各寸半、三壯三分、主治風勞腰痛、泄利虛脹、小便難、婦人瘕聚等症、

問　小腸兪呢？

答　小腸十八椎兩旁。各開寸五伏而探。三壯三分主何病。津液枯少小便難。註小腸兪在十八椎下、兩旁去脊各開寸半、伏取三壯三分、主治津液少、寒熱、小便赤濇、小腹脹滿、絞痛、泄利、膿血、五色赤痢、下重腫痛、脚腫頭痛、痔漏帶下等症、

問　膀胱兪呢？

答　膀胱十九椎兩旁。伏而取之分壯三。主治陰瘡脊強症。脛寒膝輭二便難。註膀胱兪、在十九椎下兩旁、去脊各開寸半。伏取、三壯三分、主治風勞脊強、小便赤黃、遺溺陰瘡、脛寒拘急、不得屈伸、腹滿便難、脚膝無力等症、

問　中膂穴呢？

答　中膂二十椎下詳。三壯三分伏取探。主治腎虛消渴疝。腰脊腹肋痛難當。註中膂兪、在二十椎下兩旁、去脊各開寸半、伏取、主治腎虛消渴、腰脊強痛、腸風赤白痢、疝痛、汗不出、腹脹肋痛、等症、

問　白環兪呢？

答　白環二十一椎當。去脊各開寸五量。禁灸三分看。主治手足腰脊痛便難。註白環兪在二十一椎下、兩旁去脊各開寸半、伏取、三分禁灸、主治手足不仁、腰脊痛、疝痛、便難、腰疼脚膝不遂、勞損虛風、筋攣臂縮等症、

問　上髎穴呢？

答　上髎一空腰踝下俠脊陷中分壯三主治便難嘔膝冷鼻衄寒熱瘧疾探註上髎穴在第一空腰踝下、即十七椎下、去脊七分五陷中、七壯三分、主治便難嘔逆、膝冷痛、鼻衄寒熱瘧等症、（按大理院趙卿患偏風不能起跪、甄權鍼上髎、環跳、陽陵泉、巨虛下廉、即能起跪、）

問　次髎穴呢？

答　次髎二空腰踝下俠脊陷中分壯同主治便淋腰引痛心脹疝墮帶下崇註次髎穴在第二空、即十八椎下、去脊七分五陷中、七壯三分、主治小便赤淋腰痛不得轉搖、急引陰器、痛不可忍、腰以下至足不仁、背腠寒、小便赤、心下堅脹、疝氣下墮、腸鳴注泄、偏風帶下等症、

問　中髎穴呢？

答　中髎三空下陷間三壯一分何病探主治痢淋和帶下五勞六極七情傷註中

髎穴、在第三空、卽十九椎下、去脊七分五、陷中、三壯、一分、主治二便不利、腹脹、下痢、五勞七傷、六極、淋瀝、飱泄、婦人絕子、帶下、經不調、等症、

問　下髎穴呢？

答　下髎四空下陷中。五壯八分主治同。注泄腸鳴寒濕疾。婦人帶下小腹疼。註下髎穴、在第四空、卽二十椎下、去脊開七分五、陷中、五壯、八分、主治二便難、腸鳴注瀉、寒濕內傷、便血、腰硬痛、女子帶下、引小腹痛極、等症、

問　會陽穴呢？

答　會陽陰尾旁八分。分寸須與督脈親。五壯五分何病主。腸澼下血久痔尋。註會陽穴、在陰尾尻骨兩旁、各開八分、五壯、五分、主治腹中熱氣、冷氣、泄瀉、腸澼下血、陽氣虛乏、陰汗、久痔、等症、

問　附分穴呢？

答　第二椎下外附分。去脊三寸正坐尋。五壯三分主何病。肩背拘急肘不仁。註附

分穴在第二椎下兩旁去脊各開三寸正坐取之五壯三分主治肘不仁肩臂拘急頸痛不得回顧等症

問 魄戶穴呢

答 魄戶穴在附分下三椎兩旁去脊三七壯五分何病主膊痛肺痿痓項強 註 魄戶穴在附分下三椎下兩旁去脊各開三寸正坐取之七壯五分主治背膊痛虛勞肺痿尸疰項強喘息咳逆嘔吐煩滿等症

問 膏肓穴呢

答 膏肓四椎之下取連脊共量七寸裏四肋三間胛骨中容隙處容側指許 註 膏肓穴在四椎下兩旁除脊各開三寸禁鍼可多灸主治羸瘦虛損傳尸骨蒸夢遺上氣咳逆發狂健忘風痰等症

問 神堂穴呢

答 神堂五椎下兩旁去脊三寸陷中探五壯三分何病主腰背脊強心氣煩 註 神

堂穴在五椎下兩旁去脊各開三寸正坐取之五壯三分主治腰脊強急不可俯仰洒淅寒熱胸滿氣急上攻等症

問　譩譆穴呢

答　譩譆六椎兩旁取正坐探之分壯七主治風勞胸腹疼腰背腋脇臂膞疾註譩譆穴在六椎下兩旁去脊各開三寸正坐取之七壯七分主治大風汗不出勞損不得臥溫瘧寒瘧胸悶氣滿腹脹胸痛引腰背腋拘脇痛目眩目痛鼻衄喘逆臂膞內廉痛不得俯仰小兒食時頭五心熱等症

問　鬲關穴呢

答　鬲關七椎下兩旁開肩正取分壯三主治背痛脊強硬嘔噦噫悶二便難註鬲關穴在七椎下兩旁去脊各開三寸正坐開肩取之三壯三分主治背痛惡寒脊強俯仰難食飲不下嘔噦多涎唾胸中噫悶大便不節小便黃等症

問　魂門穴呢

答　魂門九椎下兩旁○去脊三寸正坐探○三壯五分何病主○尸厥鬼疰胸腹殃○註魂門穴在九椎下兩旁、去脊各開三寸、正坐取之、三壯五分、主治尸厥鬼疰、胸背連心痛飲食不下、腹中雷鳴、大便不節小便赤黃等症、

問　陽綱穴呢？

答　陽綱十椎下兩旁○開肩取之分壯三○主治腸鳴兼腹脹○泄痢赤黃此穴探○註陽綱穴在十椎下兩旁○去脊各開三寸、正坐開肩取之、三壯三分、主治腸鳴腹痛、腹脹身熱、泄痢赤黃、不嗜食等症、

問　意舍穴呢？

答　意舍十一椎兩旁○去脊三寸正取探○七壯五分何病主○腹泄嘔吐身目黃○註意舍穴、在十一椎下兩旁、去脊各開三寸、正坐取之、七壯五分、主治腹滿虛脹、大便滑泄、小便赤黃、背痛惡風寒、食飲不下、嘔吐消渴等症、

問　胃倉穴呢？

答　胃倉十二椎兩旁三壯五分何病探主治腹滿和水腫背脊疼痛俯仰難註胃倉穴在十二椎下兩旁去脊各開三寸正坐取之三壯五分主治腹滿虛脹水腫飲食不下惡寒背脊痛不得俯仰等症

問　肓門穴呢

答　肓門十三椎兩旁去脊各開三寸探五壯五分何病主心疼便結乳頭殃註肓門穴在十三椎下兩旁去脊各三寸五壯五分主治心疼便結婦人乳疾等症

問　志室穴呢

答　志室十四椎兩旁各開三寸正坐探三壯七分何病主背腰腹痛五淋殃註志室穴在十四椎下兩旁去脊各開三寸正坐取之三壯七分主治陰腫痛背痛腰脊強直不得俯仰失精淋瀝吐逆霍亂脇痛等症

問　包肓穴呢

答　包肓十九椎兩旁各開三寸伏取探七壯五分何病主腰脊腹痛二便難註包

肓穴在十九椎下兩旁去脊各開三寸伏取七壯五分主治腰脊急痛食不消腹堅急腸鳴淋瀝二便難癃閉下腫等症

問 秩邊穴呢？

答 秩邊二十椎下詳各開三寸伏取探三壯三分何病主五痔發腫小便黃註秩邊穴在二十椎下兩旁去脊三寸三壯三分主治五痔發腫小便赤腰痛等症

問 承扶穴呢？

答 承扶臀下陰紋當三壯七分主何殃腰脊相引痛如解久痔尻臀腫便難註承扶穴在尻臀下陰股上紋中三壯三分主治腰脊相引如解久痔尻臀腫大小便難等症

問 殷門穴呢？

答 殷門承扶下六寸浮郄之上五寸探禁灸七分何病主腰脊強痛瀉血方陽殷門穴在承扶下六寸浮郄上五寸七分禁灸主治腰脊痛後重惡血泄注等症

問　浮郄穴呢？

答　浮郄一寸上委陽。展膝取之分壯三。主治霍亂轉筋症。二陽結熱此穴探。註 浮郄穴在委陽上一寸。展膝取之、三壯三分、主治霍亂轉筋、小腸熱、大腸結、脛外筋急髀樞不仁等症。

問　委陽穴呢？

答　委陽委中向外取。太前少後兩筋間。三壯七分何病主。腋腫胸滿尸疰殃。註 委陽穴在委中向外之兩筋間、太陽前、少陽後、出於膕中外廉、七分三壯、主治腋下腫痛、胸滿膨脹、筋急身熱、飛尸疰痛、委厥不仁、小便淋瀝等症。

問　委中穴呢？

答　委中膝膕約紋裏。膀胱合土伏地取。五分禁灸何病治。筋轉喉痧此穴弭。註 委中穴在膝膕中央約紋動脈陷中、膀胱合土穴也、五分禁灸、主治膝痛及拇指腰俠脊沉沉然、遺溺、腰重不能舉、小腹堅滿、體風痺、髀樞痛、傷寒肢熱等症。

問　合陽穴呢？

答　合陽委中下三寸。五壯六分主何病。腰脊強痛胻骨痠。帶下崩中寒疝治。註合陽穴、在委中下三寸、五壯六分、主治腰脊強、引腹痛、陰股熱胻痠腫、步履難、寒疝偏墜崩中帶下等症、

問　承筋穴呢？

答　承筋腨腸中尖是。禁鍼三壯主何治。腰背拘急并腨痠。轉筋霍亂此穴刺。註承筋穴、在腨腸中尖陷中、禁鍼三壯、主治腰背拘急、大便祕、腋腫痔瘡、脛痺不仁、腨痠脚跟痛、腰痛鼽衄、霍亂轉筋等症、

問　承山穴呢？

答　承山腨下分肉間。五壯七分主何安。跟痛脚疼難久立。轉筋霍亂痔疾方。註承山穴、在足鋭腨腸中分肉間陷中、五壯七分、主治大便不通、轉筋痔腫、戰慄不能立、脚膝腫、脛痠脚跟痛、筋急痛、霍亂、急食不通、傷寒水結等症、

問　飛揚穴呢？

答　飛揚外踝上七寸。三壯三分主何病。痔漏腫痛起坐難。脚腨疼痠癲狂症。註飛揚穴在外踝上七寸、三壯三分、主治痔腫痛、體重起坐不能、步履不收、脚腨痠痛、不能久立、久坐、足指不能屈伸、目時痛、歷節風、逆氣癲疾等症、

問　附陽穴呢？

答　附陽踝上三寸量。太前少後筋骨間。三壯五分何治主。轉筋霍亂久立難。註附陽穴在外踝上三寸、太陽前、少陽後、筋骨間、三壯五分、主治霍亂轉筋、腰痛不能久立、坐不能起、髀樞股胻痛、痿厥風痺不仁、頭痛顒痛、寒熱四肢不舉等症、

問　金門穴呢？

答　金門穴在外踝下。骨空陷中坵墟後。一分三壯何病治。轉筋癲癇小兒症。註金門穴在外踝下骨縫陷中、坵墟後、三壯一分、主治霍亂轉筋、尸厥癲癇、暴疝膝胻痠、身戰不能久立、小兒張口搖頭、身反折等症、

問　崑崙穴呢

答　崑崙踝後跟骨中經火之穴三壯分主治腰尻足腨腫肩背脊痛小兒驚註崑崙穴在足外踝後五分跟骨上陷中膀胱經火穴也三壯三分主治腰尻疼腳氣足腨腫不得履地鼽衄膕如結踝如裂頭痛肩背拘急欬喘滿腰背引痛傴僂陰腫痛難產胞衣不出小兒驚風等症

問　僕參穴呢

答　僕參跟骨下陷是拱足取之主何治足痿跟痛及轉筋癲癎狂言與腳氣註僕參穴在足跟下陷中拱足取之七壯三分主治足痿失履不收足跟痛不得履地霍亂轉筋吐逆尸厥癲癎狂言見鬼腳氣膝腫等症

問　申脈穴呢

答　申脈外踝下五分三壯三分何病尋主治風眩腰腳痛胻痠氣逆癲病鍼註申脈穴在外踝下五分陷中三分三壯主治腰腳痛胻痠不能久立如在舟中勞

極冷氣逆氣痼病晝發等症

問　京骨穴呢

答　京骨外側大骨下膀胱原穴赤白際三分七壯何病治頭腰頸項目痛極註京骨穴在足外側大骨下赤白肉際陷中按而得之膀胱原穴也七壯三分主治頭痛如破腰痛不可屈伸身後側痛目內眥赤爛有翳目眩發瘧寒熱善驚筋攣足胻髀樞痛頭項強傴僂等症

問　束骨穴呢

答　束骨小指本節後俞木之穴分壯三主治腰髀膕腨痛耳聾頭眩身目黃註束骨穴在足小指外側本節後赤白肉際陷中膀胱俞木穴也三分三壯主治腰脊痛如折髀不可曲膕如結腨如裂耳聾惡風寒頭顖項痛身熱目黃肌肉動目內眥赤爛腸澼泄痔痎瘧癲狂發背癰疽疔瘡等症

問　通谷穴呢

答　通谷本節前陷紮。二分三壯。滎水穴。主治頭目鼽衄。欬胃氣下溜。刺在足。註 通谷穴在足小指外側、本節前陷中、膀胱滎水穴也、三壯二分、主治頭重目眩、善驚、鼽衄、胸滿、食不化、等症、

問　至陰穴呢？

答　至陰小指外側逢。井金之穴分壯三。主治風寒從足起。太陽根柢目眥通。註 至陰穴在足小指外側、去爪甲角如韭葉、膀胱井金穴也、三壯二分、主治鼻塞頭重、風寒從足小指起、胸脇痛、轉筋、寒熱汗不出、心煩足熱、小便不利、目痛等症、

第十六章　膀胱經解說

問　膀胱經解說呢？

答　腎爲水臟。膀胱爲腎之府。凡人飲水。無不化溺而出於膀胱。自唐以下。皆謂膀胱有下竅。無上竅。飲入之水。全憑氣化以出。又謂水入小腸。至闌門。飛渡入膀胱。無從入之路也。故曰化氣。醫林改錯。深叱其謬。西醫云。水入於胃。散走膜膈。

胃之四面全有微絲管出水水入膜膈走肝膈入腎系腎主瀝溺由腎系出下走連網膀胱附着連網溺入之口即在連網油膜中也中國人見牲畜已死膀胱油膜收縮不見竅道遂謂膀胱有下口無上口疏漏之至西醫此說誠足罵盡今醫然持此以薄古聖則斷斷不可蓋內經已明言下焦當膀胱上口又言三焦者決瀆之官水道出焉內經所謂三焦即西醫所謂連網油膜是也故焦字从膲後人改省作焦乃不知為何物矣溺出膀胱實則三焦主之而膀胱所主者則在於生津液腎中之陽蒸動膀胱之水於是水中之氣上升則為津液氣着於物仍化為水氣出皮毛為汗氣出口鼻為涕為唾游溢臟腑內外則統名津液實由腎陽蒸於下膀胱之水化而上行故曰腎合膀胱而膀胱為腎生津液之府也按膀胱與連網相接處即是入水道子宮在膀胱後男子名為丹田腎陽入丹田蒸水則化氣上行膀胱如釜中蓄水丹田如竈裏添薪膀胱下口曲而斜上以入陰莖溺能射出者則又肺氣注射之力也

問　第十七章　足少陰腎經穴歌註

腎經左右共五十四穴係何名在何處主治何病

答　湧泉屈足捲指取足心陷中白肉際腎井木穴分壯三主治囘陽尸厥疾註湧泉穴在足心陷中屈足捲指宛宛中白肉際跪取腎井木穴三壯五分主治尸厥面黑如炭喘欬唾血目䀮䀮無所見善恐惕惕如人將捕之舌乾喉腫氣逆心痛黃疸腸澼股內後廉痛痿厥嗜臥善悲小腹極痛足脛寒逆腰痛便難心中結熱風疹風癇飢不能食失音喉痺賁豚等症

問　然谷穴呢

答　然谷踝前大骨下滎水之穴分壯三主治咽腫心恐懼婦人經病小兒殃註然谷穴在足內踝前大骨下陷中腎滎水穴也三分三壯主治咽腫不能納唾又不能出唾恐懼如人將捕之涎出喘呼少氣足跗腫不得履地寒疝小腹脹上搶胸脇咳嗽唾血喉痺淋瀝白濁胻痠不能久立足一寒一熱舌縱煩滿消渴

自汗盜汗痿厥洞泄心痛如椎刺男子精泄婦人無子小兒臍風口噤等症

問　太谿穴呢

答　踝後跟上是太谿俞土之穴三壯分主治心痛如椎刺疝氣牙疼病屬陰　註　太谿穴在足內踝後五分跟骨上動脈陷中腎俞土穴也三壯三分主治久瘧咳逆心痛如椎刺脈沉手足寒至節嘔吐痰涎口中如膠善噫寒疝熱病汗不出默默嗜臥溺黃便難咽腫唾血痃癖腹脇痛傷寒手足厥冷牙齒痛等症

問　太鍾穴呢

答　谿下五分尋太鍾大骨之上兩筋中足少陰絡三分壯主治癃閉腰脊疼　註　太鍾穴在足跟後踵中太谿下五分足少陰絡三分三壯主治嘔吐胸脹喘息腹滿便難腰脊痛少氣淋瀝多寒欲閉戶善驚不樂舌乾咽枯等症

問　水泉穴呢

答　水泉谿下一寸許四壯四分何病治主治近視目䀮䀮女人經病腹中刺　註　水

泉穴在太谿下一寸四壯四分主治目䀮䀮不能遠視女子經病腹中痛等症

問　照海穴呢

答　照海內踝下四分前後有筋陰蹻生五壯四分主何治癇病夜發此穴尋註照海穴在足內踝下四分前後有筋陰蹻脈生五壯四分主治咽乾心悲不樂四肢懈惰久瘧卒疝嘔吐嗜臥中風默默不知所痛視如見星小腹痛婦女經逆等症（潔古曰癇病夜發灸陰蹻照海穴晝發灸陽蹻申脈穴是也）

問　復溜穴呢

答　復溜踝後上二寸腎經金穴分壯三主治傷寒瘧疾病腸澼血痔小便難註復溜穴在足內踝上二寸筋骨動脈陷中腎經金穴也五壯三分主治腸澼腰脊內引痛不能俯仰起坐目視䀮䀮善怒多言舌乾胃熱蟲動涎出足痿不收履䯒寒不自溫腹中雷鳴腹脹如鼓四肢腫五種水病青赤黃白黑青取井赤取滎黃取俞白取經黑取合血痔泄後腫五淋小便如散火骨寒熱盜汗汗出不

止齒齲脈微細不見或時無脈等症

問　交信穴呢？

答　溜前筋骨取交信三壯四分主何病癃閉㿗疝與氣淋女子血漏及經病　註　交信穴在足內踝骨上二寸復溜前三陰交後筋骨間取之三壯四分主治氣淋㿗疝赤白痢癃閉股樞內痛大小便難女子血漏陰挺出經不調等症

問　築賓穴呢？

答　築賓六寸腨分上屈膝取之分壯三主治㿗疝癲狂病嘔吐涎沫腨痛難　註　築賓穴在足內踝上六寸腨分中五壯三分主治癲疝小兒胎疝痛不能食乳癲狂妄言怒駡吐舌嘔吐涎沫足腨痛等症

問　陰谷穴呢？

答　陰谷膝輔屈膝探大筋之下小筋上腎合水穴三分壯主治陰痿與腹脹　註　陰谷穴在膝內輔骨後大筋下小筋上動脈屈膝乃得腎合水穴也三壯四分主

治膝痛如錐不得屈伸舌縱涎下煩逆溺難小便急引陰痛陰痿股內廉痛婦人漏下不止腹脹滿不得息男子如蠱女子如娠等症

問　橫骨穴呢？

答　橫骨大赫下一寸禁鍼三壯何病治陰器引痛便五淋虛竭失精內眥赤註橫骨穴在大赫下一寸陰上橫骨中有陷如仰月曲骨外一寸三壯禁鍼主治五淋小便不通陰器引痛小腹滿目赤痛從內眥始五臟虛竭失精等症

問　大赫穴呢？

答　大赫氣穴下一寸去腹中行一寸尋五壯三分醫何病男主陰縮女帶淋註大赫穴在氣穴下一寸去腹中行各一寸五壯三分主治虛勞失精男子陰器結縮莖中痛目赤痛從內眥始婦人赤帶等症

問　氣穴穴呢？

答　氣穴四滿下一寸左名氣穴右子戶五壯三分何病治奔豚氣上腰脊痛註氣

穴穴在四滿下一寸左名氣穴右名子戶一名胞門去腹中行各一寸五壯三分主治賁豚氣上引腰脊痛泄痢不止目赤痛從內眥始婦人經不調等症

問　四滿穴呢

答　四滿中注下一寸五壯三分主何病積聚疝瘕腸澼寒月經不調腹絞痛註四滿穴在中注下一寸去腹中行各一寸五壯三分主治積聚腸澼大腸有水臍下切痛振寒目內眥赤痛婦人經不調惡血絞痛奔豚等症

問　中注穴呢

答　中注肓俞下一寸去腹中行一寸論五壯一寸何病治便燥眥赤腰脊疼註中注穴在肓俞下一寸去腹中行各一寸五壯一寸主治小腹熱大便堅燥腰脊痛目內眥赤痛女子經病等症

問　肓俞穴呢

答　肓俞商曲下二寸平神闕外一寸尋五壯半寸主何病腹中積聚目赤疼註肓

俞穴、在商曲下二寸、平神闕各開一寸、五壯半寸、主治腹切痛、寒疝、大便燥結、腹滿心寒、目赤痛從內眥始、等症、

問　商曲穴呢？

答　商曲石關下一寸○去腹中行寸五分○五壯五分主何病○腹中積聚目赤疼○註商曲穴、在石關下一寸、去腹中行各寸半、五壯五分、主治腹痛、腹中積聚、時切痛、腸中痛、不嗜食、目赤痛從內眥始、等症、

問　石關穴呢？

答　石關陰都下一寸○去腹中行各寸半○五壯五分何病治○噦嘔腹疼便淋患○註石關穴在陰都下一寸、去腹中行各寸半、五壯五分、主治噦噫嘔逆、腹痛氣淋、小便黃、大便不通、心下堅滿、脊強不利、多唾、目赤痛、內眥始、婦人無子、臟有惡血血上衝腹、痛不可忍、等症、

問　陰都穴呢？

答　陰都通谷下一寸去中寸半分壯三主治瘧疾心煩滿脇熱腹脹目赤探註陰都穴一名食宮在通谷下一寸去腹中行各寸半三壯三分主治寒熱瘧疾心下煩滿腸鳴腹脹氣搶脇下痛目赤痛從內眥始等症

問　通谷穴呢

答　通谷幽門下一寸去腹中行寸半尋三壯三分主何病瘖喎痃癖目赤疼註通谷穴在幽門下一寸去腹中行各寸半三壯三分主治口喎飲食喜嘔暴瘖不能言痃癖胸滿食不化心神恍惚目赤痛從內眥始等症

問　幽門穴呢

答　幽門巨闕旁寸半五壯五分主何病小腹脹滿嘔吐煩泄利膿血目眥患註幽門穴在巨闕旁寸半五壯五分主治小腹脹滿嘔吐涎沫喜唾心下煩悶不嗜食裏急泄利膿血目赤痛從內眥始女子心痛氣逆喜吐飲食不下等症

問　步廊穴呢

答　步廊神封下寸六。去胸中行二寸居。仰取五壯三分刺。胸脇臂痛喘息醫。註　步廊穴、在神封下寸六分、去胸中行各二寸、仰取、五壯三分、主治胸脇支滿痛引胸、鼻塞不通、呼吸少氣、咳逆、嘔吐不嗜食、臂不得舉、等症、

問　神封穴呢？

答　神封靈墟下寸六。五壯三分何病醫。主治胸滿不得息。咳嘔乳癰洒淅奇。註　神封穴、在靈墟下一寸六分陷中、去胸中行各二寸、仰取、五壯三分、主治胸滿不得息、欬逆乳癰、洒淅嘔吐、惡寒不嗜食等症、

問　靈墟穴呢？

答　靈墟神藏一寸六。五壯三分何病醫。主治胸腹支滿痛。咳逆嘔吐食不思。註　靈墟穴、在神藏下一寸六分、五壯三分、主治胸腹支滿、痛引脇下、咳逆嘔吐不嗜食等症、

問　神藏穴呢？

答　神藏彧中下寸六五壯四分何病屬主治嘔吐咳逆殃胸滿不食氣喘促 註 神藏穴在彧中下一寸六分五壯四分主治欬喘不得息嘔吐胸滿不嗜食等症

問　彧中穴呢？

答　彧中俞府下寸六五壯四分主治同咳逆喘息食不下胸脇支滿涎唾從 註 彧中穴在俞府下一寸六分五壯四分主治欬逆喘不能息食不下胸脇支滿涎出多唾等症

問　俞府穴呢？

答　俞府璇璣旁二寸氣舍之下仰取正三壯四分何病醫主治嘔逆脹喘症 註 俞府穴在璇璣旁二寸氣舍下仰取三壯四分主治咳逆上氣嘔吐喘咳腹脹不下飲食胸中痛久喘灸七壯效

第十八章　腎經解說

問　腎經解說呢？

答

太陽經、終足小指之外。少陰經、即起足小指之下。以見一表一裏相趨應也。起足心。循內踝。太陽行外踝。少陰行內踝。上股貫脊、屬腎絡膀胱臟與腑。所以交通。循喉嚨者。腎上連肺。聲音出於肺而生於腎也。挾舌本者。腎主液、所以出於口也。其支者、出絡心。以見心腎相交。坎離互濟之義耳。湧泉穴、爲腎脈極底。最忌瘠漏洩氣。太谿在內踝後足跟骨上。此處有動脈。內經皆以爲診。凡病且死。此脈不絕者。尙可救活。陰谷穴在膝內側。輔骨之際。又上股入小腹。絡膀胱。循臍旁一寸。名肓俞穴。謂肓膜之要會在此也。上絡心。循喉嚨。挾舌本。雖不列穴名。而腎經之主化。在絡心、循喉、挾舌處、爲尤多。舌下廉泉。尤津道之要也。又腎開竅於二陰。前陰是膀胱下口、主出溺。膀胱者、腎之府也。腎主水化氣。化水從前陰而出。故前陰係腎之竅。又前陰有精竅、與溺竅相附。而各不同。溺竅內通於膀胱。精竅則內通胞室。女子受胎。男子藏精之所。尤爲腎之所司。故前陰有病溺竅者。有病精竅者。不可不詳辨也。後陰是大腸下口。宜屬脾胃。然其體在下以部位言之凡在下者皆腎所司腎液充腴則肛門不結腎氣充攝則不脫肛惟其二陰皆屬腎竅故經言腎爲胃關以飲食之質皆從二陰出也西醫圖畫二陰甚悉然不知二陰究屬何臟所以治法不精今按腎開竅於二陰而前陰之病多出心肝後陰之病多由脾胃又以耳爲腎竅與心開竅於舌之義相同總見五臟錯綜互相通貫也腎形如豆又似豬腰子腎中有油膜一條貫於脊骨是爲腎系此系下連網膜又有氣管由肺而下附脊循行下入腎系而透入網膜連於丹田兩腎屬水中間腎系屬火即命門也命門爲三焦膜油發源之所故命門相火布於三焦焦即油膜也舊說多誤西醫析言之而不能會通也（詳考內經自見）又腎靠脊而生有膏油遮掩附腎有薄膜包裹西醫名爲腎衣此衣發於腎系乃三焦之源也腎系是油膜層疊結束而成一條貫脊系中內竅通脊髓最深之竅也其次爲氣管外通於鼻以吸天陽下入丹田爲生氣之根又其次爲溺竅水入胃散膜膈中以入腎系合爲溺竅透入下焦乃

入膀胱西醫但言氣管溺管而不知化精道髓尤有一管名曰命門者水中之陽外通天氣爲生命之根源也內經未言溺過腎中然謂三焦爲水道膀胱爲水府腎爲三焦膀胱之主其司溺從可知矣在天爲寒在地爲水在體爲骨在色爲黑在音爲羽在聲爲呻在變動爲慄在竅爲耳在味爲鹹在志爲恐在液爲唾其榮爲髮其臭爲腐其數六其穀豆其畜豕其蟲鱗其果栗其菜藿

第十九章　手厥陰心包絡經穴歌註

問　心包絡左右共十八穴係何名在何處主治何病

答　厥陰心包何處得乳外二寸天池索三壯三分主何殃四肢不舉兼痎瘧註天池穴在乳外二寸去乳中二寸五分三壯三分主治胸中有聲胸膈煩滿熱病汗不出頭痛四肢不舉腋下腫上氣痎瘧臂痛目䀮䀮不明等症

問　天泉穴呢

答　天泉腋下二寸尋三壯六分主何因胸脇支滿兼臂痛風寒心痛目不明註天

泉穴在腋下二寸舉臂取之三壯六分主治目䀮䀮不明惡風寒心病胸脇支滿欬逆背疼臂內廉痛等症

問　曲澤呢穴

答　曲澤肘內尋動脈大筋內側横紋得三壯三分主何災心痛氣逆肘臂掣　註曲澤穴在肘內廉陷中大筋內側横紋中有動脈包絡合水穴也三壯三分主治心痛善驚身熱煩渴口乾逆氣嘔吐涎沫身熱風疹臂肘手腕不時動搖等症

問　郄門穴呢

答　郄門去腕四寸齊五壯三分何病醫主治吐衄心胃病驚恐畏人神氣離　註郄門穴在掌後去腕四寸五壯三分主治嘔血衄血心痛驚恐神氣不足等症

問　間使穴呢

答　間使去腕三寸逢包絡經金穴最崇五壯三分主何治心懸胸結霍亂通　註間使穴在掌後去腕三寸兩筋間陷中包絡經金穴也五壯三分主治傷寒結胸

心懸如飢卒狂惡風寒嘔沫少氣掌中熱腋腫肘攣卒心痛、多驚中風氣塞涎上、昏危不語咽中如梗霍亂乾嘔婦人經不調血結成塊小兒客忤等症

問　內關穴呢

答　內關去腕纔二寸三壯五分主何病失志心痛胸肘攣虛則頭強補之應註內關穴、在掌後去腕二寸、兩筋間、三壯五分、主治失志心痛目痛、支滿肘攣、實則心痺痛、瀉之、虛則頭強、補之、

問　大陵穴呢

答　大陵掌後兩筋中三壯三分俞土名主治手臂腋心病小便赤黃瘡疹癰註大陵穴、在掌後兩筋間、陷中、包絡俞土穴也、三壯三分、主治熱病汗不出、手心熱、肘臂攣痛、腋腫、善笑不休、煩心、心懸若飢、心痛掌熱、喜悲泣驚恐、目赤黃、小便如血、狂言不樂、喉痺口乾、身熱頭痛、短氣、胸脇痛、乾瘡疥癬等症、

問　勞宮穴呢

答　勞宮掌內屈指探包絡滎火分壯三主治中風悲恐笑胸脇支滿身目黃註勞宮穴在掌中央動脈屈中指無名指兩間取之包絡滎火穴也三壯三分主治中風善恐悲笑不休手痹熱病汗不出脇痛不可轉側大小便血衄血不止氣逆嘔噦煩渴飲食不下口中腥臭口瘡胸脇支滿黃疸目黃小兒齦爛等症

問　中衝穴呢

答　中衝中指內側兌井木之穴分壯一主治心痛舌強殃煩悶熱病汗不出註中衝穴在手中指內側去爪甲角如韮葉陷中包絡井木穴也一壯一分主治熱病煩悶汗不出掌中熱身如火心痛煩滿舌強等症

第二十章　心包絡解說

問　心包絡解說呢

答　包絡一名膻中按膻卽胸前膈膜周迴連着脇脊以遮濁氣膈膜名膻而居膻之中者則是心包絡舊註以膜爲膻中不知膜遮濁氣只是上焦一大膜耳不

能代心宣化何得名臣使之官惟心包絡則相心布令居於膻膈之中故名膻中屬相火又主血以血濟火則和而不烈故主喜樂心憂者包絡之火不宣也心過喜者包絡之火太盛也西醫言心上半有夾膜裹之即包絡之謂也但西醫不知包絡所司何事按手厥陰包絡之脈起於胸中屬心包絡下膈歷三焦出腋入肘抵掌中循中指之端包絡上連肺系由肺系連及於心内之四面皆是油膜又下爲膈膜又下爲網油膜所謂膜者皆三焦也三焦與包絡相通其迹如此故包絡之脈下膈歷三焦也出腋入肘抵掌中循中指之端故中指歷心亦由於此包絡與三焦只一膜油相連故其脈從三焦至胸中而歸並於心包出於乳後一寸腋下三寸之間名天池穴脈過腋下至肘抵曲肘陷中名曲澤穴（刺痧疫多取此出血以瀉心包之邪也）大陵在掌後兩筋之間又中指之末名中衝（一作衝良）孕婦則此脈動足見心包血旺也

第二十一章　手少陽三焦經穴歌註

問　三焦經左右共四十六穴係何名在何處主治何病

答　三焦名指外關衝井金之穴分壯一主治喉痺捲舌乾霍亂氣逆目生翳註關衝穴在手小指次指外側去爪甲角如韭葉三焦井金穴也一壯一分主治喉痺舌捲口乾頭痛霍亂胸中氣噎不嗜食臂肘痛目生翳膜視物不明等症

問　液門穴呢

答　液門小次岐骨間滎水之穴分壯三主治驚悸咽外腫寒瘧臂痛暴耳聾註液門穴在小指次指岐骨間陷中三焦滎水穴也三壯三分主治驚悸妄言咽外腫寒厥手臂痛不能自上下痎瘧寒熱目赤澁頭痛暴瘖耳聾齒齲等症

問　中渚穴呢

答　中渚次指本節後俞木之穴分壯三主治耳聾頭目痛肘臂不舉五指殃註中渚穴在手小指次指本節後陷中液門下一寸三焦俞木穴也三壯三分主治熱病汗不出目眩頭痛耳聾目生翳膜久瘧咽腫肘臂痛五指不得屈伸等症

問　陽池穴呢？

答　陽池表腕有穴存。脈過爲原三壯分。主治消渴與煩悶。手腕肩臂傷損偏。註陽池穴在手表腕上陷中、三焦脈過爲原、三壯三分、主治消渴口乾、煩悶、寒熱瘧、或因折傷手腕提物不得、肩臂疼不能舉等症、

問　外關穴呢？

答　腕後二寸尋外關。三壯三分仔細看。主治耳聾並指痛。臂肘拘攣此穴安。註外關穴在手腕後二寸兩骨間、與內關相對、手少陽絡也、三壯三分、主治耳聾、渾渾焞焞無聞、五指盡痛、不能握物、及手臂不得屈伸等症、

問　支溝穴呢？

答　支溝腕上三寸約。經火之穴兩筋索。七壯二分何病治。肩臂脇腋四肢藥。註支溝穴在腕後臂外三寸、兩筋間陷中、三焦經火穴也、七壯二分、主治熱病汗不出、肩臂痠重、脇腋腫痛、四肢不舉、霍亂嘔吐、口噤不開、暴瘖不能言、心悶不已、

卒心痛、傷寒結胸、乾瘡疥癬、婦人經脈不通、產後血暈、不省人事等症、

問　會宗穴呢？

答　會宗三寸空中求。溝旁一寸無令錯。禁鍼七壯何病治。五癇膚痛耳聾着。註會宗穴在腕後三寸、支溝旁一寸、禁鍼、七壯、主治五癇肌膚痛耳聾等症、

問　三陽絡呢？

答　溝上一寸臂大脈。三陽絡穴之所宅。禁鍼七壯何病治。瘖啞耳聾肢反折。註三陽絡穴在支溝之上一寸、臂上大交脈中、七壯禁鍼、主治暴瘖啞耳聾嗜臥四肢不欲動搖等症、

問　四瀆穴呢

答　四瀆肘前五寸間。三壯六分陽絡上。主治暴氣耳聾症。下齒齲痛此穴詳。註四瀆穴在肘前五寸、三陽絡上、是穴、三壯六分、主治暴氣耳聾下齒齲痛等症、

問　天井穴呢？

答　天井肘上一寸側叉骨罅中屈肘得合上之穴分壯三主治瘰癧偏風捷註天井穴在肘後大骨後肘上一寸輔骨上兩筋叉骨罅中三焦合土穴也三壯三分主治心胸痛欬逆上氣短氣不得語唾膿不嗜食發寒熱不得臥驚悸瘈瘲癲狂五癇風痺耳聾嗌腫喉痺汗出目背痛頰腫痛耳後臑肘痛中風默默不知所痛悲傷不樂脚氣上攻嗜臥撲傷腰髖疼振寒頸項痛等症

問　清冷淵呢

答　肘上二寸清冷淵三壯三分何病痊主治肩痺臂臑痛若鍼此穴即安然註清冷淵穴在肘上二寸伸肘臂取之三壯三分主治肩痺痛臂臑不能舉等症

問　消濼穴呢

答　消濼臂外肘分索三壯一分何病藥主治喉痺頸項强頭痛癲疾此穴着註消濼穴在肩下臂外間腋斜肘分下三壯一分主治風痺頸項強急腫痛寒熱頭痛癲疾等症

問　臑會穴呢？

答　臑會肩頭三寸前五壯三分何病研主治臂痠不能舉項癭氣瘤肩胛牽註臑會穴在肩前廉去肩頭三寸宛宛中五壯五分主治臂痛痠無力不能舉寒熱肩腫引胛中痛項癭氣瘤等症

問　肩髎穴呢？

答　肩髎肩端臑上通三壯七分主治同臂痛肩重難伸屈舉臂取之此穴中註肩髎穴在肩端臑上陷中舉臂取之三壯七分主治臂痛肩重不能舉等症

問　天髎穴呢？

答　天髎盆上毖骨際有空起肉上便是三壯八分何病治肩臂缺盆頸項疾註天髎穴在肩缺盆上毖骨際有空起肉上是穴三壯八分主治胸中煩悶肩臂痠疼缺盆中痛汗不出頸項急寒熱等症

問　天牖穴呢？

答　天牖傍頸後天容柱前骨下髮際中三分禁灸主何治耳聾目眩頭項疼 註 天牖穴在頸大筋外天容後天柱前禁灸三分主治耳聾目不明夜夢顛倒頭風面腫項強不得回顧目中痛等症

問　翳風穴呢

答　翳風耳後尖角中七壯三分主治同耳眼口牙項頰病小兒喜欠此穴尋 註 翳風穴在耳後尖角陷中按之引耳中痛七壯三分主治耳鳴耳聾口眼喎斜脫頷頰腫口噤不語又不能開牙車急小兒喜欠等症

問　瘈脈穴呢

答　瘈脈耳後鷄足逢三壯一分主治同耳目頭風嘔泄病小兒瘈瘲此穴尋 註 瘈脈穴在耳後鷄足絡脈處三壯一分主治頭風耳鳴小兒驚癇瘈瘲嘔吐泄痢無時驚恐目睛不明等症

問　顱息穴呢

答　顱息耳後青絡脈。三壯一分何病克。主治耳鳴腫出膿瘈瘲發癇臥不得。註顱息穴在耳後青絡脈端、三壯一分、主治耳鳴耳痛、喘息小兒嘔吐涎沫瘈瘲發癇、胸脇相引、身熱頭痛不得臥、耳腫出膿汁、等症、

問　角孫穴呢？

答　角孫耳廓開有空。三壯三分主何因。醫治唇吻齒牙疾。耳目不利頭項侵。註角孫穴在耳廓中間、開口有空、三壯三分、主治目生翳、齒齦腫、唇吻強、齒牙不能嚼物、齒齲頭項強、等症、

問　絲竹空呢？

答　絲竹眉後陷中探。三壯五分主何殃。目眩頭疼風癇疾。目睫毛倒偏發狂。註絲竹空穴、一名太陽穴、在眉後陷中、三壯五分、主治目眩頭痛、目赤、視物䀮䀮不明、眼睫毛倒、惡風寒、風癇、目不識人、發狂吐涎沫、發即無時、偏正頭疼、等症、

問　和髎穴呢？

答　和髎耳前銳髮同。三壯七分動脈中。主治頭痛牙車急。頸項耳鼻腫痛瘛。註和髎穴在耳前銳髮下動脈中、三壯七分、主治頭重頭痛、牙車引急、頸頷腫、耳中嘈嘈、鼻涕風寒、鼻準上腫、瘛痛瘈瘲、口噼等症、

問　耳門穴呢。

答　耳門耳珠當耳缺。禁灸三分。何病抉。主治聤耳鳴。無聞齒齲。唇吻開不得。註耳門穴在耳前起肉、當耳缺陷中、三分禁灸、主治耳鳴如蟬聲、聤耳膿汁出、耳生瘡、重聽無聞、齒齲、唇吻強等症、

第二十二章　三焦經解說

問　三焦經解說呢。

答　手少陽三焦之脈。起手小指次指之端。循手表、上貫肘、入缺盆、布膻中、絡心包、絡下膈、屬三焦。支者出耳上角。三焦根於腎系。下爲胞室。爲下焦。中爲連網、附着小腸、爲中焦。上爲胸膈、又循胸而上、統名爲膻。上連肺系、而下入爲心包絡。

故三焦與命門同司相火以其油膜相連也三焦與心包絡相表裏亦以其油膜從膻膈而上入爲包絡也三焦經脈貫肘故肘上消濼清冷淵穴種牛痘能發出腎中之毒亦以三焦之源根於腎系故也少陽爲衝陽故第一穴名關衝小指次指陷中名中渚抵掌後高骨凡三焦氣旺者此骨乃高起上至肘外大骨縫中名天井穴再上二寸名清冷淵以與手太陽經會而合於寒水之氣也再上至肘外對腋爲消濼穴言其主相火也上至缺盆天髎穴即內入心包散行下膈而屬於三焦至缺盆合爲一脈支者更上耳後尖骨陷中名翳風穴再上爲瘈脈穴風瘈皆肝筋所主而焦膜乃生筋之源也故此二穴有此二名又繞耳前爲耳門穴至眉尾空竅爲絲竹穴具見腎開竅於耳而三焦屬腎故其經繞耳以應之也按焦字古作膲即人身之膜膈所以行水也今醫皆謂水至小腸下口乃滲漏入膀胱非也醫林改錯及西醫均笑斥之蓋自唐以後皆不知三焦爲何物西醫云飲水入胃胃之四面皆有微絲血管吸出所飲之水散

走膜膈達入連網油膜之中而下入膀胱西醫所謂連網即是膜膈即俗所謂網油並周身之膜皆是也網油連着膀胱水因得從網油中滲入膀胱即古所名三焦者決瀆之官水道出焉是矣三焦之根出於腎中兩腎之間有油膜一條貫於脊骨名曰命門是爲焦原從此系發生板油連胸前之膈以上循胸中入心包絡連肺系上咽其外出爲手背胸前之腠理是爲上焦從板油連及雞冠油着於小腸其外出爲腰腹之腠理是爲中焦從板油連及網油後連大腸前連膀胱中爲胞室其外出爲臀莖少腹之腠理是爲下焦人飲之水由三焦而下膀胱則決瀆通快如三焦不利則水道閉外爲腫脹矣西醫知連網之形甚悉然不名三焦又不知連網源頭並其氣化若何皆不知也又按少陽屬腎謂三焦相火其根在命門腎上連肺謂金水相生而膀胱爲府故曰腎將兩臟而配三焦膀胱兩府難經以左腎爲腎右腎爲命門或另有取義然則言五臟六腑者舉其要也言六臟六腑者備其物也再加命門而爲七臟六腑又其零

也。蓋天地陰陽奇耦。不無零正參伍錯綜以盡其變。人之臟腑應之。所以經有奇經。而臟腑亦有奇零歟。少陰屬腎。腎上連肺。故將兩臟。三焦者、中瀆之府也。水道出焉。屬膀胱是孤府也。是六府之所與合也。上言腎合膀胱。此又言腎合三焦。蓋以少陽爲水中之陽。是爲相火。屬腎者屬於腎中命門也。命門、卽腎系。由腎系生連網油膜。是爲下焦。中生板油、是爲中焦。上生膈膜、是爲上焦。其根源實出於腎系。腎系卽命門也。命門爲相火之根。三焦根於命門。故司相火而屬於腎。夫腎具水火。合三焦者、是相火所合也。又云腎上連肺者。金水相生。是水陰之所合也。故腎雖一臟、而將爲兩臟矣。腎主水、而行水之府。實爲三焦。三焦卽人身油膜。連腸胃及膀胱。食入於胃。由腸而下。飲水入胃。則胃之四面均有微管、將水吸出。散走膜膈。此膈卽三焦也。水由上焦歷肝膈。透腎系、入下焦油膜以達膀胱。故三焦者、中瀆之府。水道出焉。屬膀胱者。謂三焦與膀胱相聯屬也。是孤之府者。謂五臟各配五腑。而三焦司腎水之決瀆。又獨成一府也。是六府之所與合句又總言六府合五臟相合而成功也中國自唐宋後不知三焦爲何物是以醫法多訛西醫稱爲連網知其物矣然不知其發源何處所司何氣是以知猶不知故將兩臟之將當讀如將帥之將言少陽三焦下連屬於腎上連屬於肺腎肺相懸全賴少陽三焦以聯絡之然則少陽一府故已統帥兩臟如一將而將兩營也孤府云者言少陽三焦獨成一府極其廣大故統兩臟又言屬膀胱者是三焦下出之路足見自肺至膀胱從上而下統歸三焦也

謹按三焦之源即發於腎系故腎與三焦相通三焦爲腎行水化氣故腎病宜調和三焦譬如腎氣丸用苓泄以利三焦之水保元湯用黃芪以充三焦之氣是矣三焦病不能行水則宜滋腎陰不能化氣則宜補腎陽近醫不知三焦爲何物西醫稱連網不名三焦且又不知腎系爲三焦之根安知人生氣化哉

第二十三章　足少陽膽經穴歌註

問　足少陽膽經左右共八十八穴係何名在何處主治何病

答　少陽瞳髎起目外。去眥半寸分壯三。主治目翳青盲眼。頭痛喉痺此穴探。註瞳子髎穴、去目外眥五分、三壯三分主治目癢翳膜青盲無見遠視𥉌䀮赤痛淚出內眥癢頭痛喉痺、等症、

問　聽會穴呢？

答　聽會耳前陷中尋。張口得之動脈中。五壯三分主何治。耳牙口齒肢病從。註聽會穴在耳微前陷中、動脈宛宛中、張口得之五壯三分、主治耳鳴耳聾牙車脫不能嚼物、齒痛惡寒物狂走瘈瘲、恍惚不樂、中風口喎斜、手足不隨等症、

問　上關穴呢？

答　上關耳前開有空。七壯一分主治同。唇吻口眼偏喎病。耳聾牙齲瘈瘲尋。註上關穴、一名客主人在耳前骨上、開口有空、張口取之七壯一分主治唇吻強上口眼喎斜、青盲、眯目𥉌䀮、惡風寒、牙齒齲、口噤不開、嚼物不得耳鳴耳聾瘈瘲沫出、寒熱痙、引骨痛等症、

問　頷厭穴呢

答　頷厭顳顬上廉係三壯七分主何治風眩驚癎手腕疼耳目頸疼汗出症註頷厭穴在顳顬上廉三壯七分主治偏頭痛頭風目眩驚癎手捲手腕痛耳鳴目無見目外眥急好嚏頸痛汗出等症

問　懸顱穴呢

答　懸顱正在顳顬端三壯三分主治同頭面耳牙皆腫痛身熱鼻濁鼽瞢從註懸顱穴在顳顬端三壯三分主治頭痛牙齒齲牙齒痛面膚赤腫熱病煩滿汗不出偏頭痛引目外眥赤身熱鼻洞濁下不止傳為鼽瞢瞑目等症

問　懸釐穴呢

答　懸釐顳顬下廉看三壯三分何病探頭面痛腫不欲食中焦熱病銳眥黃註懸釐穴在顳顬下廉三壯三分主治面皮赤腫偏頭痛煩心不欲食中焦客熱熱病汗不出目銳眥赤痛等症

問　曲鬢穴呢

答　曲鬢掩耳正尖上鼓頷有空分壯三主治牙車頰頷腫腦痛巔風頸項強註曲鬢穴在耳上髮際曲隅陷中鼓頷有空掩耳取之三壯三分主治頷頰腫引牙車不得開急痛口噤不能言頸項不得囘顧腦兩角痛爲巔風引目眇等症

問　率谷穴呢

答　率谷耳上寸半看嚼而取之分壯三主治牙車頰頷腫腦痛巔風頸項強註率谷穴在耳上入髮際一寸半陷中嚼取三壯三分主治痰氣鬲痛腦兩角強痛頭重醉後酒風皮膚腫胃寒飲食煩滿嘔吐不止等症

問　本神穴呢

答　本神寸半曲差旁直上髮際四分間七壯三分主何治驚癎癲疾偏風摽註本神穴在曲差旁寸半直上髮際四分七壯三分主治驚癎吐涎沫頸項強痛目眩胸相引不得轉側癲疾嘔吐涎沫偏風等症

問 陽白穴呢。

答 陽白眉上一寸取三壯三分直瞳子主治瞳痒目上視背腠寒慄目痛眵。註 陽白穴在眉上一寸、直瞳子正視取之三壯三分、主治瞳子痒痛、目上視、遠視䀮䀮、昏夜無見、目痛目眵、背腠寒慄、重衣不得溫等症、

問 臨泣穴呢、

答 臨泣入髮際五分直瞳目上取之眞禁灸三分何病治驚癎中風目鼻等。註 臨泣穴在目上直入髮際五分陷中、令患者直睛取之禁灸三分、主治目生白翳、目淚枕骨合顱痛惡寒鼻塞驚癎反視目外眥痛卒中風不識人等症、

問 目窻穴呢？

答 目窻臨泣後寸半五壯三分何病治頭旋目眩視不明面目浮腫寒熱症。註 目窻穴在臨泣後寸半五壯三分、主治目赤痛、忽頭旋、目䀮䀮、遠視不明、頭面浮腫、頭痛、熱病汗不出等症、

問　正營穴呢？

答　正營目窻後寸五。禁鍼三壯何病取。主治頭項偏痛風。唇吻急強目眩齲。註正營穴在目窻後寸半禁鍼三壯主治目眩頭項偏痛牙齒齲痛唇吻強急等症

問　承靈穴呢？

答　承靈正營後寸半。禁鍼三壯主何患。醫治腦風頭痛殃。鼽衄喘息氣不順。註承靈穴在正營後寸半禁鍼三壯主治腦風頭痛惡風寒鼽衄鼻塞喘息等症

問　天衝穴呢？

答　天衝耳上二寸逢。七壯三分何病從。主治癲疾和風痙。齦腫頭痛驚恐中。註天衝穴在耳後上入髮際二寸七壯三分主治癲疾風痙牙齦腫驚恐頭痛等症

問　浮白穴呢？

答　浮白耳後上寸得。七壯二分何病索。足疾耳聾頸項癭。肩臂不舉發寒熱。註浮白穴在耳後入髮際一寸七壯二分主治足不能行耳聾耳鳴齒痛胸滿不得

息胸痛頸項癭癰腫不能言肩臂不舉喉痺咳逆痰沫耳鳴嘈嘈無所聞等症

問　竅陰穴呢?

答　竅陰枕下動有容七壯三分完上通主治轉筋頭目痛耳鳴舌衄肢疽癰　註　竅陰穴在完骨上玉枕下動搖有容七壯三分主治四肢轉筋目痛頭項頷痛引耳嘈嘈耳鳴無所聞舌本出血骨勞癰疽發厲手足煩熱汗不出舌強脇痛欬逆喉痺等症

問　完骨穴呢?

答　完骨耳後四分中七壯三分何病從主治足痿牙車急頭風耳痛癲疾癰　註　完骨穴在耳後入髮際四分七壯三分主治足痿失履不收牙車急頰腫頭面腫頸項痛頭風耳後痛煩心小便赤黃喉痺齒齲口眼喎斜癲疾等症

問　腦空穴呢?

答　腦空正俠玉枕骨風池二穴上陷中三壯五分主何治目眩心悸及頭風　註　腦

空穴在風池二穴之上俠玉枕骨下陷中三壯五分主治勞疾羸瘦體熱頸項強不得回顧頭重痛不可忍目瞑心悸發即爲癲風引目眇鼻痛魏武帝患頭風發即心亂目眩華陀鍼腦空立愈

問　風池穴呢

答　風池後髮際陷中項後六行下腦空七壯三分何病主背腰頭目頸筋風註風池穴在項後腦空下髮際陷中按之引耳中痛三分七壯主治洒淅寒熱傷寒溫病汗不出目眩偏正頭痛痎瘧頸項如拔痛不得回顧目淚出欠氣鼻鼽衄目內眥赤痛氣發耳塞目不明腰背俱疼腰傴僂頸筋無力不收中風氣塞涎上不語昏危癭氣等症

問　肩井穴呢

答　肩井肩前寸半看缺盆之上中指探五壯五分看主治鍼深暈眩三里匡註肩井穴一名膊井在肩上陷中缺盆上大骨前一寸半五壯五分主治中風氣塞

涎上不語、氣逆、婦人難產、墮胎後、手足厥逆、鍼此穴立愈、頭項痛、五勞七傷、兩手不得向頭、若鍼深悶倒、急補足三里穴、

問 淵液穴呢？

答 淵液腋下三寸。裏禁灸三分。舉臂取。主治寒熱馬刀瘍。胸滿無力臂不舉。註 淵腋穴、在腋下三寸、宛宛中、橫去胸蔽骨八寸五分、禁灸三分、主治寒熱馬刀瘍、胸滿無力、臂不舉等症、（再凡馬刀瘍潰爛者死、寒熱者生、）

問 輒筋穴呢？

答 輒筋平前復一寸。去胸蔽骨七五分。平直兩乳側臥取。三壯六分膽募名。註 輒筋穴、在腋下三寸、復平淵液穴前一寸三肋端、橫去胸蔽骨七寸五分、側臥平直兩乳屈上足取之、膽之募、足太陽少陽之會、三壯六分、主治胸中暴滿、不得臥、太息善悲、小腹熱、多唾、言語不正、四肢不收、嘔吐宿汁吞酸等症、

問 日月穴呢？

答　日月期門下五分。五壯七分何病求。主治太息善悲唖言語不正肢不收。註日月穴、在期門下五分五壯七分、主治太息善悲、小腹熱、多唖言語不正、四肢不收等症。

問　京門穴呢？

答　京門監骨腰間取。腎募季肋本俠脊。三壯三分何病醫。主治洞泄不得息。註京門穴、一名氣俞、一名氣府、在腰中季肋本、俠脊臍上五分、去腹中行各九寸、腎之募、三壯三分、主治腸鳴、小腹痛、肩背寒、痓、肩胛內廉痛、腰痛不得俛仰、久立寒熱腹脹引背、不得息、水道不利、溺黃、小腹急腫、腸鳴、洞泄、髀樞引痛等症。

問　帶脈穴呢？

答　帶脈季肋寸八分。七寸五分去胸中。五壯六分主何病。婦人經帶此穴崇。註帶脈穴、在季肋下一寸八分、陷中、臍上二分、去腹中行各開七寸半、五壯六分、主治腰腹痛、婦人小腹痛、裏急後重、瘈瘲、月事不調、赤白帶下等症。

問　五樞穴呢？

答　五樞帶下三寸存，五壯五分主何因？醫治痃癖氣攻脇，男子寒疝女帶經。註：五樞穴在帶脈下三寸，五壯五分，主治痃癖、小腸膀胱氣攻脇，男子寒疝、陰卵上入、小腹痛、婦人赤白帶下等症。

問　維道穴呢？

答　維道章下五三分，三壯八分主治同，嘔逆不止不嗜食，三焦不調水腫侵。註：維道穴在章門下五寸三分，三壯八分，主治嘔逆不止、水腫不嗜食等症。

問　居髎穴呢？

答　居髎章下八三分，三壯八分監骨尋，主治腰引小腹痛，胸臂攣急肩臂疼。註：居髎穴在章門下八寸三分，監骨下陷中，三壯八分，主治腰引小腹痛、肩引胸背攣急、手臂不得舉等症。

問　環跳穴呢？

答　環跳髀樞側臥取十壯一寸何病擬冷風濕痺腰胯疼半身不遂與脚氣註環跳穴在髀樞側臥伸下足屈上足足踵到處是穴十壯一寸主治冷風濕痺不仁、風疹遍身半身不遂、腰胯痛膝不得轉側伸縮等症（仁壽宮患脚氣偏風甄權奉敕鍼環跳、陽陵泉陽輔巨虛下廉而能起行跳環穴痛恐生附骨疽）

問　風市穴呢？

答　兩手着脚風市謀膝上外廉兩筋求五壯五分主何治一切脚氣此穴優註風市穴在膝上外廉兩筋間以手着腿中指盡處是穴五壯五分主治中風腿膝無力、脚氣渾身搔癢等症

問　中瀆穴呢？

答　中瀆在膝上五寸髀外分肉間陷中五壯五分何病主筋痺不仁此穴尋註中瀆穴在髀外膝上五寸分肉間陷中五壯五分主治腿脚痛筋痺不仁等症

問　陽關穴呢？

答　陽關陵上犢鼻外禁灸五分何病鍼主治風痺不仁症腿膝疼痛難伸屈註陽關穴一名陽陵在陽陵泉上三寸犢鼻外廉陷中禁灸五分主治風痺不仁膝痛不可屈伸等症

問　陽陵泉呢

答　陽陵膝品下寸蕁胻骨外廉兩骨中七壯六分合土穴能醫冷痺及偏風註陽陵泉在膝品骨下一寸外廉陷中膽合土穴也七壯六分主治膝伸不得屈髀樞膝骨冷痺脚氣偏風半身不遂脚冷無血色頭面腫足筋攣等症

問　陽交穴呢

答　陽交外踝斜七寸三壯六分醫何病胸滿膝痛足不收喉痺面腫驚狂症註陽交穴一名別陽一名足髎在足外踝上七寸斜屬少陽分肉間三壯六分主治胸滿腫膝痛足不收寒厥驚狂喉痺面腫寒瘧膝胻不收等症

問　外邱穴呢

答　外邱踝上七寸尋三壯三分主何因胸脇痿痹頸項痛小兒胸部似龜形註外邱穴在外踝正上七寸三壯三分主治胸腹脹滿膚痛痿痹頸項痛惡風寒癲疾小兒龜胸等症

問　光明穴呢

答　光明除踝上五寸三壯三分主何症醫治脛痠胻骨疼痿躄不仁與膝痛註光明穴在足外踝上五寸三分三壯主治脛痿胻疼不能久立熱病汗不出卒狂痿躄坐不能起足胻熱膝痛身體不仁善嚙頰等症

問　陽輔穴呢

答　陽輔外踝上四寸絕骨之上用意尋五分三壯經火穴主治腰膝脕脇疼註陽輔穴在足外踝上四寸絕骨端上膽經火穴也三壯五分主治腰溶溶如坐水中膝下浮腫筋攣百節痠疼實無所知諸節盡痛痛無常處腋下腫喉痹馬刀瘍膝胻痠風痹不仁厥逆口苦太息心脇痛頭角頸痛目銳眥痛缺盆中腫痛

汗出寒瘧、胸中脇肋、髀膝外廉、至絕骨外踝前痛、善潔面青面塵、等症、

問　懸鍾穴呢？

答　懸鍾三寸同絕骨。六分五壯何病探。主治心胃脚膝病。筋骨攣痺鼻中乾。註懸鍾穴、一名絕骨、在足外踝上三寸動脈中、五壯六分、主治心腹脹滿胃中熱不嗜食、脚氣膝胻痛、筋骨攣痛、足不收、逆氣虛勞寒損憂恚、心中咳痛、喉痺泄注、頸項強腸痔、瘀血、鼻衄、腦疽、大小便澁、鼻中乾煩滿中風手足不隨等症、

問　邱墟穴呢？

答　邱墟踝下陷中出。骨縫三寸去臨泣。膽之原穴分壯三。主治髀樞胸脇疾。註邱墟穴、在足外踝下、微前骨陷中、膽之原穴、三壯三分、主治胸脇滿、痛不得息、久瘧振寒、腋下腫、痿厥、坐不能起、髀樞中痛、目生翳膜、腿胻痠、轉筋卒疝、小腹堅、寒熱頸腫腰胯痛、太息等症、

問　臨泣穴呢？

答 臨泣寸半去俠谿兪木之穴分壯三主治胸滿缺盆痛馬刀瘍瘻嚙頰瘈 註 臨泣穴在足小指次指本節後陷中去俠谿一寸五分膽兪木穴也三壯三分主治胸中滿缺盆中及腋下馬刀瘍瘻善嚙頰天牖中腫淫濼胻痠目眩枕骨痛洒淅振寒心痛厥逆氣喘不能行痎瘧婦人月事不利支滿乳癰等症

問 地五會呢

答 五會俠谿後一寸禁灸一分主何病內損唾血與腋疼足無膏澤乳癰痛 註 地五會在足小指次指本節後陷中去俠谿一寸禁灸一分主治腋痛內損唾血足外無膏澤及乳癰等症

問 俠谿穴呢

答 俠谿小指歧骨間滎水之穴分壯三主治胸脇頰頷病耳目胸痛轉側難 註 俠谿穴在小指次指歧骨間本節前陷中膽滎水穴也三壯三分主治胸脇支滿寒熱傷寒熱病汗不出目外眥赤目眩頰項腫耳聾胸前痛不可轉側等症

問 竅陰穴呢

答 竅陰小次指外側去爪甲角如韭葉三壯一分井金名主治欬逆息不得註竅陰穴在足小指次指外側去爪甲角如韭葉膽井金穴也三壯一分主治脇痛咳逆不得息手足煩熱汗不出轉筋癰疽頭痛心煩喉痺舌強口乾肘不能舉卒聾目痛等症

第二十四章 膽經解說

問 膽經解說呢

答 按各臟腑遠近不一實皆以膜相連惟膽附於肝最為切近西醫言肝無能事只是化生膽汁而膽汁循油膜入胃則飲食之物得之乃化是中焦之精氣全賴於膽故膽者中精之府也膽屬火肝屬木膽汁為肝所化出是木生火也膽汁化物是木能疏土也故經云食氣入胃散精於肝肝寒則膽汁不能化物肝熱則膽汁化物太過而發中消等症西醫亦云苦膽汁乃肝血所生中國舊說

皆謂膽司相火。乃肝木所生之氣。究之有是氣。乃有是汁。二說原不相悖。惟西醫言人之懼與不懼。不關於膽。而又不能另指一所。實未知膽爲中正之官。故也。蓋以汁論。則膽汁多者。其人不懼。以氣論。則膽火旺者。其人不懼。太過者、不得乎中。則失其正。是以有敢爲橫暴之人。不及者、每在懼怯。亦不得乎中正也。膽氣不剛不柔。則得成爲中正之官。而臨事自有決斷。以肝膽二者。合論肝之陽藏於陰、故主謀。膽之陽出於陰、故主斷。所以足少陽起目銳眥、名瞳子髎。繞耳前陷中、名聽會。繞耳後髮際陷中。名風池。皆少陽風木所發洩處。下至肩上陷中、名肩井。循側旁下至肝經期門穴下五分、名日月。膽脈實從肝經出於此穴。然後上下行也。下行至股外、垂手中指盡處、名風市。膝下一寸名陽陵。循外踝至小指次指之間、竅陰穴而絡陽經。根於陰穴。以見陽生於陰中也。又按足少陽膽之脈。起於目外眥。繞耳前後。至肩下循脅裏。絡肝屬膽。下至足入小指之間。足少陽與手少陽脈。均行於耳。均司相火。內則三焦之膜、連肝而及於膽。

外則三焦之經絡耳而交於膻經此以見臟腑相通之妙

第二十五章　足厥陰肝經穴歌註

問　足厥陰肝經左右二十八穴係何名在何處主治何病

答　厥陰大敦三毛側三壯三分井木穴主治臍腹諸病殃淋疝血崩與尸厥註大敦穴在足大指三毛際內側陷中肝井木穴也三壯三分主治五淋七疝小便數遺不禁陰頭中痛汗出陰上入小腹陰偏墜臍腹中痛悒悒不樂腹脹腫痛小腹痛中熱喜寐尸厥狀如死人婦人血崩不止陰挺出陰中痛等症

問　行間穴呢

答　行間骨間動脈中三分三壯認眞攻滎火之穴主何治欬逆嘔血及轉筋註行間穴在足大指本節上內側前後有小骨尖其穴正居陷中有動脈應手三分三壯主治嘔逆洞泄遺溺癃閉消渴嗜飲善怒四肢滿轉筋胸脇痛小腹腫咳逆喘血莖中痛腰疼不可俛仰腹中脹滿肝心痛色蒼蒼如死狀口喎癲疾短

氣四肢逆冷嗌乾煩渴瞑不欲視目中淚出太息便溺難七疝寒疝中風肝疾肥氣發痎瘧婦人小腹腫面塵脫色經血過多不止崩中小兒驚風等症

問 太衝穴呢

答 太衝大指本節後去節二寸絡五會主治心腹腰脇殃女子漏下小兒疝 註太衝穴在足大指本節後去節二寸或云寸半其絡連地五會動脈應手陷中肝俞土穴也三壯三分主治心痛脈弦馬蝗瘟疫肩腫吻傷虛勞浮腫腰引小腹痛兩丸牽縮溏泄遺溺陰痛面目蒼色胸脇支滿足寒肝心痛蒼然如死狀大便難便血小便淋小腸疝氣痛㿗疝小便不利嘔血嘔逆發寒嗌乾善渴肘腫內踝前痛淫濼胻痠腋下馬刀瘍漏脣腫女子漏下不止小兒卒疝等症

問 中封穴呢

答 中封一寸內踝前經金之穴分壯三主治痎瘧繞臍痛痿厥筋攣此穴探 註中封穴在內踝骨前一寸筋骨宛宛中伸足得之肝經金穴也三壯四分主治瘧

疾色蒼蒼振寒、小腹腫痛、食怏怏繞臍痛、五淋不得小便、足厥冷、身黃有微熱、不嗜食、身體不仁、寒疝腰痛、或身微熱、痿厥失精、筋攣陰縮入腹相引痛等症、

問 蠡溝穴呢？

答 蠡溝踝上五寸據。三壯三分主何治。癃閉疝氣下部殃。足脛寒痠月經事。註 蠡溝穴、一名交儀、在內踝上五寸、三壯三分、主治疝氣、小腹脹滿、暴痛癃閉、數噫恐悸少氣、悒悒不樂、咽中悶、如有瘜肉、背拘急不可俛仰、小腹不利、臍中積氣如石、足脛寒痠、屈伸難、女子赤白帶下、月事不調等症、

問 中都穴呢？

答 中都七寸胻骨中。五壯三分何病。鍼腸澼脛寒兼𤺋疝。婦人崩帶此穴攻。註 中都穴、一名中郄、在足內踝上七寸、胻骨中、五壯三分、主治腸澼𤺋疝、小腹痛不能行立、脛寒、婦人崩中、產後惡露不絕等症、

問 膝關穴呢？

答　膝關犢下二寸容五壯四分主治同風痺膝內廉疼痛膝臏不舉咽喉癰註膝關穴在犢鼻下二寸旁陷中五壯四分主治風痺膝內臁痛引臏不能屈伸咽喉中癰痛等症

問　曲泉穴呢

答　曲泉紋頭兩筋陷合水之穴六三壯主治㿗疝陰股疼身目眩痛不出汗註曲泉穴在膝股下內側輔骨下大筋下小筋上陷中屈膝橫紋頭取之肝合水穴也三壯六分主治㿗疝陰股痛小便難腹脇支滿癃閉少氣泄利四肢不舉身目眩痛汗不出目䀮䀮膝關痛筋攣不可屈伸發狂衄血下血喘呼小腹痛引咽喉房勞失精身體極痛泄水下利膿血陰腫陰莖腫痛胻腫膝脛冷疼女子血瘕小腹腫陰挺出等症

問　陰包穴呢

答　陰包四寸膝臏上內廉筋間展足探三壯六分主經病腰尻引腹小便難註陰

包穴在膝上四寸股內廉兩筋間三壯六分主治腰尻引小腹痛小便難遺溺婦人經水不調等症

問　五里穴呢

答　五里氣衝下三寸動脈應手陰股向五壯六分何病治腸中熱滿不得溺〔註〕五里穴在氣衝下三寸陰股內動脈應手五壯六分主治腸中滿熱閉不得溺風勞嗜臥等症

問　陰廉穴呢

答　陰廉穴在橫紋胯去衝二寸羊矢下禁鍼三壯何病治婦人絕產三壯效〔註〕陰廉在羊矢下去氣衝二寸動脈中三壯禁鍼主治婦人絕產若未經生產者灸三壯即有子

問　羊矢穴呢

答　羊矢氣衝外一寸分明有穴君可問此穴又名白鼠鼷諸經闕治可無論〔註〕羊

矢穴、一名鼠鼷、在氣衝旁一寸是穴、

問　章門穴呢？

答　章門臍上二寸量橫取六寸看兩旁。七壯六分主何治腸鳴腹痛肝脾殃。註章門穴在大橫外直季肋端、臍上二寸、兩旁各開六寸、側臥屈上足伸下足取之、又云肘尖盡處是穴、脾之募、足少陽厥陰之會、難經云、臟會章門、疏曰、臟病治此七壯六分主治腸鳴、盈盈然食不化脇痛臥不得煩熱口乾、不嗜食胸脇痛、支滿、喘息心痛而嘔、腰痛不可轉側、腰脊冷痛、溺多白濁傷食身黃、瘦賁豚積聚、腹腫如鼓脊強四肢懈惰、善恐少氣厥逆肩背不舉等症、東垣曰、氣在於腸胃者取之、魏士珪妻徐病疝、自臍下上至於心皆脹滿、嘔吐氣逆煩悶不進飲食、滑伯仁曰、此寒在下焦、爲灸章門氣海、

問　期門穴呢、

答　期門乳下二肋間。一寸五分不容旁。主治熱病入血室。心下痞硬分壯三。註期

門穴在直乳下二肋間不容旁寸半三壯三分、主治胸中煩熱賁豚上下目青而嘔霍亂泄利腹堅大喘不得安臥脇下積氣傷寒心切痛喜嘔酸飲食不下食後嘔水胸脇痛支滿男女血結胸滿面赤火燥煩悶口乾消渴胸中痛等症

第二十六章　肝經解説

問　肝經解説呢

答　舊説肝七葉居左脇下非也西醫云四葉後靠脊前連膈膜膽附於肝之短葉間膈即附脊連肝從肝中生出前連胸膛肝體半在膈上半在膈下實不偏居於左謂肝居左者不過應震木東方位自當配於左耳醫林改錯言肝系後着脊前連胃名爲總提上有胰子總提內有行水管爲胃行水西醫言肝無所事只以廻血生出膽汁入腸化物二説言肝行水化食不過內經肝主疏泄之義而已至肝系之理尚未詳言按肝系上連心包絡故同稱厥陰經系着脊處則爲肝俞穴系循腔子一片遮盡是爲膈膜肝系下行前連腹中統膜而後連腎

系。爲肝之根。通身之膜。內連外裹。包肉生筋。皆從肝系而發。舊說言肝居左。西醫言肝居右。然其系實居脊間正中。至診脈分部左右。亦從其氣化而分。非以形迹而分也。肝脈交顛入腦。由腦而通於目。故肝開竅於目。肝藏魂。晝則魂遊於目而爲視。夜則目閉魂復返於肝。西醫剖割眼珠。極贊重疊細絡之妙。受光照察之神。然試問醒開寐閉。黑子瞳子之所由生。則不知也。又使無神水而欲其受外光能乎。惟心火腎水交會於腦。令肝脈注目中。肝者心之母。腎之子。故并二臟之精而開竅於目。西醫之精能將斜目修削使正。然不久仍斜。不知病源。剖割何益。又人身之陰陽。陰主靜。靜則有守。陽主動。動則有爲。肝爲厥陰經。乃陰之盡也。故其性堅忍而有守。厥陰中見少陽。陰盡陽生。膽火居於肝中。陰中合陽。陽氣發動。故能有爲。謀慮從此而出。所以稱爲將軍之官。故肝氣橫者。敢爲狂亂。肝氣虛者。每存懼怯。足厥陰肝脈。起足大指叢毛之際。上足跗。循股內過陰器。抵小腹。屬肝絡膽。挾胃貫膈。循喉嚨。上過目系。與督脈會於顛頂。又按毛髮皆血之餘也。肝主血。故肝經起於足大指。而其間即生叢毛。以爲主血之驗。陰器名爲宗筋。乃通身筋之所主。屬肝經。故肝脈繞於陰器也。小腹兩旁皆屬肝經。故有寒疝等症。絡膽者。厥陰之脈。中見少陽。肝與膽相表裏也。挾胃者。肝木。清陽之氣上升。疏土所以化物。貫膈循喉嚨。故肝氣逆有嘔滿諸症。上連目系。肝開竅於目也。與督脈會於巔頂。督脈屬腎。爲肝之母。會於巔頂。子會於母。目系巔頂。內爲腦髓。腦風暈迷。均肝所司。以其脈相通也。西醫詳論腦髓。而無治髓之藥。蓋不知髓係督脈所生。又不知髓係肝脈所貫耳。大敦循足內側。上至曲泉。曲泉在曲膝橫紋盡處。乃諸筋會於膝之穴也。循股內抵陰器之橫骨盡處名鼠鼷穴。繞陰器。故生毛。肝血所發洩也。抵少腹上肋曲肘尖盡處爲章門。再上爲期門穴。乃肝之募。謂肝膜之所通也。從此入屬肝臟。此爲肝下行之脈。貫膈絡胃。循喉嚨。上連目系。則開竅於目。與督脈會於巔。陽經惟太陽最長。陰經惟厥陰最長。乃氣血之主司也。在天爲風。在地爲木。在體爲筋。在色爲蒼。在音爲角。在聲爲呼。在變動爲握。在竅爲目。在味爲酸。其液爲淚。其華爲爪。其臭爲臊。其穀爲麥。其畜爲鷄。其虫爲毛。（大而虎豹，小而毛虫，皆風木之氣所生）故肝病癲癇，或作虎豹之狀，又有偏體生毛者。（西醫五種，有博物新編圖，畫獅象小蟲毫芒畢具，然不知屬風木之所生，則於醫理物理不能推到造化根源也）其數八。其果李。其菜韭。

鍼灸問答卷上終　（附十四經穴圖）左右共五百四十八穴

鍼灸問答　卷上　肝經解說

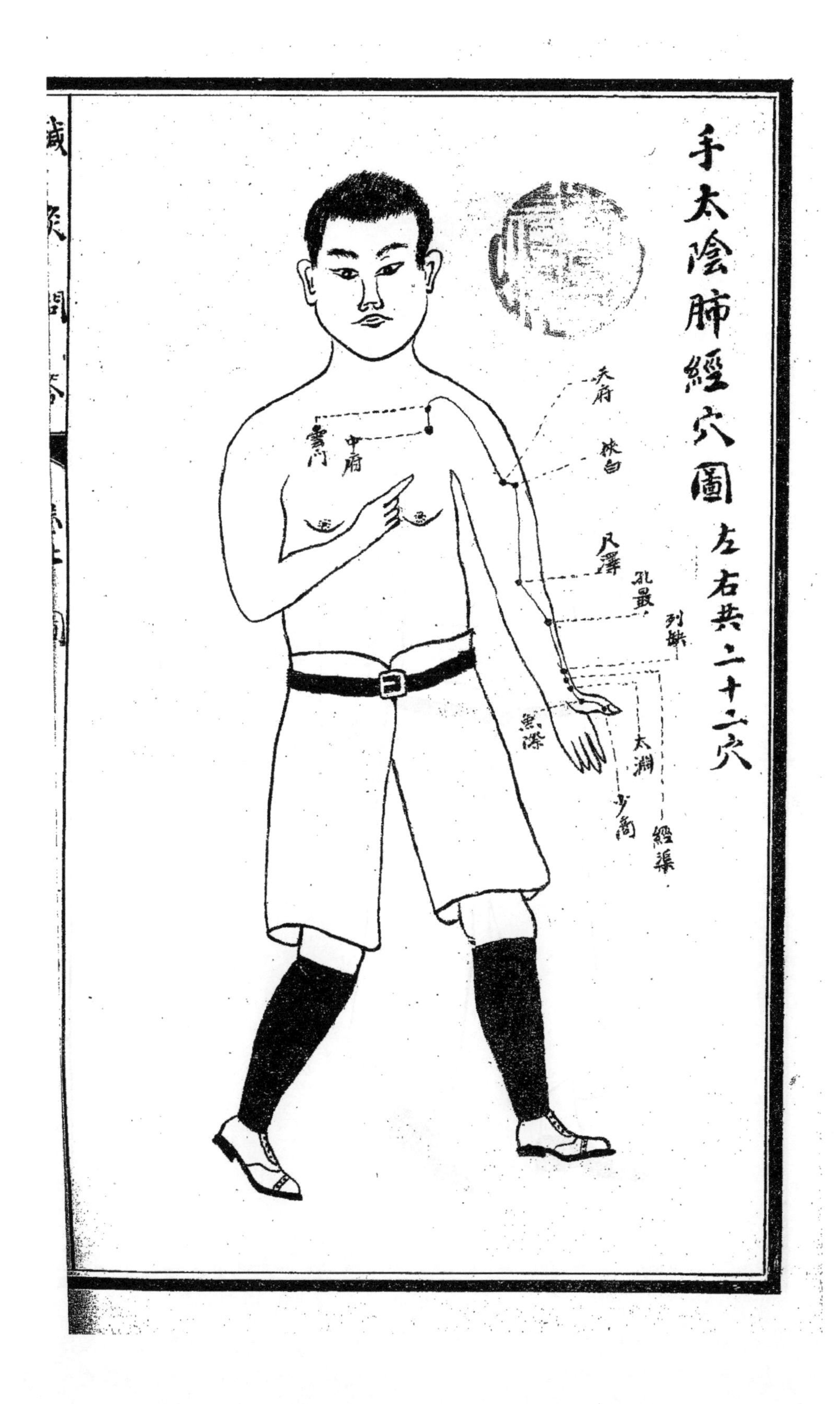
手太陰肺經穴圖
左右共二十二穴
天府
雲門
中府
俠白
尺澤
孔最
列缺
魚際
太淵
少商
經渠

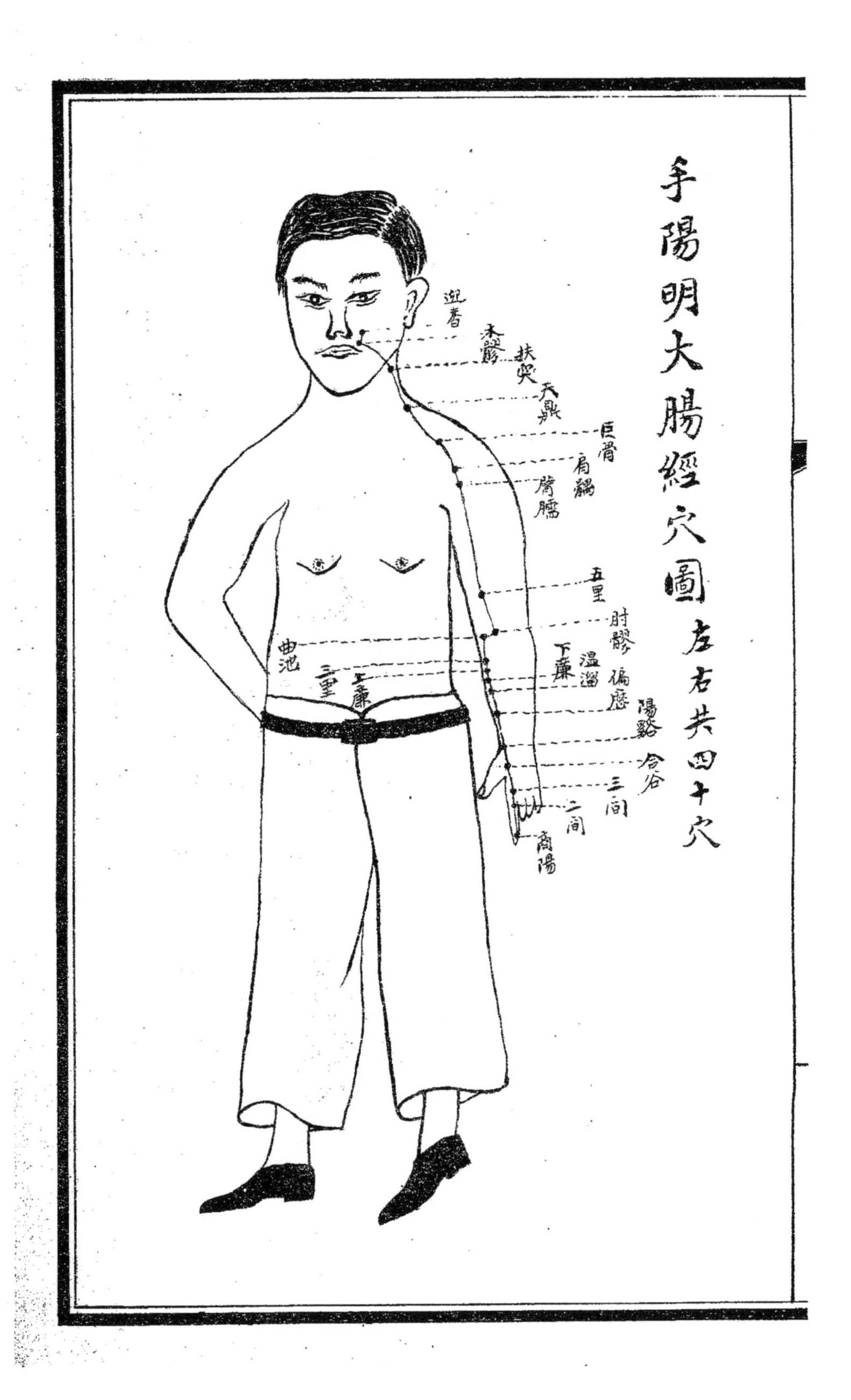
手陽明大腸經穴圖
左右共四十穴
迎香
禾髎
扶突
天鼎
巨骨
肩髃
臂臑
五里
肘髎
曲池
下廉
温溜
三里
上廉
偏歷
陽谿
合谷
三间
二间
商陽

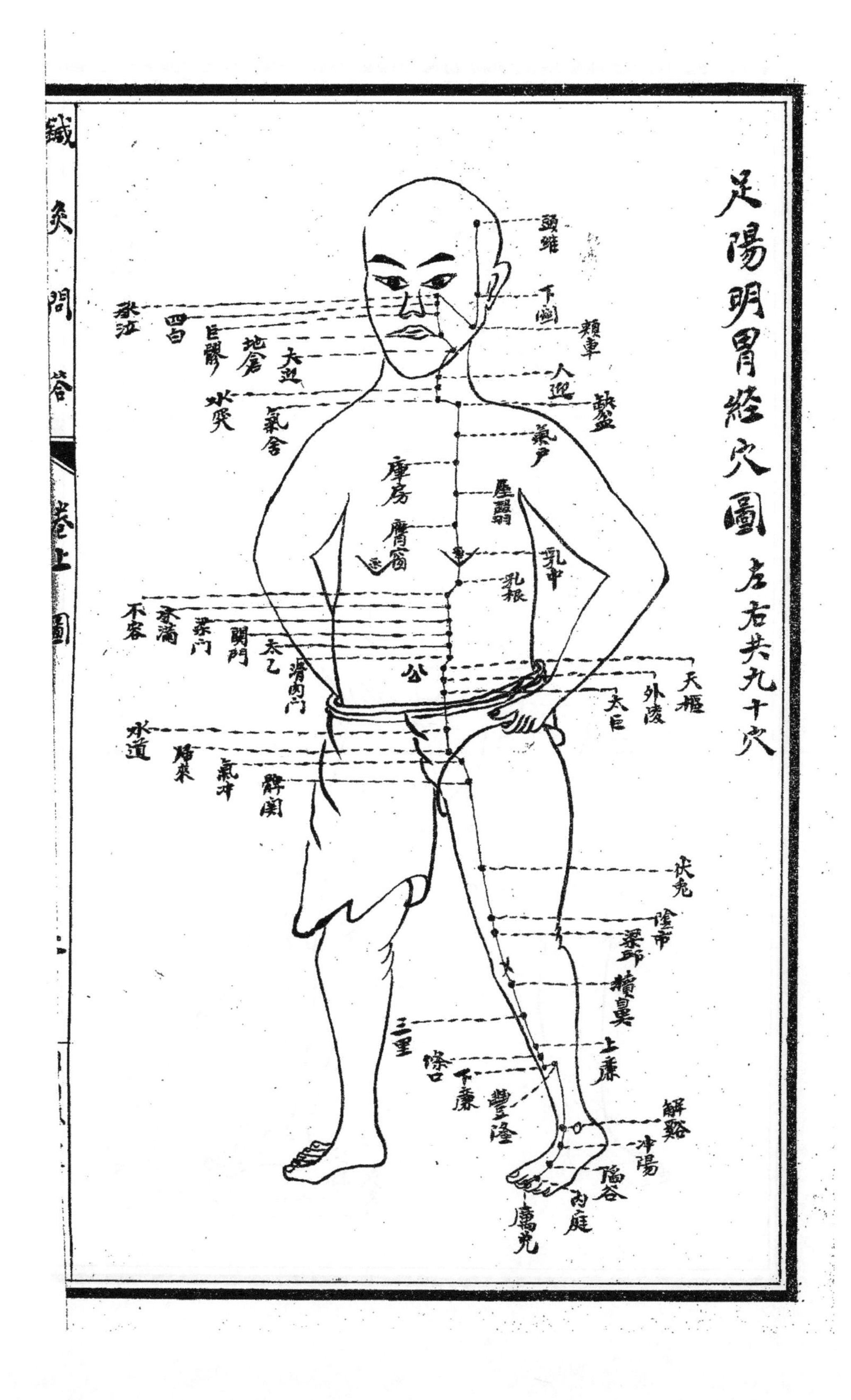
鍼灸問答
卷上
圖
足陽明胃絡穴圖
左右共九十穴
頭維
下関
頰車
人迎
缺盆
氣户
屋翳
乳中
乳根
天樞
外陵
大巨
承泣
四白
巨髎
地倉
大迎
水突
氣舍
庫房
膺窗
不容
承滿
梁门
關門
太乙
滑肉门
水道
歸來
氣冲
髀関
伏兔
陰市
梁邱
犢鼻
三里
上廉
條口
下廉
豐隆
解谿
冲陽
陷谷
内庭
厲兑

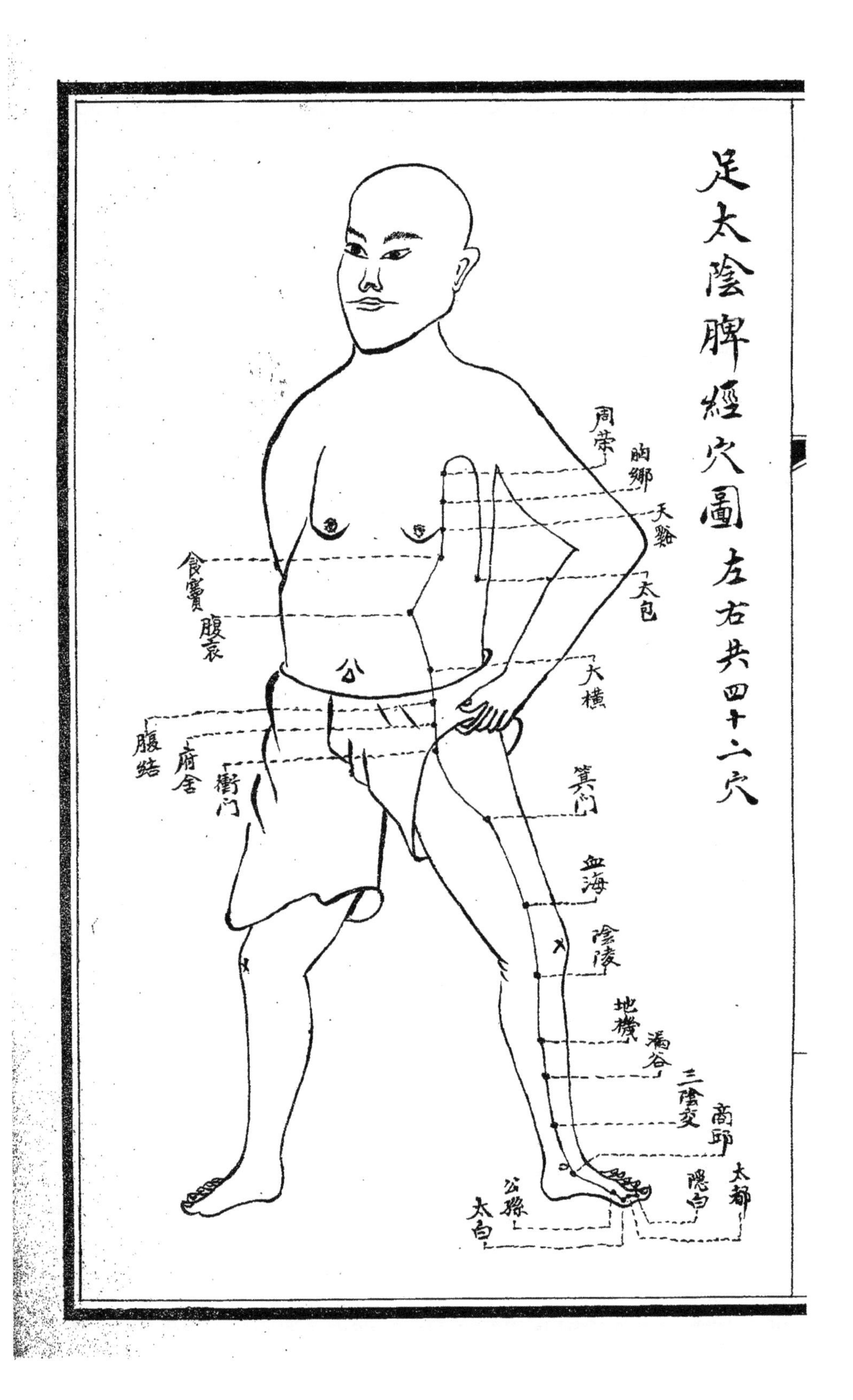
足太陰脾經穴圖左右共四十二穴
周荣
胸鄉
天谿
食竇
太包
腹哀
大横
腹结
府舍
衝门
箕门
血海
陰陵
地機
漏谷
三陰交
商邱
太都
隱白
公孫
太白

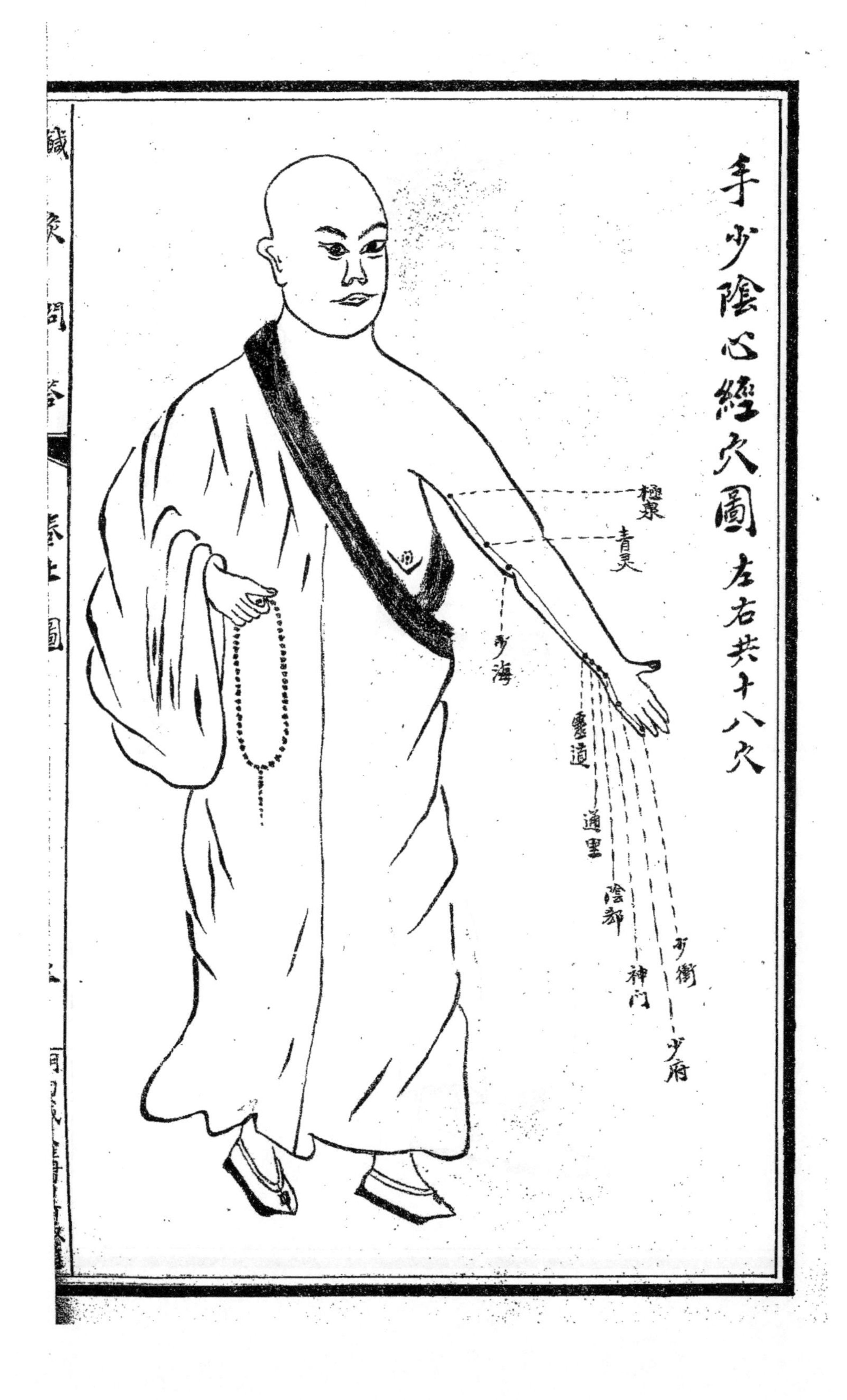
手少陰心經穴圖 左右共十八穴
極泉
青灵
少海
靈道
通里
陰郄
神门
少衝
少府

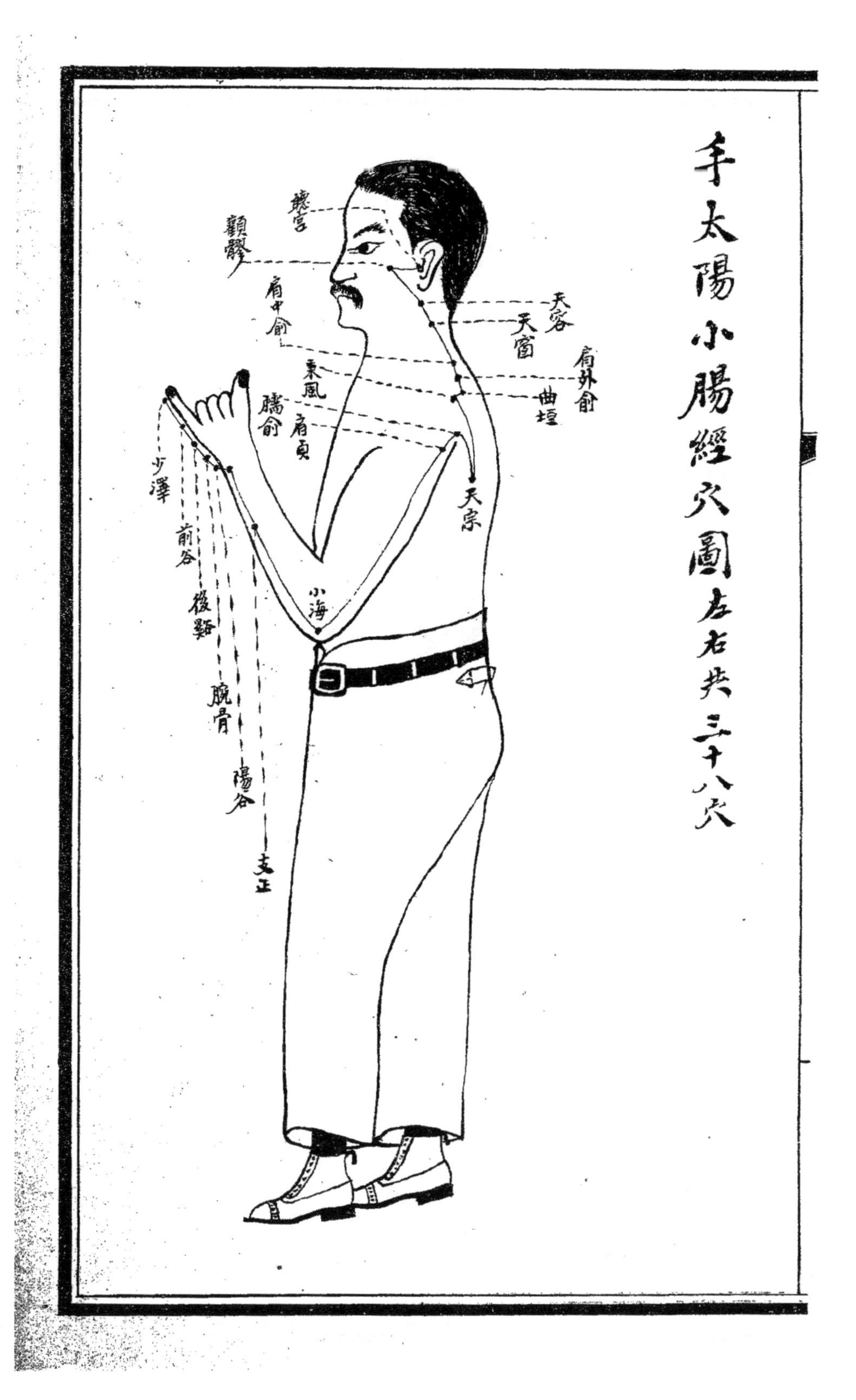
手太陽小腸經穴圖左右共三十八穴
聽宮
顴髎
肩中俞
天容
天窗
肩外俞
秉風
曲垣
臑俞
肩貞
天宗
少澤
前谷
後谿
腕骨
陽谷
支正
小海

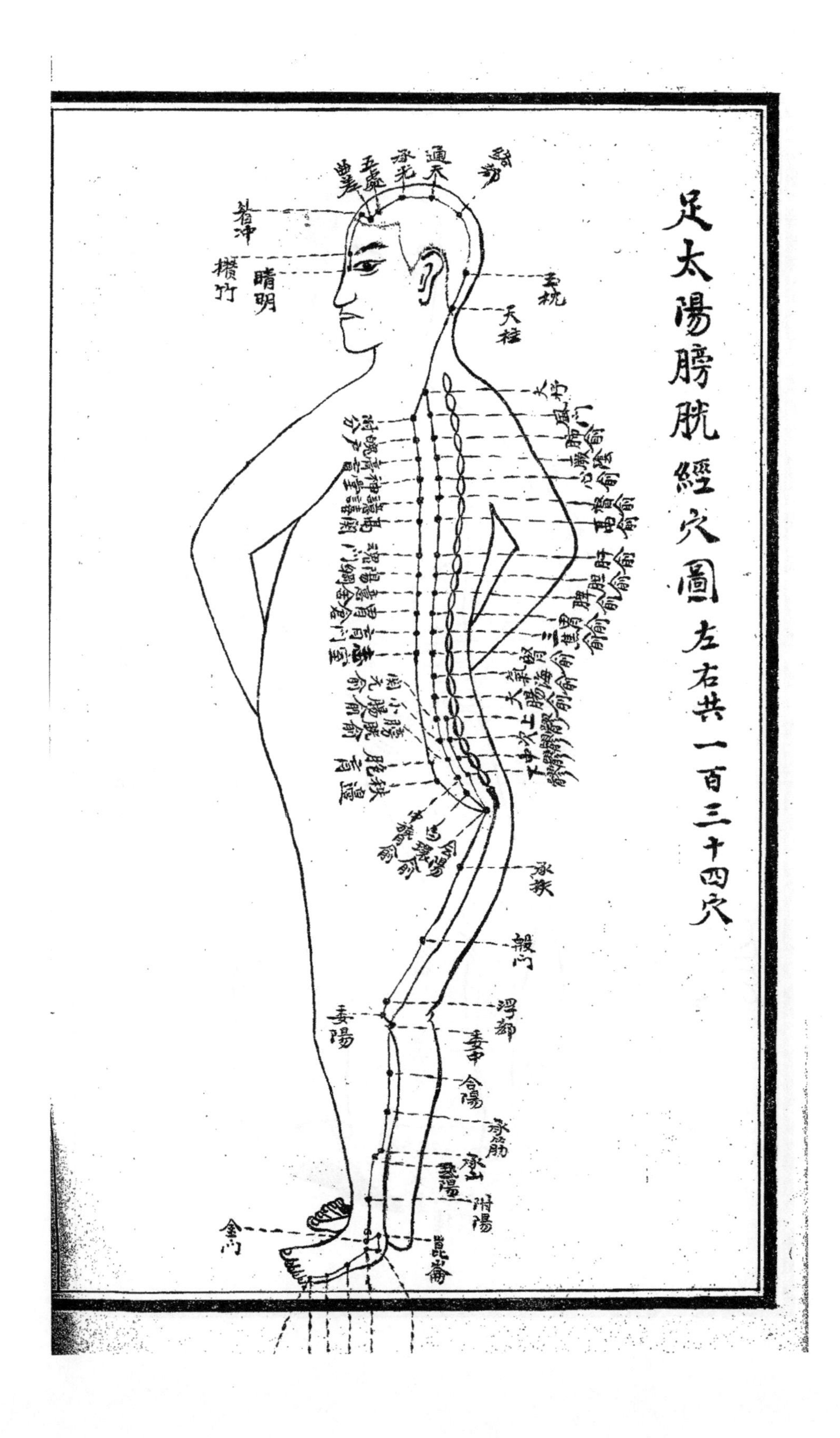

足太陽膀胱經穴圖
左右共一百三十四穴
曲差
五處
承光
通天
絡卻
攢竹
睛明
玉枕
天柱
承扶
殷门
浮郄
委陽
委中
合陽
承筋
承山
飛陽
跗陽
金门
崑崙

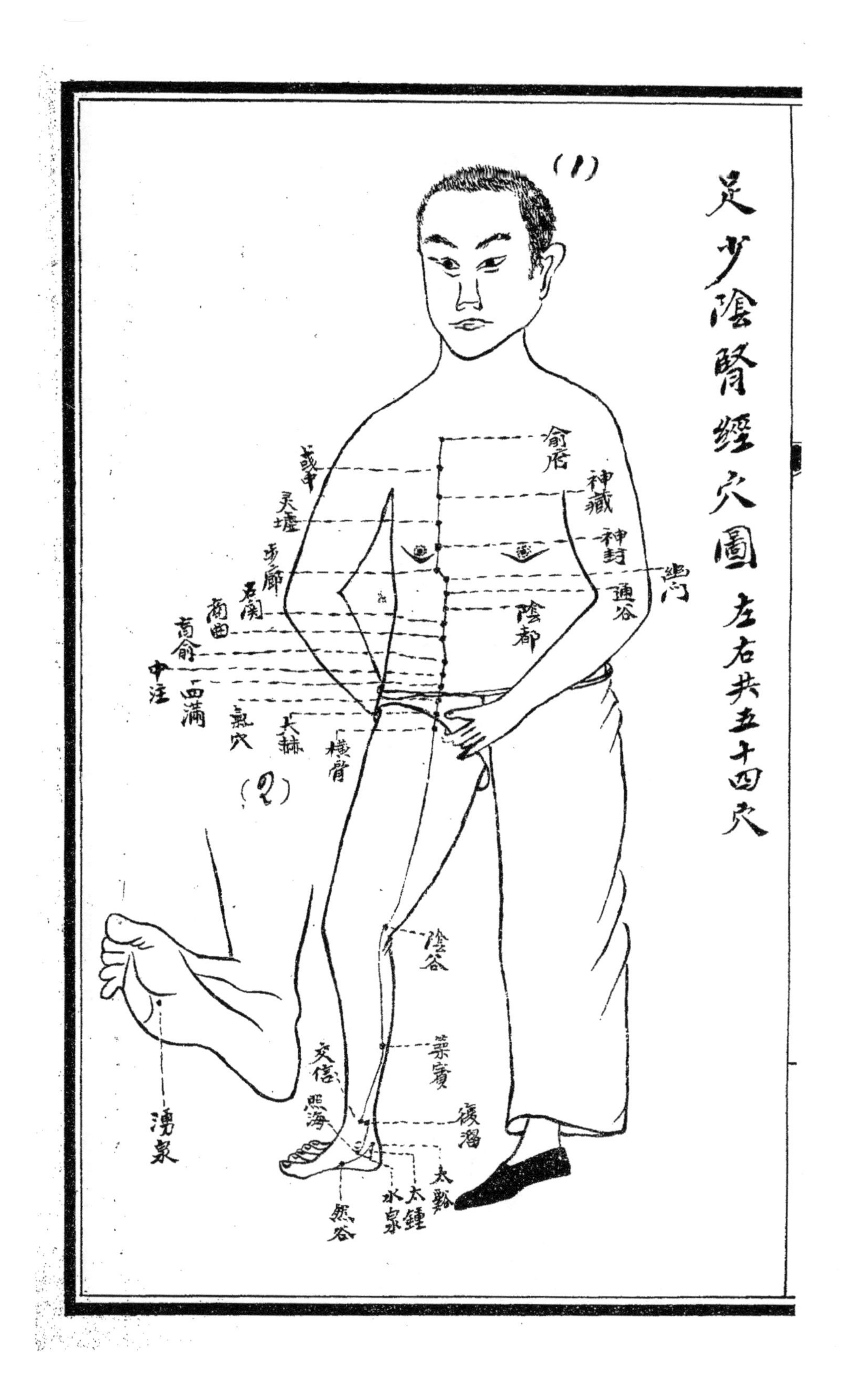

足少陰腎經穴圖 左右共五十四穴
(1)
(2)
俞府
彧中
神藏
灵墟
神封
步廊
幽門
通谷
陰都
中注
四滿
氣穴
大赫
横骨
陰谷
築賓
交信
照海
復溜
湧泉
太谿
太鍾
水泉
然谷

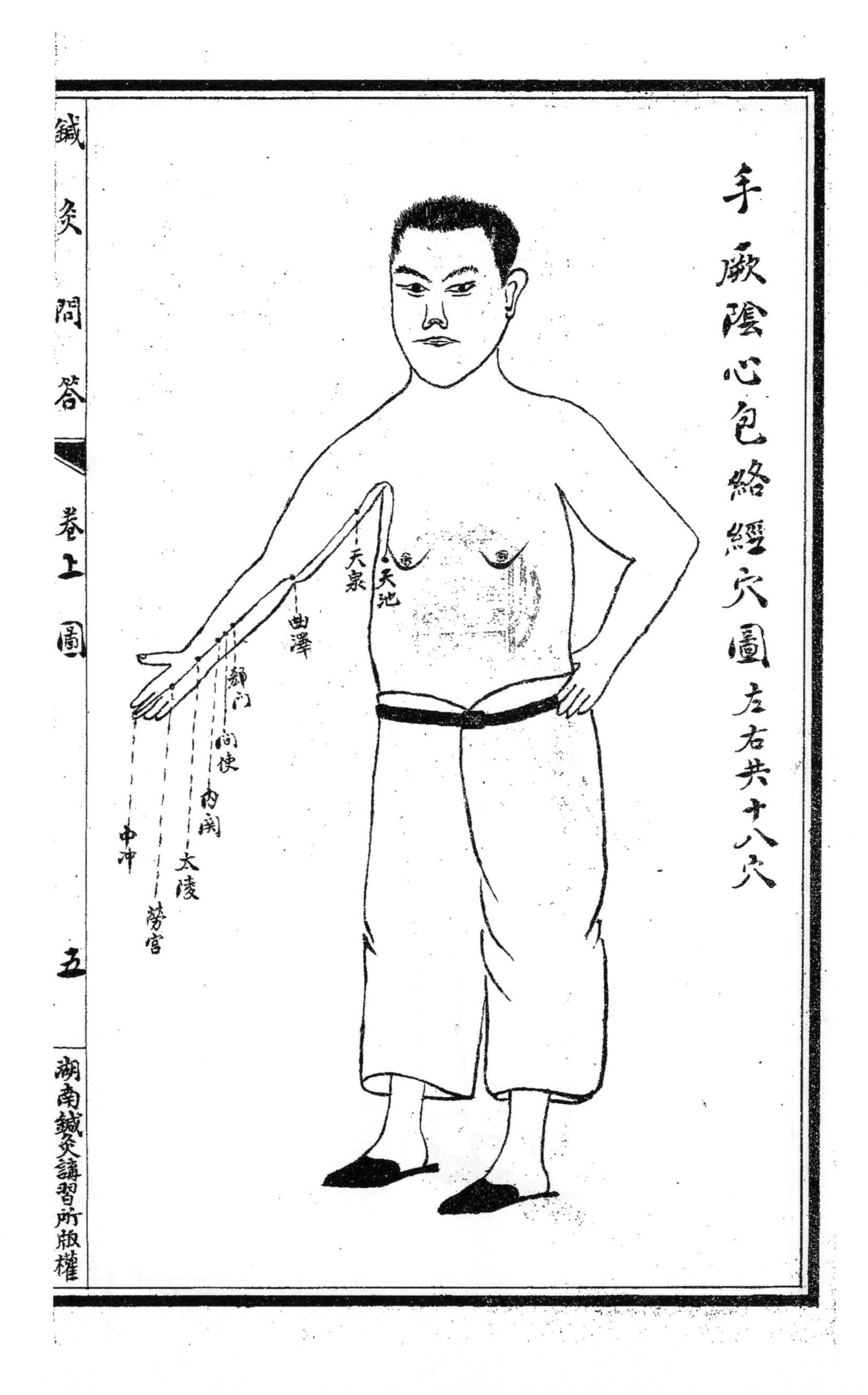
鍼灸問答 卷上 圖
五
湖南鍼灸講習所版權
手厥陰心包絡經穴圖 左右共十八穴
天泉
天池
曲澤
郄门
间使
内关
大陵
中冲
劳宫

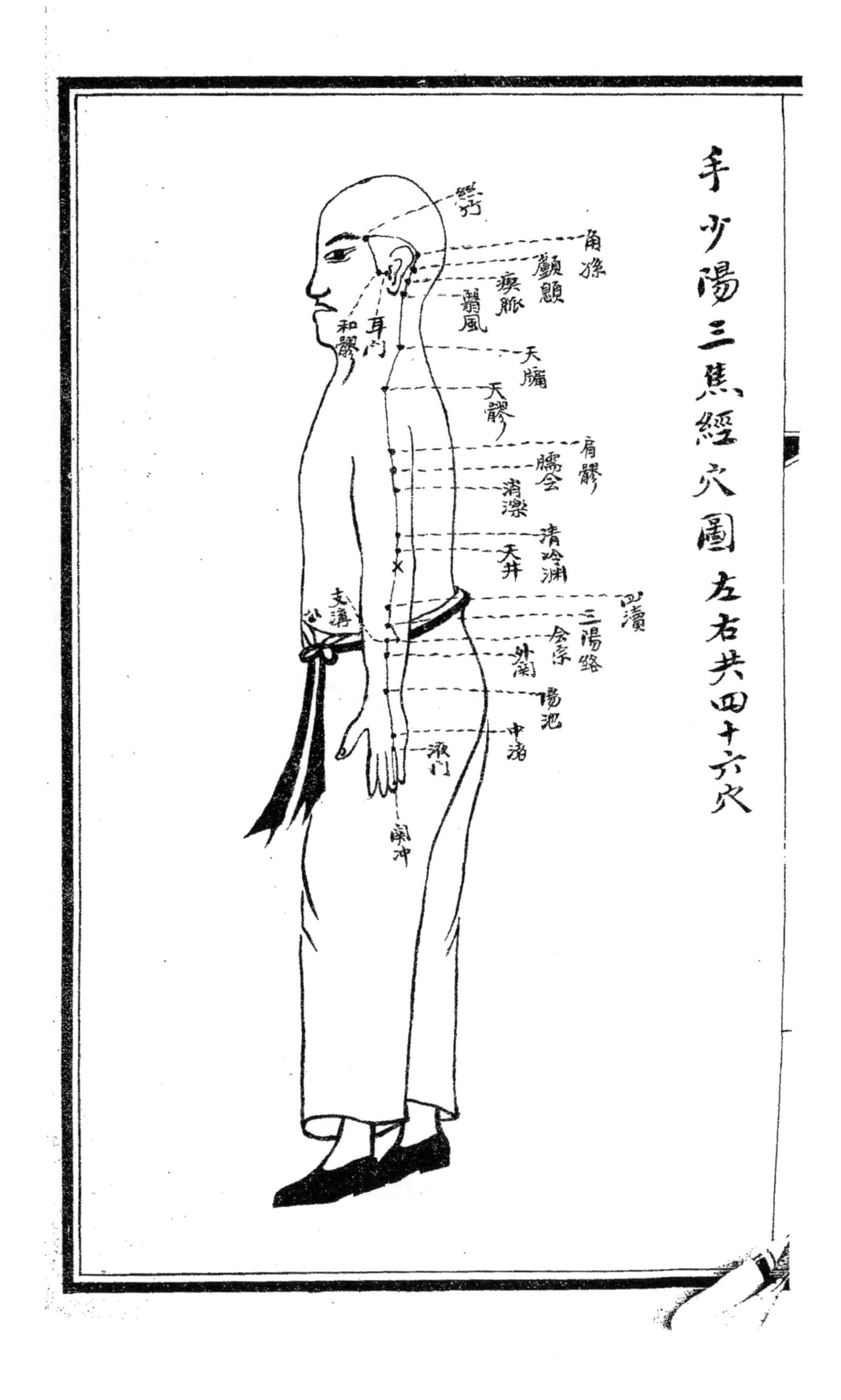
手少陽三焦經穴圖 左右共四十六穴
絲竹
角孫
顱顖
瘈脈
翳風
和髎
耳门
天牖
天髎
肩髎
臑会
消濼
清冷渊
天井
四瀆
支溝
三陽络
会宗
外關
陽池
中渚
液门
關冲

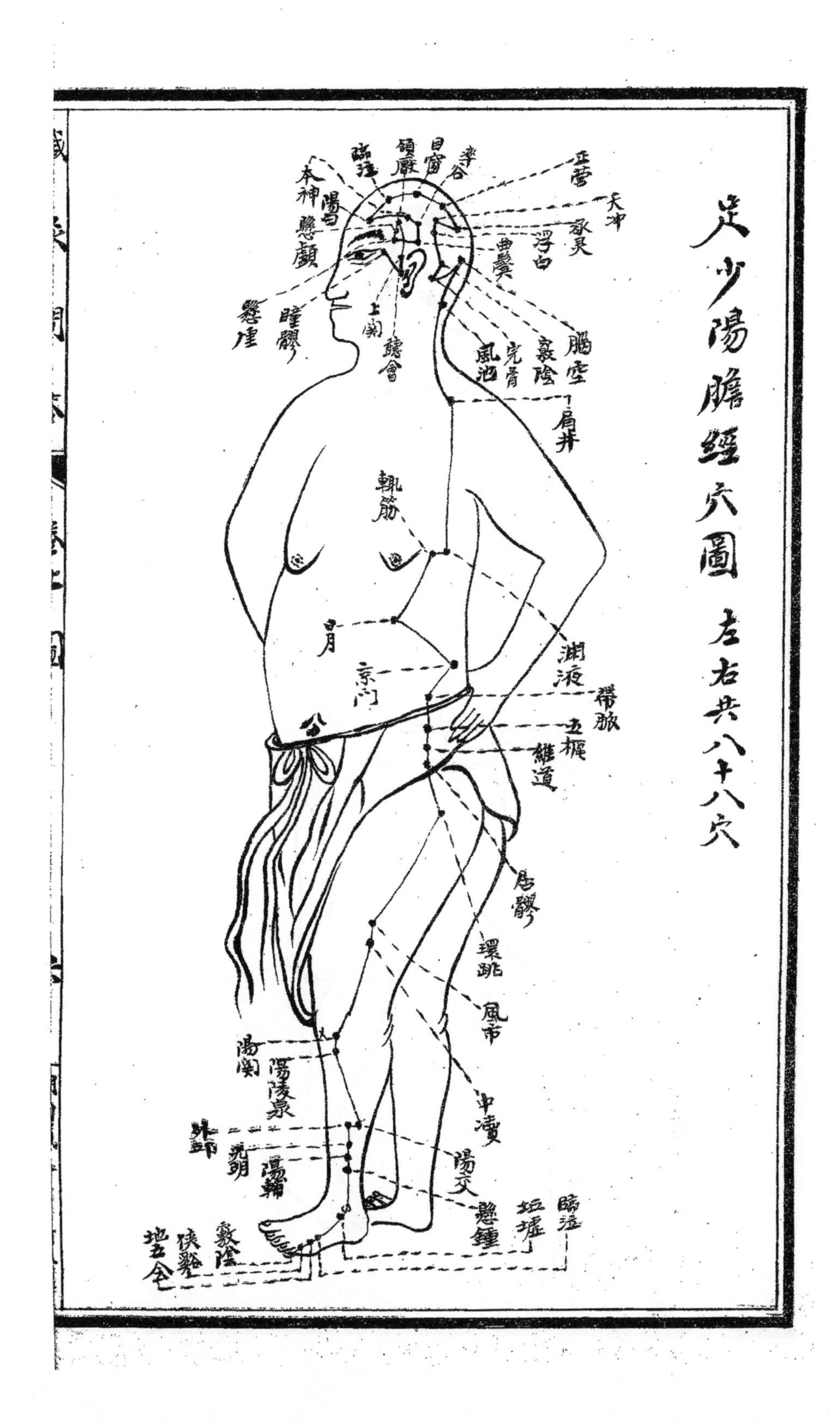
足少陽膽經穴圖 左右共八十八穴
臨泣
頷厭
目窗
率谷
正營
天沖
承靈
浮白
曲鬢
本神
陽白
懸顱
懸厘
瞳髎
上關
聽會
風池
完骨
竅陰
腦空
肩井
輒筋
日月
京門
淵液
帶脉
五樞
維道
居髎
環跳
風市
中瀆
陽關
陽陵泉
外丘
光明
陽輔
陽交
懸鍾
坵墟
臨泣
竅陰
俠谿
地五會

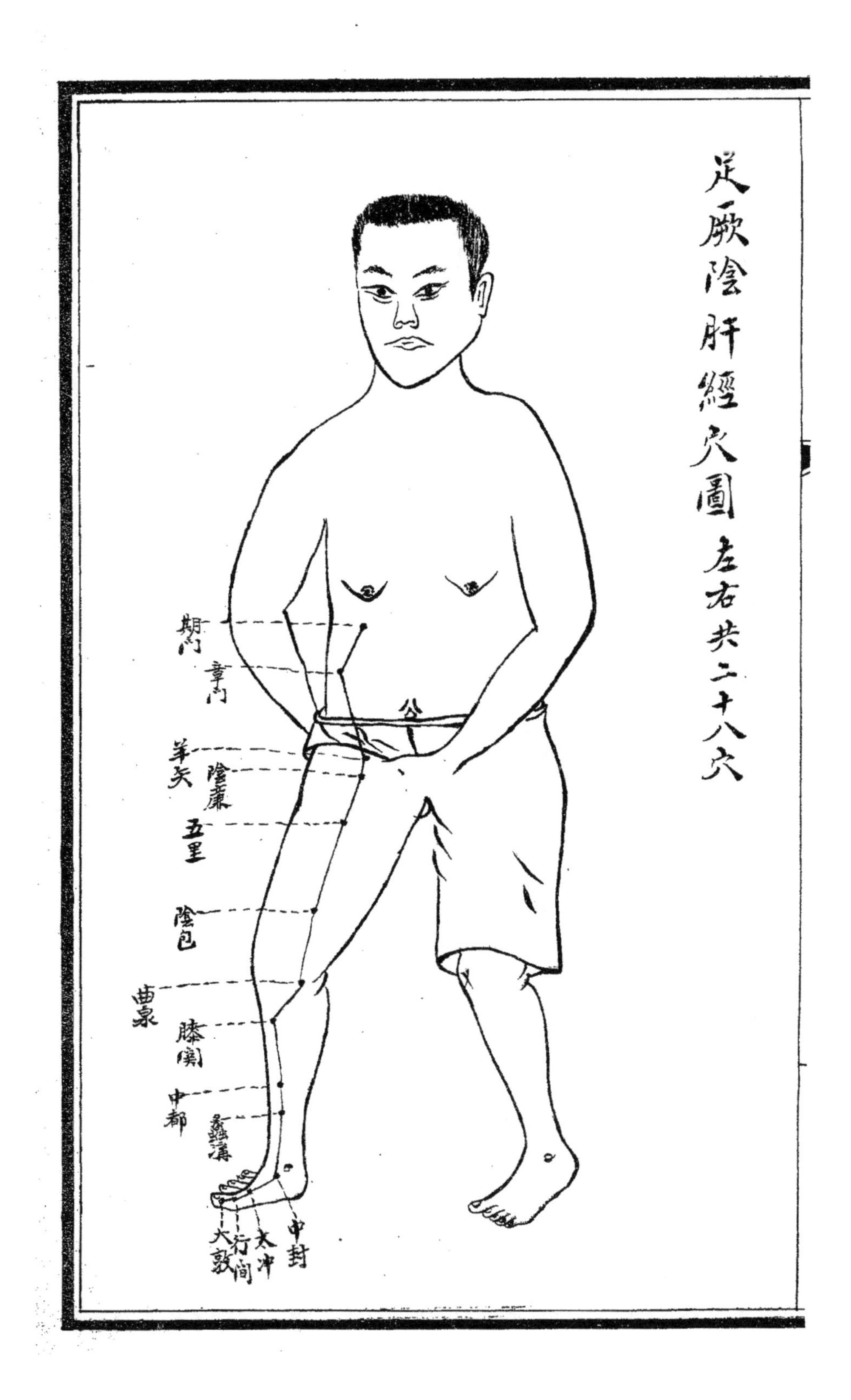
足厥陰肝經穴圖 左右共二十八穴
期门
章门
羊矢
陰廉
五里
陰包
曲泉
膝関
中都
蠡沟
大敦
行间
太冲
中封

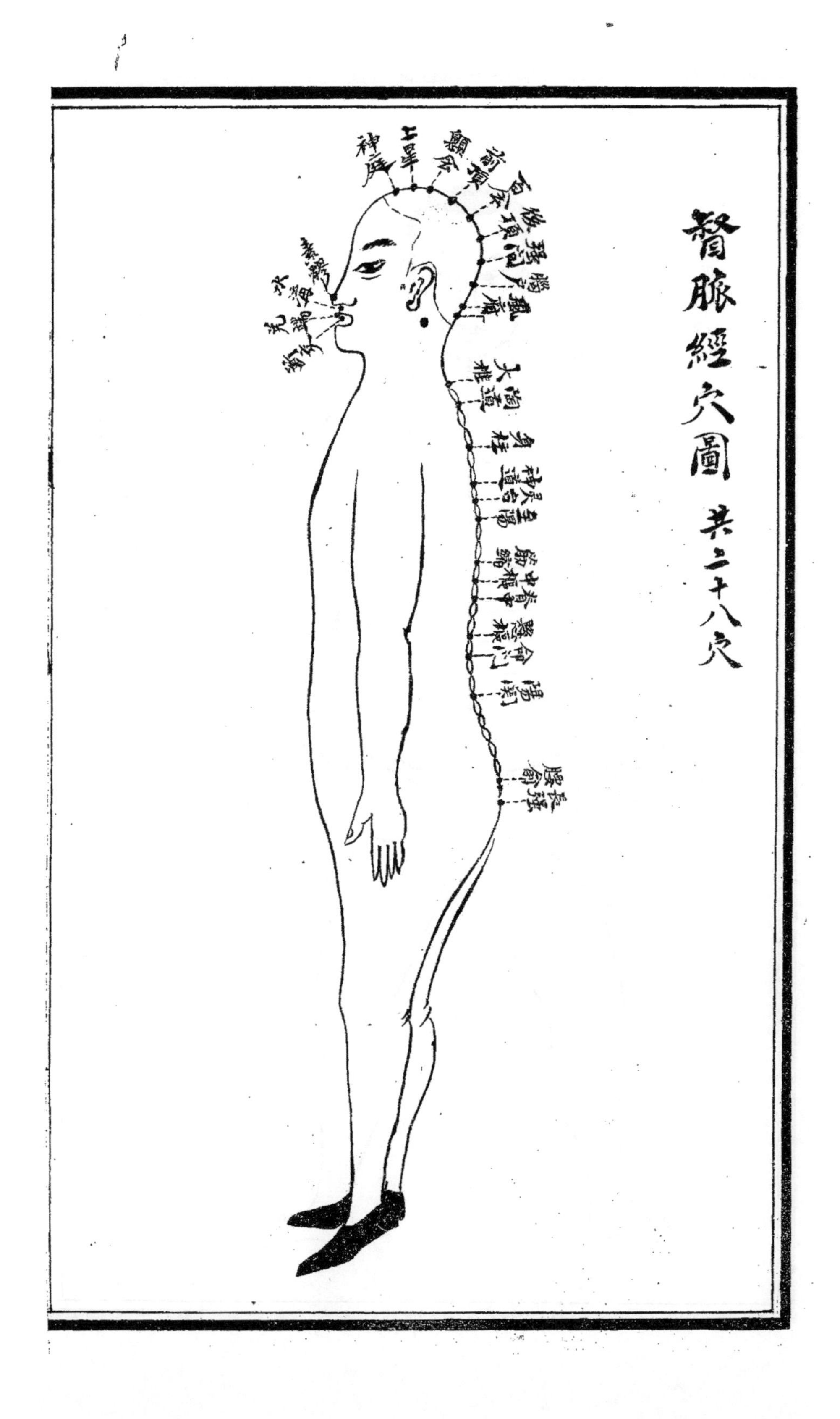
督脈經穴圖 共二十八穴
神庭
上星
顖會
前頂
百會
後頂
强間
腦戶
風府
大椎
陶道
身柱
神道
靈台
至陽
筋縮
中樞
脊中
懸樞
命門
陽關
腰俞
長强
素髎
水溝
兌端
齦交

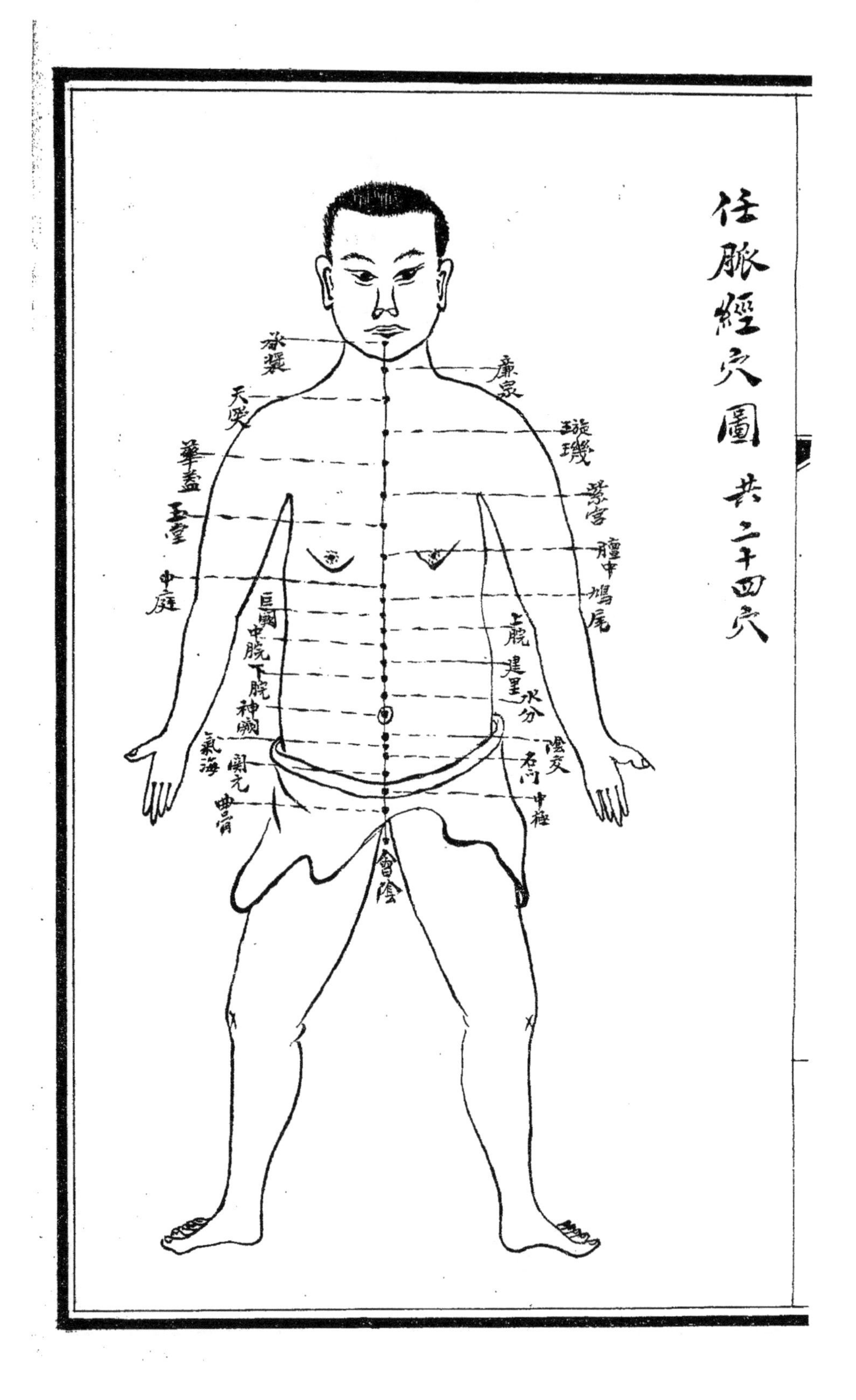
任脉經穴圖 共二十四穴
承漿
廉泉
天突
璇璣
華蓋
紫宫
玉堂
膻中
中庭
鳩尾
巨闕
上脘
中脘
建里
下脘
水分
神闕
陰交
氣海
石門
關元
中極
曲骨
會陰

非賣品

版權所有
翻印必究
學員保存
毋借他人